ザ・スタートアップ

ネット起業！あのバカにやらせてみよう

岡本呻也

ダイヤモンド社

復刊に寄せて

二〇一八年の某日、当時、KLab の子会社であるコーポレートベンチャーキャピタルの社長をしていた僕は、KLab 創業者の真田哲弥さんに呼び出された。

真田さんとは月に一度、定例ミーティングをしているけれど、彼が僕を突然呼び出すことは滅多にない。

「なんだろう。何かやらかしたっけな……」

軽い緊張とともに社長室に入っていった。

「あー、悪いな。長野君には早めに言うた方がいいと思って。実は俺、KLab の社長を退任しようと思ってるんや」

まったく想像していなかった話に衝撃を受けた。

僕は学生時代、『ネット起業！ あのバカにやらせてみよう』を読み、その登場人物の一人であった真田さんとビジネスがしたいと思って、当時未上場のベンチャー企業だった KLab に新卒で飛び込んだ。

そんな〝真田チルドレン〟の僕にとって、目の前の真田さんの告白は衝撃だった。

ショックを受けながらも、真田さんが続けた後の会話を、僕は生涯忘れない。

「退任された後はどうするんですか？」

「そうやなー、もう一回起業したいんや」

真田さんは目をキラキラと輝かせながら、もう一度、ゼロから起業したいんだと力説した。当時の真田さんは、もう引退してもおかしくない年頃だ。

それなのに、真田さんは僕の目の前で、この数年間の中でも一番楽しそうな表情で
「もう一度起業したい」と語っている。僕は感動で身震いしていた。

『ネット起業！　あのバカにやらせてみよう』が〝あのバカ〟たちの物語を描いてから二〇年以上が経っている。それなのに、真田さんはあの頃と一ミリも変わらない情熱で、エネルギッシュに起業をしたいと言っているのだ。

こんな格好いいオヤジが、日本のインターネットビジネスを切り拓いた第一世代だ。

『ネット起業！　あのバカにやらせてみよう』が出版されたのは二〇〇〇年のこと。

インターネットの誕生前夜に、その可能性を見出したネット起業第一世代の奮闘を描

いた青春物語だ。

もしかすると読者のみなさんは、「今さらそんな昔話を読んでも意味がないだろう」と思うかもしれない。確かに、令和のスタートアップと昭和のベンチャーでは環境がまったく違う。

令和のスタートアップシーンでは、ベンチャーキャピタル（ＶＣ）などの投資家が充実している。スタートアップに対する日本国内の年間投資額はもうすぐ一兆円に達する一大産業となっている。クラウドを活用した開発支援サービスや起業支援サービスもたくさんあるし、起業に関する情報も溢れている。起業は、もう一部の変わり者（本書で描かれる〝あのバカ〟）だけが挑戦するものではない。いいアイデアを思いつけば誰だってカジュアルに挑戦することができる。

だが、昭和のベンチャーシーンは全然違う。起業したいなら親や親戚に借金をするか、個人保証をつけて金融機関からお金を借りるしかなかった。ネットサービスを提供するのに、わざわざサーバーを買ってオフィスに設定をしていた時代だ。何もかもが手づくりだった。

そんな時代を生きたネット起業第一世代の泥臭くも生々しいドキュメンタリーには、令和のスタートアップシーンに生きる僕たちにとってもたくさんの学びがある。

加えて、時代が変わっても決して変わることのない、起業における普遍的な価値観もしっかりと描かれている。


「成り上がってやろう」という若者の熱狂と、自分が立ち上げる事業を信じ切る勇気、そして仲間との信頼関係――。

こうした言葉は今もなお、令和の起業家たちの胸を熱くさせるはずだ。

であれば、ぜひ本書を手に取ってもらいたい。本書には、若い起業家たちの泥臭くも胸の熱くなるようなエピソードが溢れているからだ。


僕自身のことについても、少しだけ話をしたい。

僕は今、ANOBAKAというベンチャーキャピタルを運営している。もちろん、社名の由来は『ネット起業！　あのバカにやらせてみよう』である。それくらい本書は、僕にとって大切な原点となっている。

僕は仕事柄、これまでにいろんな起業家たちの姿を見てきた。その中で学んだのは、最終的に成功の鍵を握るのは、事業の優位性よりも、熱意の方が圧倒的に大切だということであった。

自分の事業に熱狂し、〝バカ〟になれる起業家を応援したい――。

その思いが、僕の原動力になっている。

起業家は、様々なドラマに直面する。僕はこれまで八年間で一六〇社に投資をしてきたが、一六〇社にはそれぞれに、胸が熱くなるようなドラマがあった。

起業家は、目の前の事業がうまくいかないと自分のすべてを否定されたような気持ちになって落ち込むし、うまくいけばまるで世界のすべてが自分の思い通りになったような圧倒的な全能感に満たされる。毎日を、そんなジェットコースターの中で過ごすのだ。並大抵の精神力では耐えられない。

こうしたアップダウンを支えているのが、自分自身と、自分の事業を信じる心の強さだ。この起業家特有のメンタリティについて学べるのも、本書の大きな魅力である。

『ネット起業！　あのバカにやらせてみよう』は起業家たちの間では有名な「伝説の

名著」でもあった。僕が知る起業家たちは、直面した困難を乗り越える勇気や力をもらうために本書を読んでいたし、僕が支援する起業家たちにも本書をしょっちゅう薦めてきた。

そんな素晴らしい本が絶版になったままなのはもったいない。何とか復刊できないかと思っていたけれど、残念なことに著者の岡本呻也さんは二〇一六年に鬼籍に入られてしまった。

復刊をあきらめかけていた中で、知人のフジ・メディア・ホールディングスの時澤正さんが岡本さんと友人であることがわかり、時澤さんの仲介で岡本さんの弟の岡本和大さんや、当時の担当編集者である文藝春秋の田中裕士さんとご縁が繋がった。その後も奇跡的な繋がりが続いて、二〇二四年、伝説の名著をダイヤモンド社から復刊することが叶った。

復刊の過程では奇跡のように物事が動き始めるダイナミズムを感じたが、これも間違いなく、岡本さんが遺してくれた本の力があったからだ。

今回復刻された『ザ・スタートアップ　ネット起業！あのバカにやらせてみよう』

では、かつての書籍の原稿をそのまま復活させているだけではない。本書に描かれた登場人物たちに改めてインタビューを敢行し、当時を振り返ってもらった。時代を重層的に考察できる点も、復刊した本書の読みどころである。

また前作では構成上やむなくカットした「幻の原稿」も復活させた。第六章にはヤフー元社長である小澤隆生さんのビズシーク時代のエピソードも盛り込んでいるが、それも新しい見どころだ。

日本復活の鍵を握るのは、若者の反骨精神にある――。

そう信じているからこそ、僕は本書をたくさんの若者に読んでほしいと思っている。本編では、手に汗握るジェットコースターのような起業奮闘記が待っている。

さあ、一緒に冒険を始めよう。

株式会社ANOBAKA　長野泰和

夢を掴もうとした挑戦者たち

真田哲弥（さなだ・てつや）

1964年生まれ。1989年ダイヤルQ²サービスを利用した情報提供業ダイヤル・キュー・ネットワークを設立するが、1年半で経営破綻。その後6年ほどの間に3社を立ち上げてすべて失敗、暴力団金融に追われるどん底の生活に堕ちる。1998年、携帯電話に着目、最後の力を振り絞ってサイバードの設立に参加する。

堀主知ロバート（ほり・かずとも・ろばーと）

1965年生まれ。関西学院大学での学生起業、ロンドン留学を経て、幾度か起業を試みるが失敗。実家が経営する白浜の旅館川久も人手に渡ってしまう。1997年にネットを携帯電話に載せることにより派生するコンテンツ・プロバイダーを発想し、1998年、真田らをスカウトしてサイバードを設立した。

板倉雄一郎（いたくら・ゆういちろう）

1963年生まれ。1995年、史上初の無料インターネットプロバイダー「ハイパーシステム」を考案、事業化に乗り出すが、広告収入が思うように上がらず、1997年末に37億円の負債を抱えて倒産。翌年、個人保証分26億円の自己破産宣告を受ける。転んでもただでは起きず、この経験を基にベストセラーとなった『社長失格』を執筆。

松永真理（まつなが・まり）

1954年生まれ。1997年に乞われてリクルート「とらばーゆ」編集長からNTTドコモに転じ、ゲートウェイビジネス部企画室長として、インターネットを利用した情報サービスを行う携帯電話「iモード」の開発に参画する。「iモード」の名づけ親。

國重惇史（くにしげ・あつし）

1945年生まれ。住友銀行のエリート行員。MITのビジネススクールに留学。丸の内、日本橋など主要支店長を歴任。日本のバンカーとしていち早くネットの可能性に注目、1995年、ハイパーネットに2億5000万円の無担保融資を行うが、同社は1997年末に倒産する。1999年、DLJディレクトSFG証券の社長に転出。

注：プロフィールはすべて『ネット起業！　あのバカにやらせてみよう』（2000年刊行）時点の情報。

堀義人（ほり・よしと）

1962年生まれ。住友商事に入社。ハーバード大学でMBA取得。1992年に社会人向けビジネススクールを業務とするグロービスを設立。1995年、MBAベンチャー研究会をスタート、ベンチャー企業の文化を普及させると同時にビットバレーの中心人物たちの交流の場を提供することになる。

小池聡（こいけ・さとし）

1959年生まれ。ビットバレーのコンセプトを打ち出した男。GEとの合弁会社である電通国際情報サービスでニューヨークに駐在。1997年、西海岸に電通の子会社としてインキュベーター会社ネットイヤーを設立、1998年にマネジメント・バイアウトで独立、1999年に日本法人を設立した。

西川潔（にしかわ・きよし）

年齢は公開していない。1998年、ネットエイジを渋谷に設立。アメリカのネットベンチャーのビジネスモデルを紹介したメールマガジン「週刊ネットエイジ」は4000人の読者を獲得していた。ここでビットバレー参加の呼びかけを行うことで、一気にビットバレーのコンセプトが具現化した。

松山太河（まつやま・たいが）

1974年生まれ。アンダーセンコンサルティングを経てネットエイジの取締役に就任。同社で手がけた自動車見積りサイトをソフトバンクが買収、ネットビジネスが巨額のカネを生むことが認知された。その後、BVAのディレクターとして4500人を超えたビットバレーのメーリングリストを運営。

夏野剛（なつの・たけし）

1965年生まれ。学生時代にアルバイトしていたリクルートで松永真理と知り合う。新卒で東京ガスに入社。1996年、板倉雄一郎に乞われてハイパーネットに副社長として転職、ビジネスモデル立案に参画するが、1997年、松永からの声がかりでNTTドコモに移籍。iモードのビジネスモデル作成に取り組む。

目次

Chapter 1

Chapter 2

Chapter 3

Chapter 6

注：本書の内容や登場人物の肩書きは『ネット起業！　あのバカにやらせてみよう』刊行時の二〇〇〇年時点のものである。談話以外、敬称を省略した。「復刊に寄せて」と各章の解説のみ二〇二四年に書き下ろした。

Prologue

プロローグ

今は当たり前となった携帯電話から
インターネットに繋げるという技術も、
1997年夏には夢物語であった。
その夢物語の時代に鋭く時代を見越して、
新しい事業を立ち上げようとする男たちがいた。

一九九七年夏のある日、大阪ミナミの事務所街。午前三時を回ろうという頃、唯一軒だけ灯っていた事務所の蛍光灯が消え、三〇代前半の男が二人、ビルの戸口から吐き出されてきた。

二人は「ほな、明朝一〇時に」と呼び交わして、各々の車のエンジンキーを回した。白のクラウンは西長堀の阪神高速入り口から入って神戸線を武庫川方面へ。もう一台は反対の堺方面に。クラウンに乗る男は名前を堀主知ロバートという。両親とも日本人だが、ワシントンDCで生まれたので、アメリカの国籍も取得し、ロバートの名を両親がつけた。

彼は、実を結ぶかどうかもわからないビジネスプランを、パートナーの岩井陽介と練って、明朝のプレゼンテーションの準備を終えたところだった。二人とも昼間は別の仕事をしているのだが、なんとこの二人、自分たちの新規ビジネスのために携帯電話にインターネットを載せようとしていたのだ。

二〇〇〇年の今でこそ「携帯でインターネット」は常識だが、一九九七年当時、関西でそんな新サービスを考えている携帯電話会社はなかった。どこの馬の骨とも知れぬ三〇歳そこその若造がやって来て「新規事業を始めろ」と言うのだから、殿様商売体質の電話会社にとっては無礼極まる話である。世が世であれば、お手討ちものだ。

しかし、この二人の熱意とアイデアは少しずつ大企業の担当者を動かしつつあった。今や彼らのアイデアは具体的な数字を伴った事業計画のレベルになっていた。彼らは松下通信工業に話をつけ端末機器の製造の算段も整えつつあった。キャリア（電話会社）がネット接続のサービスを開始すれば、彼らはそこにコンテンツを提供するビジネスを立ち上げようと目論んでいるのである。

堀は南紀白浜の名門旅館「川久（かわきゅう）」の御曹司で、ロンドン留学帰りの颯爽とした若者である。それにしてはくたびれた車に乗っている。実は川久は一九九二年に豪華に建て替えられたのだが、バブル期お決まりの銀行の過剰融資で経営に行き詰まっていた。

堀主知自身は建て替え時の建築資材輸入は手伝ったものの、経営にはタッチしていなかった。建築現場で「今日の決済どうするかなあ」と話しているのを聞いておかしいなあとは思っていたのだが、それまでの無借金健全経営を捨てた無軌道な過剰融資の実態が明らかになるまでに時間はかからなかった。彼と母親は旅館の完工を待って独立し、ミナミに建築コンサルティングの会社を構える。一九九八年に川久は人手に渡り、経営者だった堀の祖父はその地位を追われることになる。

祖父はカーマニアで、賀陽宮家所有の菊の御紋付宮廷馬車をはじめとして、日本に一台しかないという名車をずらりと揃えていたが、落魄してすべてを失ってしまう。不憫に思った堀は、知り合いの中古車業者に頼んで見映えだけは良いクラウンを調達させた。どうせもう乗らないんだからエンジンは適当でよい。色は爺さん向けに白だ。従兄弟一七人に醵金を募り、「プレゼントだよ」と差し出して喜ばれた。

その車を転がして、堀は実家に向かっている。五〇〇坪もある実家は先の震災（編集注：阪神・淡路大震災）で二棟が崩壊し、洋館と鉄筋倉庫だけがかろうじて残っていた。防音壁に挟まれ、ナトリウム灯に照らされた味気ない阪神高速だが、彼は学生時代、レーシングカートの選手だったので運転は好きだ。

タイヤと路面との接地を、シート越しに肩と尻で感じ取りながら、コーナーを一つ一つ攻めていく。進入する角度、ハンドルを切るタイミング、「うーん、今のはよかったな」などと心の中で量りつつ、ボロボロの車をシャーシやサスペンションの限界まで使って走らせるのが、彼の楽しみなのである。

武庫川の出口に近づいた。女に携帯で電話する。

「あっ、俺。今終わったねん」

「大変やなあ。頑張りや」

その瞬間、堀の脳中に新しいアイデアが閃いた。

「ああ、でもまだちょっと気になることがあってな」

「そらいかんで、あんた。戻っておやり」

「しゃあないなあ、岩井に電話するわ」

電話をいったん切り、さっき別れた男に電話をかける。ちょうど今頃は、堺に近づいた頃だろう。

「もしもし。あ、やっぱり」

相方の岩井も堀からの電話を予期していた。というのも、これがいつものパターンだからだ。岩井から堀に電話することも少なくない。この二人、お互いがお互いを引っ張りあって前進するいいコンビなのである。

「さっきのおかしいと思わへんか。コンテンツを提供するのは僕らなのに、僕らがキャリア（電話会社）に通話料を払うのはおかしいやろ。基地局のサーバーの中に僕らのシステムを入れられたら問題は解決するやん」

「ほな、戻るわ。それで計算し直そう」

ほどなくして武庫川の出口を降りると、堀は滑らかに車をUターンさせて、反対車線の高速入り口に車を滑り込ませた。今度はさっきと反対向きのコーナーを飽きずに攻め始める。阪神高速神戸線の高架の両側には、煤（すす）けた臭いを放つ工場群が黒々とわだかまっている。時おり震災で傾いたマンションを掠（かす）める。

やがて淀川を渡り右手に海が見えた頃、白々と行く手の空が明け始め、水面が鮮やかな青の表情を取り戻す瞬間を知る。一条の閃光が輝きを放った瞬間、黄金色の小球が地平線上に現れ、その周囲にたなびく薄雲が橙色に染められてゆく。行く手の空に描かれる大壁画の彩色は、一刻も止まらず広がってゆくが、太陽が地中から顔を出し切るとすべてが単色の光に呑み込まれてしまう。

車が中之島に近づくと道の高低が激しくなり、カーブも多くなる。光が闇を追い出して車内を満たす。鋭角にきらめく高層のオフィスビルを両側に仰ぎつつ、堀はカーブの傾きに身を委ねる。

「ここのところ運転しながら日の出を眺めるのにも慣れてしまった。もう何度目だろう。このビジネスの夜明けはなかなか来ない。しかし、これができへんかったら生きて行かれへんわ。背水の陣以上や。でも勝算はある。キャリア（電話会社）相手にプレゼンでしゃべればしゃべるほど、可能性は確信に変わってくる。絶対これしかないわ。今までやって来た事業とは全然違う手応えがある。第六感でもわかる。それを盲信できないことはわかっているけど。

僕らがしゃべってる相手はキャリアや。もし携帯電話でネットをやるとしたら、彼らがやるしかない。だからこれ以外の道はないんや」

事務所に戻ると、岩井もほぼ同時に到着していた。会議室の机の上には書き散らかした厖大（ぼうだい）な枚数のＡ３の紙が載っている。あらゆる事態を想定し、詰めに詰めて穴がないかどうか考え、もう千回近く書き直しただろう事業計画書や企画書の束である。

パソコンのハードディスクが満杯になるほど二人は書きまくっていた。二人は計算機を叩きながら、そこにまた新たに手を入れる。彼らはビジネスのそもそもの提案者なので、キャリア側のビジネスモデルも熟知していたのである。これでまた一歩、彼らは成功に近づいたのだろうか。

「よし、キャリアに明日持っていく数字はこれでええやろ」

「もうしんどくて帰れへんで」

「また、あそこ行って仮眠しよか」


二人は今度は難波にあるクアハウスに向かった。一風呂浴びて、浴衣を羽織り、各々仮眠室の寝台に横になる。二時間は眠れるだろう。明かりを落とされた巨大な空間に、トラック運転手や酔っぱらいが数十人、おのがじし勝手な高鼾（いびき）をかきながら横たわっていた。ここでまた、堀の頭の中で警告灯が灯った。

「あかん、さっきの計算は違うとる。直さんと。岩井はどこや」

堀は寝台の上に起きあがり、相方を目で探そうとするが、暗闇の中には見渡す限り鼾をかく骸（むくろ）が同じように転がっているばかりである。仕方がないので片手を口に当てて小声で「イワイィ、イワイィ」と、寝台の間を腰をかがめて呼ばわって回る。方向を見失って、寝台から斜めに突き出ている足を蹴っ飛ばしてしまった。

「うるさいんじゃあああ」

大音声で一喝される。堀は首をすくめて「えらいすんません」。それで岩井が気づいてくれた。

「どないしたん」

「さっきのそろばんの置き方、違とるで」

「わかった。戻ろう」

二人はよろぼいつつ事務所に戻り、再び計算機を叩くのだった。


ここまで努力して報われなければ、お天道様が間違っていると思うのだが、現実は甘くはない。

一九九八年が明けると、彼ら二人のキャリアに対する働きかけは相次いで不採用となった。見事なステップを踏んで数々のタックルをクリアし、ゴールを目前にしたのだが、最終的に「コスト上の問題でやっぱりできません」という一言の前に堀の想いは無惨に潰えたのである。

携帯電話上でのネット接続と課金が実現するには、一九九九年二月のｉモード登場を待たなければならなかった。これを皮切りに現実に携帯電話のネット接続が始まると、コンテンツのアイデアと事業プランを練り上げていた彼らの出足は早く、他の追随を許さなかった。

堀主知ロバートは携帯コンテンツ・プロバイダー（情報提供事業者）の雄、サイバードの社長となった。岩井陽介は専務取締役である。

同社はスタート時から、創業者以外にオムロン、伊藤忠商事などの大手企業の出資を仰いでいたが、業容の急拡大によって、インテルが日本企業として初めて出資したほか、ＥＤＳ、オリックス、リクルートなども増資に応じ、提携関係を強化している。ベンチャーながら特定のマーケットで押しも押されもせぬ独自の地位を確立した証左である。

二〇〇〇年三月時点では額面五万円の株が二〇〇〇万円の評価をされるようになり、「増資をするよ」と、この指止まれをやると予定株数の一〇倍もの応募がすぐ集まってしまう。

株式公開前の資本金は一二億七五〇〇万円。一九九八年度売上高三〇〇万円、一九九九年度四億円、二〇〇〇年度はその一〇倍成長を目指し、二〇〇一年度はそれをさらに倍増させるカーブを描いている。そして二〇〇一年秋には株式を店頭公開する。

だが彼らがこの華々しい成功を掴むまでには、その前段階として一〇年に渡る人知れぬ苦闘があった。起業してからも度重なるピンチに見舞われ、それを知恵と経験と度胸でかいくぐる連続であった。

さらに彼らが副社長として招いた人物については、この後多くの紙数を割かねばならない。

真田哲弥。一九八〇年代にダイヤル・キュー・ネットワークという会社をつくった男である。同社の経営が行き詰まった後、彼は六年の間どん底の人生を経験するが、ネットの世界で見事に再起を果たす。不遇時代の彼を支え続けたのは、「起業」への不屈の執念だった。

この本には、彼のように、一度は手痛い失敗を経験し、そこから蘇った人々が多数登場する。彼らは失敗にめげることなく幾度も幾度も挑戦を繰り返した。

彼らは「まだ世の中にないものをつくる」ことに挑んだのである。新しい価値をつくる者、人と人が繋がる意味を知る者、ばらばらに存立する価値をネットワークして世の中を変えていく者、彼らこそネットベンチャーと呼ぶに相応しい者たちだった。

「ＩＴ革命とは何か」という議論がある。

私ならこう答える。

革命とは、主権者の交代とそれに伴う社会変革を意味する。ＩＴ革命とは、インターネットを利用した情報・コミュニケーション技術を多くの人が手にすることによって、統治や経済活動の主権が、従来の既得権者や市場支配力を持つ大企業から、市民や消費者の手に引き渡されること。それによって新たな社会の構造が形作られることである。

この過程では情報機器のイノベーションにつれて生活が徐々に変化して行くはずだが、それは表面的で瑣末な現象にすぎない。

ＩＴ革命の本質は、それによって人々の意識が大きく変化するということにある。人々の労働や社会参加に対する意識が変わらなければ、期待されているほどの生産性の向上は決して実現できないだろう。

コンピューター・ネットワークは、コンピューター同士が無機的に繋がっているものでしかない。しかしそれはネットワークの機能を純化したものなので、ネットを介して人々は有機的な繋がりを持ち、よりネット対応的に考え、行動するようになる。

そうした意識の変化が、日本の社会を変える大きな原動力になっていくはずだ。もしもこの駄目な国に構造改革が起こるとすれば、その淵源(えんげん)はネットにあるに違いない。

これから述べるのは、そうした意識変化を誰よりも早く先取りし、新しいビジネスをつくりだそうとしたネットベンチャーの一〇年間に渡る物語である。

Chapter

1

原点はダイヤルQ^2にあり

すべてのネットワークビジネスは、
ダイヤルQ^2をその原点としている。
激戦のQ^2ビジネスを制した真田哲弥の
ポータル(玄関)というアイデアこそ、
10年後のネットビジネスへの魔法の鍵だった。

ポータル（玄関）をつくれ！

「ベンチャー」という言葉にまつわる一般的なイメージの中でも好ましからぬ組み合わせ――「若さ」と「野望」と「挫折」について語ろう。

話はバブル景気の頃に遡る。一九八九年六月のある日、東京発の下り新幹線の車中に思い詰めた表情で目をぎらつかせた小柄な青年が座っていた。

真田哲弥、二五歳。長髪、口ヒゲ、ガラガラ声のこの若者は、関西学院大学に在籍していた頃は、「彼を知らない学生はもぐりだ」と言われるほど、関西の学生界を仕切っていた。

その彼は、若きベンチャー起業家としてスタートを切ろうと、ぶ厚い事業計画書を抱えて東京から時速二〇〇キロで西下しつつあった。

「ダイヤル・キュー・ネットワーク事業計画書」。この事業こそネットベンチャービジネスの嚆矢（こうし）だったのである。

一九八八年、ある事情で東京に出てきていた真田は大学時代から世話になっていたテンポラリーセンターの知人に、「一九八九年七月からNTTが、アメリカの九〇〇番サービスのような、有料電話サービスをやるらしいよ。なんでも伊藤忠商事の子会社がNTTに熱心に働きかけて実現したらしい」という情報を教えてもらった。いわゆるダイヤルQ²サービスである。商売の種を探していた真田の脳裏を、瞬間、「これやっ」という閃きが走った。

「企画やコピー書きの仕事は自分が働いた分しか儲からん。こんなのはビジネスじゃない。ダイヤルQ²なら寝てる間も機械が稼いでくれるから、初期投資だけすれば固定費や販売費を増やさずに利益が上がるに違いない。これこそビジネスや」

真田は代々木駅前の汚い貸机屋を借り、手書きの原稿をそこに居る事務員のおばちゃんにワープロで清書してもらいつつ、練りに練った事業計画をまとめ上げたのである。その計画書と共に、彼は今、関西の仲間の元に向かっているのだ。

真田が考案したダイヤル・キュー・ネットワーク（以下、Qネット）のビジネスモデルとはこのようなものである。「NTTが料金回収代行をしてくれる」という話を聞くと普通の人なら「じゃあ、どんな番組を提供すれば儲かるかな」と考える。ところが真田はそう考えなかった。

真田は番組をつくるのではなく、インターネットで言うところのポータルサイトをつくろうとしたのである。

ポータルとは玄関という意味だ。いろいろな情報を載せたサイトを集めて、その入り口となるサイトをポータルサイトという。

利用者は、広大なインターネットの世界の入り口として、接続の窓口となる特定のサイトを必要とする。二〇〇〇年の今、一日一億ページビューを達成し、日本で一番アクセス数が多いサイトである「ヤフー」もこの玄関サイトとして位置づけられる。つまりヤフーにアクセスすると、ホームページ検索以外にもニュースを見たり、ショッピングしたりレストランを探したりオークションに参加したりと、いろいろなサイトへの入り口になっているからだ。

ポータルサイトには、「ヤフー」、「グー」、「ライコス」、「インフォシーク」、「エキサイト」のような検索エンジン以外に、ネット接続事業者であるプロバイダー各社も力を入れている。大手のプロバイダーには、富士通の「@ニフティ」、NECの「ビッグローブ」、ソニーの「ソネット」、マイクロソフトの「MSN」など、パソコンメーカーの系列会社が多い。パソコンに電源を入れたら、すぐ自社の系列プロバイダーに接続できるような仕かけにしてあるからである。

こうしたプロバイダーのサイトがポータルとしてアクセス数の上位を占めるということは、日本には魅力的で役に立つサイトが少ないということの裏返しだろう。一方、ベンチャー企業のプロバイダーも存在する。一九九二年に日本初の商用プロバイダーとしてスタートし、苦難の道のりを歩んだ「インターネット・イニシアティブ・ジャパン（IIJ）」や「ベッコアメ」がそれだ。また、ダイヤルQ²回線を利用して課金するというユニークな発想で成功したインターキューも独立系プロバイダーである。ただし、これらの企業は自社のサイトをポータルとして客を呼び込もうという戦略はあまり採っていない。また「ライブドア」は、利用者に広告を見せたり、マーケティングデータを収集したりする代わりに、無料でインターネット接続をするというサービスを開始している。

メディアが展開する情報系総合ポータルサイトも頑張っている。その代表例として

リクルートの「イサイズ」を挙げることができる。リクルートは就職情報、住宅情報、アルバイト情報、資産運用、旅行、読書などの雑誌を発行、広告掲載料を収入としているが、そうした検索性のある情報はインターネット上での提供によく馴染む。特に学生の就職の説明会情報を網羅した「リクルート・ナビ」は、就職する学生の大多数がこれを使って会社を決めていると言われているほどのアクセス数を誇っている。

イサイズは情報掲載企業から掲載料を取り、一九九九年に一六二億円を売り上げた。各メディアも自社の情報を活かしたサイトの構築を狙っているが、リクルートに匹敵する成功例は日経ＢＰ社とインプレスくらいだろう。

ポータルサイトは現在、総合ポータルから、アマゾン・ドットコムのように領域特化する方向と、個人の情報ニーズを取り込んで、利用者個人が必要とする情報をカスタマイズして効率的に提供する方向に進化しつつあり、サイバー・スペースの中で激しく熱い闘いが行われている。

インターネットなど姿形もなかったバブル時代、既に真田は電話を利用してポータル的なメディア支配を構想していた。ネットに関わりを持たない素人の発想としては、まさに野望という表現が適当なほど雄大なものであった。

〇九九〇－三二〇－一一〇。これが東京のQネットセンターの番号だ。利用者はここに電話をかけ、#に続いて四ケタの番号を押すことで、そこから希望する番組、プロレス情報とかアイドル情報、雑誌情報、映画情報などの番組に飛んで行くことができる。つまりQネットは九九九九個の箱をつくって、そのインフラを売る会社なのである。

情報料は番組によって違うが、一分数十円が課金されNTTが回収する。NTTはそこから九パーセントの手数料を差し引いてQネットの口座に振り込む。Qネットは情報料の一五〜三〇パーセントを情報提供業者や代理店に支払うという仕組みである。

電話には市外料金がかかるので、Qネットは全国主要都市にQネットセンターを開設し、その周辺の人が近くのセンターに接続できるよう便宜を図る。Qネットを通して情報を提供したい企業は、東京のQネットセンターにテープを持ち込めば自動的に全国に配信される。またプロレスの結果情報などは各地に社員を派遣して取材し、自前でスタジオを借りて番組を制作、配信する。

もしうまくいってQネットセンターにコンテンツが集中するようになれば、他の企業は自前でセンターを設置しようとはしなくなるだろう。番組数が増えれば増えるほどQネットの認知もアクセスも向上し、利益が叩き出されるはずだ。

事業計画書の冒頭には「マスメディアに替わる第三のメディアをつくります」と高らかに謳われていた。Qネットの考えるべき命題は、この三二〇－一一〇という電話番号をどれだけ多くの人々に知らせるかである。これは現在のネットビジネスが自社のブランド認知のためにコストをかけている姿とまったく変わらない。

このビジネスモデルは、まさにポータルサイトとプロバイダーの先駆けだが、驚くべきことにそれまでネットビジネスなどまったく手がけたことのない真田の独創であった。

では、なぜ彼はこんなアイデアをひねり出すことができたのか。

関西学生界のキーパーソン

大学時代の彼に会った人間は一様に、その切れの鋭さ、話を聞いてそれをすぐ企画化する頭の回転の早さ、「真田節」と言われたプレゼンテーション能力に感嘆したという。

その彼もある挫折を経て東京に流れ、Qネットのアイデアに辿(たど)りついたのであるが、その詳細を語るには、ここからさらに数年遡って真田の学生時代の話をしなければならない。彼はその時こうむった痛みを乗り越え、失われた自信を取り戻すために大阪に向かっているのである。


真田が一浪して関西学院大学に入ったのは一九八三年のことだった。大学とは広い社会への入り口であり、自由があり、自分の可能性をどこまで広げられるか、挑戦が許される場である。

真田は、まさに大学に「乗り込んで」いった。司馬遼太郎の『竜馬がゆく』を高校時代に耽読した彼は、もう既にその時点でサラリーマンの道を捨て、漠然と「ビッグな男になってやる」と気負い込んでいた。

子供の頃から小兵ながら気合でケンカに勝つ天真爛漫(てんしんらんまん)なガキ大将。議論すれば、とにかく屁理屈をこねて人に負けない。高校と予備校ではサッカーに明け暮れ、予備校サッカーリーグをつくるなど卓越したネットワーク力と行動力を持っていた真田は、入学時に二つの目標を立てた。

一、会社をつくる

二、ミナミのディスコすべてで顔パスになる

どうも整合性のとれない目標のようだが、そうでもないらしい。当時は学生企業をつくるのがブームで、学生たちは関西でも関東でも、遊びの中からビジネスを生み出していた。

大学一回生の間に真田はディスコ顔パスの目標は達成した。夕方になるとミナミのマハラジャに行って寿司をパクついて腹をつくり、その後ハシゴして歩くコースまで決まってしまった。各ディスコでは、大学に根城を置くパーティーサークルが、時々ディスコを借り切ってダンスパーティーを行っていたが、真田は、

「じゃあ、このパーティーサークルの代表を集めて束ねてしもたらええやないか」

と考え、各サークルをオルグして、たちまちのうちに「なにわ倶楽部」という関西最大のサークル団体を創設し代表に納まった。なにわ倶楽部は集まってきた若者たちの溢れる才能を活かして、出版やレコード企画、ファッションショーなども活発に行うようになる。

一方で真田は知恵を絞って新たな企画を考え、マハラジャの店長に相談を持ちかけていた。

「店長の悩みは、どうすれば平日の入場者を増やせるかいうことですよねえ」

「そうや」

「じゃあね、月曜から木曜まで、曜日ごとの割引カードを発行してもらえませんかね。僕の方でそのカードを学生サークルに割り当てますから」

「そうすると、何のメリットがあんねん」

「学生は週イチで集まれる溜まり場ができますよね。ナンパしても〝何曜日はマハラジャにおるで。入り口で俺の名前言うたら安なるよ〟って誘えるじゃないですか。だから学生は来ますよ。そうすると女性も来るから売り上げも増える」

「そりゃおもろいな。やってみよか」

「ついては僕にそのカードの発行権をもらえませんか」

真田は学生とディスコの間をうまく繋いでマハラジャカードの発行権を手に入れた。カードの発行権者には誰も逆らえない。真田はマハラジャの王様になったわけだ。とにかくこの男、このような才覚を次から次へと発揮するのである。

この何でも「束ね」てしまうという発想が、Qネットのポータルという機能に結びついたのであろう。大きな相手を束ねるほど、束ねた本人の利得は大きくなる。「真田の周囲にいると何か楽しいことがあるのでは」と学生たちも集まってきた。

そんな中、真田になびかない一群もあった。パレットクラブという関西の商家の子弟が集まった毛並みのよい集まりである。「若様」然とした身なりで、ディスコのフロアの中でもその一角だけが輝きを放っていた。彼らはカネに任せて黒服に小遣いを渡したり、ブランデーを取ったりと、ディスコ側ではいい顔であるようだった。

そうした中に堀主知ロバートの姿があった。こちらはこちらでチャンスを見つけては大企業と組んで学生ビジネスを展開し、楽しくやっていた。

「たしか南紀白浜の大旅館の御曹司やったな。まったく関学付属出身の関学のボンボンが、外車なんか乗り回して鼻持ちならんなあ」

将来この男と深い関わりを持つことになるとは夢想だにしなかった真田は、自分も関学の学生のくせに勝手なことを考えつつ愛想笑いを浮かべて何度もすれ違った。

もう一つの会社をつくるという目標の方も放ってはおかなかった。学校になど行かないのだから時間はフルに使えるのである。

入学直後、「自分の売り物は何か」と考えた真田は、まず自分の受験テクニックを売ってやろうと、友人と組んで私立高校受験のマークシート式テスト必勝法を予備校の空き教室を借りて開講した。親の財布を狙う作戦は当たり、一人三万円の講座は満員の盛況。予備校からは「講座として採用したい」とお呼びがかかったが、飽きっぽい真田は三回で切り上げ、今度はなぜか運転教習所の所長を口説き始めた。

「所長のとこで合宿免許やってますよねえ」

「ああ、敷地の中にある合宿所に泊ってもらってやっとるよ」

「あれはですねえ、実技教習の期間になると一日に二時間しか乗車できなくて、それ以外の時間はマージャンやってるしかなくてみんな退屈なんですよね」

「しゃあないやないか、法律でそう決まっとるんやから」

「学生ツアーいうんあるのん知ってますか。スキーとか、旅行とかを学生スタッフが連れて行くんですけど、関西でも三〇くらいの団体があるんですよ。これとおたくの合宿免許を組み合わせると楽しく免許が取れて客が増えると思うんですけどね」

「いやあ、うちはそんなんいらん」

「そうですかあ。それからあの合宿所なんですけどね、女子学生にしてみると〝汚い〟〝暗い〟いうんで評判悪いんですけどね。幾らか積むと近所のきれいなホテルを使えるというオプションをつけるとええと思うんですけどどうでしょうか」

「アホ言うな、帰れ！」

教習所長というのは警察署長の天下りポストと決まっており、大変にお堅い。合宿免許と学生ツアーの合体という妙案を思いついた真田もさすがに手を出しかねていると、ひょんな縁で教習所への機材販売会社の社長と知り合うことができた。

この社長に話を持ちかけてみると「それ、おもろい」ということになり、教習所への営業はこの会社が行い、集客の方は真田が担当することになった。「利益は折半で」というのが条件である。

学生ツアーと合宿免許のハイブリッド・ビジネスのスタートである。真田はツアー企画を立ててチラシを刷り、それを大学に撒いて、電話がかかってくるのを机の前でワクワクしながら待った。やがて申し込みの電話がかかってくると「お名前は、住所は」と訊いて、ノートに線を引いて嬉々として書き込んでいく。
しばらくするとまた電話がかかってきて「この前申し込んだ者ですけど、キャンセルしたいのですが」などと言ってくる。ノートでは検索しにくいので「じゃあ、京大式カードだな」とカード記入に変えて電話を待つ。電話がかかってくる。カードに記入する……。これを何度か繰り返すと、彼はもう商売に飽きてしまうのである。

真田は後の不遇時代に『コンピュータ帝国の興亡』（ロバート・X・クリンジリー著）という本に出会う。この本の中に、「企業の成長段階に応じてトップは三種類に分かれる」という分析があった。

第一段階は「コマンドー」である。コマンドーは落下傘で音もなく忍び寄って鋭利なナイフで敵の咽（のど）をかき切り侵入路を切り拓く。

第二段階は正規軍で、隊列を整え命令一下、圧倒的物量で敵を制圧してしまう。大きな斧で相手をなぎ倒してしまうのだ。こうした正規軍のトップは技術的知識を持った将軍でなければならない。

第三段階として官僚がやってきて軍政を布（し）く。そうなってくるとコマンドーは居場所がなくなるので、次の戦地を求めて放浪の旅に出るというのである。

ごく稀に、企業の成長に合わせてコマンドー→将軍→官僚と変質していく優れた経営者がいる。ビル・ゲイツは明らかにその一人だが、最近将軍の方向に先祖返りしつつある。たいていの場合、アメリカでは官僚は社外から引っ張ってくるようだ。

若さと元気に溢れていた真田はコマンドーだったのだが、運転免許ビジネスを続けるには将軍の存在が必要だと思い、高校時代の友人だった西山裕之に応援を頼んだ。「じゃあ、僕も手伝おう」と言ってくれた西山は神戸大学に現役で入っており、やるべき仕事を真面目にきちんとこなす能力を持っていた。まさに適材である。真田は以前から困った時にはこの西山を頼りにしており、西山に仕事を任せたきりいつの間にか顔を出さなくなってしまった。

一九八〇年代中盤、世は女子大生ブーム。深夜のテレビで「私たちはバカじゃない」と連呼する女子大生番組が視聴率を稼いでいた。

大学生が消費や流行の起点にあり、学生サークルは企業からの支援も受けてかつてなく盛り上がりつつあった。イベントサークル連合が六本木のディスコ二五軒の貸し切りを成功させたこともある。

一橋大学の西川りゅうじんは、一九八五年に東京の大学の広告研究会、アナウンス研究会、新聞研究会などメディア系サークルをまとめた連絡会キャンパス・リーダース・ソサイエティを旗揚げし気焔(きえん)を上げた。

彼らは関西学生界の代表として、年一回の集会に真田を招請したので、真田は「京阪神学園祭実行委員会連絡会」というありもしない団体の名刺をつくって上京。そこで東京の学生たちの熱気に触れると同時に、二代目キャンパス・リーダーズ・ソサイエティ代表として時代の寵児となる青山学院大学広告研究会の今井祥雅と邂逅(かいこう)する。今井とは気が合い、「九州に面白い学生がいる」という情報を聞くと連れ立って会いに行ったりするよき友となった。

こうした繋がりから、東京の学生サークルが大手代理店から受けた「学生一万人アンケート」といった仕事が真田に振られてくるようになった。

「広告ビジネスもおもろいやん」と真田は考え始める。

一九八六年一一月、真田から受け継いだ運転免許合宿の会社を、とにかく真面目にこつこつと運営してきた西山は、ビジネスが大きくなったので梅田と新大阪の間の西中島のライオンズマンションに一室を借りることにした。そこに真田も「俺も広告業やるわ」とふらりと舞い戻って合流し、さらに「事務所開きを手伝え」と関西学院の二年下の加藤順彦を引き込んだ。加藤は関西の大手鉄鋼問屋の御曹司だが、これをきっかけに広告ビジネスに入り、その後、インターネット広告で大手の代理店を経営することになる。真田は関西大学の高橋信太郎らにも声をかける。こうして新しい学生企業の骨格が固まっていく。

社長追放

一九八七年六月、真田は資本金一〇〇万円で株式会社リョーマを法人登記。代表取締役社長真田哲弥、代表取締役専務西山裕之。

リョーマの1LDKのマンションオフィスには大勢の学生が出入りした。机は東急ハンズで買ってきた組み立て式。しかし、「ここを根城に日本を変えてやる」と、学生社員たちの鼻息は荒かった。彼らは若さと勢いで前進した。

仕事の合間に話を交わす。

「ところで会社をつくったんはええけど、この会社の目的って何や」

「そりゃ合宿免許と広告業やろ」

「せやけど儲かるだけじゃ詰まらんで」

「うーん、そんなもんかなあ」

「せやったら、ここは梁山泊でええやん。ここから一〇八人の社長を出すっちゅうことで、面白い学生がおったらどんどん引き込め」

目を輝かせて言ったのは真田だった。リョーマを舞台にして自分の夢が広がっていくのはこの上なく楽しかった。

西山が担当する合宿免許事業は学生を使った地道な営業で、単価二五万円程度の客を月に一〇〇～三〇〇人取るまでに、順調に成長していった。沖縄まで営業の手を伸ばしていたという。一九八七年の売り上げは二億三〇〇〇万円。関西の合宿免許では最大手の一角を占めていただろう。

リョーマは同じマンションの2LDKを借り増してオフィスを拡張。一部屋は徹夜仕事のための仮眠室にあてた。和気あいあいの学生気分で毎日が過ぎていった。

「なんか伝票がいっぱい溜まったな」

「伝票整理なんか面倒やぞ」

「よし、俺が行くバーの隣が経理学校で、そこの生徒がバーテンダーのバイトをやっとるんで、そいつにやらせよう」

西山はバイトでバーテンダーをやっていた山下伸一郎を呼び出した。彼がリョーマに来てみると、机の上に伝票と本人の名前が入ったリョーマの名刺が載っていた。彼はそのまま入社し、真田とその後一〇年以上付き合うことになる。


しかし順調なように見えて、どうもおかしい。そろばんが合わないのである。

「なんで儲からへんのやろ」

みんな首をかしげた。だが会計の知識がないので何が問題なのかさっぱりわからないのだ。

「ひょっとして、真田さんのやっている広告部門に問題があるんやなかろうか」

真田が担当し、学生部長である加藤が集めてきた四〇人ほどの学生を使って企業から販売促進やイベントを請け負う広告部門は、大きな商売を取ってきてこなしているように見えた。主軸はインカレのサークルカタログである。この雑誌への広告出稿を企業に促す広告営業から企業と接点を持ち、その企業の販売促進やイベント請負などに取引を広げようという戦略だ。大手企業から出版物の制作費を二〇〇〇万円取ったり、日本初の学生向けカードの企画や、大規模なイベントを手がけたりしていた。

「真田さんはよくまあこんな凄い仕事を取ってくるよなあ」

「いや、感心してたらあかんで、よくよく計算してみたら、広告の収入はでかいけど、準備に時間や人手がかかりすぎや。これは完全に赤字やで」

「うそっ。うわっほんまや、こらあ完全に免許部門の利益を食っとるで」

「どないしたらええ？　真田さんはどこや」

「いやあ、ここんとこリョーマには来てはらへんで」

「そういやそやな。どないなっとんねん」

「なんか新しい仕事が入りそうやから、また人を採ってくれ言うてはったで」

「あかんでそれは」

自分たちの働きが実らず、その元凶の真田があっちこっち飛び回っているという現実は、社員の反感に火をつけた。社員総会が開かれ、何をどうすれば収益が上がるのか、幹部は寄り合って相談した。

「広告は水モノや。このままじゃ、真田のせいでリョーマは潰れてまうで」

「せっかくここまで順調に来てるのに」

「よしわかった。ここは俺が言うしかないやろ」

と西山。

「そやけどプライドの高い真田のことや、正面から辞めてくれ言うたら反発するだけや。ここは〝俺が辞める。独立させてくれ〟ということにしよ」

「はあ、そんな手でいってみるか」


リョーマの幹部たちは真田を呼び出した。普段でも真面目な西山の顔が暗くなると凄みが出る。他の役員も目つきが険しい。真田も只事でないことを悟った。西山が口を開いた。

「俺、独立させてほしいねん」

「いったいなんでや」

「このままでは広告部門の赤字に引きずられてリョーマは倒産や。僕は代表権のある役員として責任がある。せやから独立して免許部門だけでも生き残らせるべきや。こういう仕事は僕の方が得意やから僕がやる。それが許されんのなら、辞めさせてくれ」
部屋の空気が張りつめた。真田は役員の目を見渡して自分に味方する者が一人としていないことを悟り、「何を言うか、俺のアイデアでリョーマはここまで……」と咽元まで出かかった言葉を飲み込んだ。安定した収益を得るようになったリョーマには、コマンドーは必要なかったのである。真田はせわしなくタバコを取り出して火をつけ、紫煙を深く吸い込んだ。

「わかった、俺が出ていけばええんやろう」

坂本龍馬の名を冠した会社、自分がつくった会社を追われるのは断腸の思いだ。だが真田は黙ってリョーマを後にした。

「追い出されたんやない。俺の方から出てやったんや。俺が一からやったら、リョーマなんか目じゃないビジネスができることを見せつけたるっ」

学生ビジネスネットワーク

真田にとって六回生が終わろうとしていた。ちょうどその頃、東京の今井祥雅から電話がかかってきた。二代目キャンパス・リーダーズ・ソサイエティ代表の今井祥雅は当時の学生企画マンを代表的する存在として、メディアの寵児となっていた。

「今度、友だちと一緒にマンションを借りて住んで、そこでビジネスの企画について語り明かそうと思うんだけど、時間があるなら東京に出てこないか」

三月二四日、この日は坂本龍馬脱藩の日である。真田は新幹線に乗って東京に向かった。

上京した真田は、まっすぐ今井の借りたマンションに転がり込んだ。山手線田町駅に近い第一京浜道路に面するこの3LDKのマンションは三田倶楽部と呼ばれ、多彩な人材を輩出した。

この年、女子大生ブーム世代が卒業して社会人になる。キャンパス・リーダース・ソサイエティで活躍した人たちはリクルートに就職した者が多かったが、今井もその一人だった。大阪有線とインテリジェンスの社長を務める宇野康秀もリクルートコスモスに就職し、やはり三田倶楽部に出入りしていた。

今井、真田と寝起きを共にしたのは、他に電通の社員と、サミーツアーという学生ツアー大手にいた佐藤修の四人。それ以外に三田倶楽部には、毎日のように、東京ばかりでなく全国から学生や若手サラリーマンがやってきて泊り込みでビジネスの企画について話し合っていたのである。

盛り場でタクシーが掴まりにくくなったバブルの当時、大企業は販売促進やイメージアップのための企画を学生出身の企画会社にどんどん発注していた。「糸井重里のコピー一本一〇〇〇万円」と言われた時代、思い返してみればコピーバブルの日々である。企画屋、コピー屋には小判が降るような日々だった。テレビにもよく取り上げられる今井の顔で、三田倶楽部には企業からの仕事が次々と舞い込んだ。

そうした仕事の延長線上に何かよい仕事はないものか、三田倶楽部を根城とした若者たちはいつもそう考えていた。特に今井は、三田倶楽部自体をゆくゆくは会社化しようと構想していたのである。三田倶楽部自体は後にマインドシェアという会社になり、大型ディスコ、ジュリアナ東京のマーケティング調査を行うことになる。

真田にとって三田倶楽部は、真田の事業欲と、マーケティング志向の強い企画集団の起業精神がぶつかり合い干渉し合う場であった。ここからは後に多くの起業家が輩出されることになる。

そうした企業からの依頼の一つとして、日本たばこ産業が「サムタイム・ライト」の宣伝のために学生を組織して、事務所スペースを貸す「センカ・ヤング・ネットワーク（SYN）」という企画が代理店経由でやってきた。学生の組織化はキャンパス・リーダーズ・ソサイエティの得意とするところだ。瞬く間に何人かの活きのいい学生があがってきた。

自分の手下として「使えそうな奴はいないかな」と学生を首実検していた真田の目に、一人の少女の姿が飛び込んできた。関西出身で東京大学法学部一年生の玉置（たまき）真理。垢抜けないが、磨けば光ると睨んだ真田は、常に彼女を近くに置き、彼のノウハウや人脈を教え込むようになった。聡明で強烈な向上心を持つ玉置は真田から多くのものを吸収し、急速に世界を広げて成長していく。

この時代、女子大生ブーム世代が社会人になった頃は、学生時代のサークルの勢いをそのまま社会に持ち込んだ社会人サークルや異業種交流会が花開いた時代でもあった。三田倶楽部では最年少であった真田は先輩に連れられてこうした交流会の幾つかに顔を出してみた。これらの会は人脈的に緩い結合で繋がっていたのである。

まず顔を出したのは丸の内青年倶楽部だった。この会をつくったのは当時住友商事の社員であった堀義人。京都大学在学中は男性ファッション誌「メンズ・ノンノ」の専属モデルをしていたという堂々の美丈夫である。彼は周りに負けず劣らずの美男美女を揃え、ヤング・エグゼクティブ路線の先頭を突っ走っていた。

最盛期にはジュリアナ東京に二〇〇〇人を集め、お立ち台にサンタクロースの衣装を着せたギャルをずらりと並べたものである。また「私の彼はサラリーマン」というヒット曲を生んだサラリーマン歌手「シャインズ」をバックアップしたのもこの丸の内青年倶楽部であった。なお堀義人は後に、グロービスという社会人向けビジネススクールを起業し、ネットベンチャーブームの中で重要な役割を担うことになる。

だが、東京に出てくると同時に大学に退学届けを郵送した真田にとっては、輝かしい学歴を前面に押し立てる彼らはエリート意識だけが鼻につく好ましからざる存在だった。

先輩は真田を、今度はホテルニューオータニの横にある貸し会議場ザ・フォーラムでやっている落ちついた雰囲気の勉強会に誘ってくれた。東京円卓クラブという。平日の夜、いかにも育ちのよさそうな若いサラリーマンたちが二時間、有名政治家や評論家のご高説を伺うのである。聞けば政治家の二世が多いらしい。

しかし「親の七光りでお高くとまっているな」と思う相手でも、話してみると若いなりに真剣に日本の行く末を考えて政治家や事業家を志望していることがわかり、真田の龍馬精神が感応した。

特に創立者で電通社員の伊藤忠彦の「本気で世の中の人のために尽くしたい、日本を変えたいと思っているんです」という独特の人間力は印象深かった。それと初対面から大きな声で冗談を飛ばして人の心をぐっと掴む三和銀行三田支店の高山照夫とは一番気脈を通じるところがあった。

高山とはよく居酒屋で飲んではお互いの人脈を紹介し合うようになる。「誰か面白い人間はいないか」。自分の才能や興味を広げる可能性を見つけるために、この時代の青年たちは仲間を必死で探していたのである。

もう一人まったく対照的な人間だが、東京ガス冷暖房営業部の夏野剛という白皙（はくせき）の青年がいた。夏野はリクルートでアルバイトをしていた時に知り合った「とらばーゆ」編集長の松永真理と仲がよく、よく東京円卓クラブの講師に松永を頼んでいた。「人が何を言っても表情を変えない、捉えどころのない奴だな。しかし何か言葉にしない秘めた志を持っているのかも」というのが真田の第一印象である。実際夏野がいったん口を開けば、その静かな外貌からは想像できないほど熱い議論が展開されるのだった。

この夏野と松永のコンビが一〇年後、ＮＴＴドコモでｉモードの開発に成功することになるのだが、それは本書の第五章で詳述する。

高山や夏野は閉鎖社会である大企業の文化に辟易し、円卓の仲間たちと議論することで息をついていたのだった。真田も、「じゃあ俺は今度のビジネスで日本最年少の公開社長になってみせる」と息巻いた。

彼はここを自分の居場所と決め、彼らと交わり始めていた。

失った栄光を取り戻すために

上京して一年、こうした人脈を広げつつ、ダイヤルQ²サービスを利用した最初の本格的ネットワークビジネスを考案し、事業計画に落とし込んだ真田は、拳を握り締めて大阪行きの新幹線の車中にいた。

「俺の手からこぼれ落ちていったリョーマを取り戻すんや。この事業計画なら、みんなリョーマより儲かりそうやと思うやろう。もしみんなが身銭を切ってQネットに出資してくれたら、俺を再び認めたっちゅうこっちゃ」

人手が必要だった。安心して仕事を任せられるのは、やはりリョーマの面々である。このプレゼンに失敗するわけにはいかなかった。

新大阪駅に到着した新幹線の降車口から真田は勢いよく飛び出した。ここからは勢いで勝負だ。

リョーマは真田がいなくなった一年で売り上げを倍増させ、年商五億円の立派な中堅企業になっていた。真田から呼び出しを受けた西山以下十数人の幹部たちは「なんか真田さんから、たいそうな発表があるらしいよ」ということで、新大阪駅前のビジネスホテルの会議室で主役の到着を待った。

部屋に入ってきた真田は、一年前に東京に流れていった時とは見違えて、身体に生気と自信を漲らせ、小柄な体躯が大きく見えた。

彼は、ガラガラ声を張り上げて計画の説明に入った。設立趣意の発表は事業の第一歩であり、起業家の真価の発揮しどころである。情熱的、かつ自信満々の態度で話を進める。

「われわれはラジオ、テレビに続く第三のメディアをつくります。私のアイデアにはそれだけの可能性があるのです」

真田はまず大きく出て、全員の度肝を抜き、事業の細目を説明していった。

「なお、代表取締役社長には、東京大学法学部二年生玉置真理を据え、私は代表取締役専務となります。美人東大生が社長を務めるということは、当社の存在をマスコミを通して告知するのに大変好都合であります。マスメディアに積極的に取り上げてもらうつもりです」

真田の脳裏を「私を利用するために近づいたのか」という玉置の猜疑（さいぎ）の表情が掠めた。そんなつもりではない。彼女の才能は認めているのだが。

「……ということで、以上の初期投資を実行すれば、その後は黙っていてもQネットセンターに番組とアクセスが集中し、限りない収益がもたらされるはずです。どうかリョーマのみんなにも、出資等のご協力を仰ぎたいと思います」

「おお、真田が東京に行ってやっぱり大きくなって帰ってきよったで」

　と各人は目配せした。

「これはいけるかもしれんね」と西山や加藤に言われて真田は満足げにうなずいた。

「やっと俺にとってのゼロ地点まで戻ってきた。この先は前進あるのみ。もっと凄いことをやったるでぇ」

回線確保の大作戦

　揺るがぬ自信を取り戻した真田は一気に突っ走り始めた。彼の辞書に不可能の文字はなかった。一二月のサービス開始までにやるべきことは山ほどあったが、障害や不運は若さの前に姿をくらませた。

まずダイヤルQ^{2}のサービス用の電話回線を押さえなければならない。第一回の回線開放は千代田区内のたった一八〇回線のみ。申し込みは郵便で一社二枚まで。当たらなければQ^{2}ビジネスに参入することはできない。真田はしれっとNTTに電話した。

「あのう、Q^{2}回線の申し込みなんですけど、まだ会社つくってないんですが、個人でも申し込めるんでしょうか」

「ええ、結構ですよ」

真田はセンカ・ヤング・ネットワークの学生二〇〇人から名義を借りて申し込ませた。抽選結果を開けてみると、真田が開放回線の大半を独占することになった。真田は飛び上がって喜んだ。当然ながら、この抽選方式は次回からは採用されなかった。

Q^{2}サービスの導入を先導した伊藤忠商事の一〇〇パーセント子会社であるボイスメールは、抽選に外れて参入できずに困っていた。そこで真田は、

「どうでしょうねえ。御社とインフォコネクション社との提携交渉権を譲っていただければ、数十回線差し上げてもよろしいですよ」

と持ちかける。

インフォコネクションはアメリカの九〇〇番サービス（日本のダイヤルQ^{2}と同じ）

で、数人の人間が同時に会話できるパーティーラインというシステムを一九八五年に開発し、大成功していた。アメリカで流行(はや)るのなら日本でもウケるに違いない。真田は彼らの交渉が契約寸前になっていることを知っていた。参入機会を失いかけていたボイスメールは、背に腹は代えられず交渉権を真田に譲渡する。

インフォコネクション社長のジム・ガトリブは早稲田大学に留学していたこともある技術オタクで、真田と同年輩だ。真田はすっかり仲良くなり、「ソーゴーショーシャは抜け目がないから組んだらやられるぞ。それより俺たちで組もうぜ」と提携話をまとめてしまう。ジムとの交渉には主に玉置があたった。八人の人間が一度に会話を交わすことができるパーティーラインは、その後、Q^2の最大の人気番組になった。

こうして、パーティーラインの叩き出す日銭をどんどん全国のQネットセンターの設備投資に注ぎ込んで、全ダイヤルQ^2サービスの中での優越的地位の確立を目指すという構図が出来上がった。しかもQネットセンターを置く、落成したばかりの超高層ビル、紀尾井町ビルの敷金はジムが出してくれるという話である。うまくいくときは何でもうまくいく。

ダイヤル・キュー・ネットワーク

一九八九年九月二八日、玉置の二〇歳の誕生日に、法人としてのQネットはスタートした。資本金は一一〇〇万円。真田と彼の父親が出資した。事務所は五反田駅からかなり歩いた高速道路の脇にある、妙に生活感のある薄汚れたマンションの1LDKを借りた。社員四人のスタートならこれで十分だ。机はリクルートからのもらったものである。カネがないので贅沢は言っていられない。

Qネットセンターの稼働予定日は一二月一日、しかし実は一番肝心なものが真田の頭から抜け落ちていた。それは利用者からの電話を受けて、蓄積してある番組を自動的に配信するサーバーである。Qネットセンターとは、このパソコンサーバーのことなのだ。真田は技術的な知識がまったくなかったので、「機械屋さんに頼めばなんとかなるだろう」くらいに簡単に考えていた。

ところが当時はそんなものはまったくなかったのである。それでいて事業計画書を見せられたみんなが納得したというのも変な話だが、それだけ事業の新奇性と真田の強烈な説得力がモノを言ったということだろう。

結局一六回線が一台のコンピューターに入るサーバーを一からつくってもらって、これが四五〇〇万円。二〇〇〇年には二〇万円程度で簡単に手に入るものだが、当時はこれだけかかったのである。資本金をはるかに超えている。真田は実家を担保に入れてもらってリースを組んだ。もはや背水の陣である。

再び真田は関西に下った。西山に会うためだ。

「そろそろお前の出番や。優秀な奴が要る。このままでは一二月のサービス開始に間に合わん」

なんと、リョーマの社長からさらっていこうというのである。図々しい話であるが、真田には自分に欠けている部分を補ってくれる最も信頼する友が必要だった。その意味では、真田は自分の欠点をよく知っていた。西山は、「あくまでリョーマが本業だが、手伝おう」と応諾する。

五反田のQネットでは、新曲や新作映画の情報の送り手であるレコード会社、映画会社、出版社など、番組提供者とのタイアップ交渉や、サーバー設置、インフォコネクションとの提携交渉などで目の回るような忙しさだ。

真田も玉置も凄まじい勢いで事務量をこなしている。真田の睡眠時間は一日一〜二時間。毎日オフィスに泊り込む日々が続く。だが前進のエネルギーが尽きることはない。西山も最初は週に一日の東京出張という約束だったのが、二日になり三日になり、ついに比率が逆転して関西に帰ってこなくなってしまった。リョーマの社員たちは「しゃーないなー」と言いながら社長の不在を補った。

一二月一日、予定通り東京Qネットセンターがオープン。この日ばかりは全員で居酒屋に出かけて乾杯した。

「きっとうまくいくよな」

「いくに決まっとるやろ。アホいうな」

卓を囲んだ社員たちの顔に希望の光が灯っていた。

一九九〇年一月、真田はパーティーラインのライセンス契約のために渡米した。サンディエゴにあるジムの相方のトッド・レーサーの家を訪れたが、丘の上にある大豪邸に息を呑んだ。「これがアメリカの成功者の家なんだ」。

この相方は真田とさして違わない二四歳なのである。家の中に変な形のバスタブがある浴室があったので、「この部屋は何だ」と聞くと、「これは飼い犬のための浴室だ」という答えであった。しかしその犬の風呂は真田が今住まいとしている部屋よりもはるかに広いのであった。思わず我が身を振り返る。

翌日、太平洋にクルーザーを乗り出して遊んだ。白波を蹴立てて快走する船の上で、ジムは真田と固く握手をしつつ、「一緒に頑張って成功を手に入れよう」と明るく語りかけた。「俺もこんな成功を手中にできるやろうか」。真田は心地よい潮風に吹かれつつ、武者震いをせずにはいられなかった。

三分間九〇円のパーティーラインは二月に稼働し始めたが、コール数は予想を大きく上回って増え始めた。

「凄いコール数の伸び方やなあ」

「回線はいつも満杯や、もっと増設しよう」

コンピューターからプリントアウトした集計をみんなで覗き込むのが全員の楽しみだった。

この時はなにせ競合相手がいないのである。

次章の主人公となる板倉雄一郎が起こした国際ボイスリンクは、数少ない同業の一社であった。板倉はゲームソフト制作会社をやっていたが、一九八四年に起きた世田谷電話局のケーブル火災の際にたまたま電話が混線して複数の人が同時に話せたことがあった。これが意外に面白かった経験から、三人以上で会話できる「電話会議」のシステムを独自につくって参入していた。

「よし、このビジネスはいけるぞ。人もカネもどんどん注ぎ込めえ。Qネットセンターを増やすんやあ」

真田のアイデアは本物だった。ニーズはある。情報提供会社への営業活動、パーティーラインの会話の中身のチェック、システムの運用とコンテンツの中身の入れ替えと、いくらでも人がいる。

リョーマから西山に続いて加藤を呼び寄せた。加藤は真田が去った後、リョーマの広告部門を無給で支えていたのだが、彼にはヤマト伝言FAXに対抗するQ²課金利用のファクシミリサービスの立ち上げが命ぜられた。

その他にもリョーマから一人抜き二人抜き、全員を引き抜いて、遂にはリョーマ出身者で日産自動車に就職していた杉山全功まで引き抜いてしまう。リョーマに残ったのは大学一～二年生ばかりになってしまった。これではあんまりなので、椚座(くぬぎざ)信というサーフィン好きのおじさんがやっていた企画会社の営業譲渡を受けて、なんとか中堅社員を確保するという有様。椚座は事業をリョーマに渡して、海に戻っていった。リョーマの広告部門はほどなく潰れ、運転免許部門は一九九九年まで続いたが、不渡りを出して倒産した。

Qネットの社員は三〇人に急膨張したが、ほぼ全員関西人で、関西弁が社内公用語である。当時の真田には人を動かす強い力があった。三田倶楽部にいた佐藤修も役員としてQネットに参加してもらう。佐藤は後に折口雅博と組んで派遣業のグッドウィルを起業、社長となる。

番組数もアクセス数も飛躍的に伸びていく。同じマンション内にもう一部屋借りたがそれでも足りず別ビルも借りる。社内はほぼ毎日パニック状態であった。

学生気分など吹っ飛んで、玉置も西山も鬼気迫る勢いで机に向かっている。そうした幹部の姿勢は社員に伝染して、異様に張り詰めた空気の中で全員が自分の仕事に立ち向かっていく。自分がやるしかない。他の誰もこの仕事をやってくれないからだ。

日が暮れても仕事は終わらず、日付が変わっても仕事は終わらず、二時頃になって真田が「よーし、飲みに行くぞう」と終業を宣言して六本木や恵比寿に繰り出す。そして翌朝一〇時からまた机に向かうという毎日だ。

社員全員が「僕らにはできないことはない」と信じていたし、それは事実だった。まず一九九〇年八月に大阪でマンションを借りて電話線を引っ張り、パソコンに繋ぐ。この大阪Qネットセンターに人一人を張りつけて営業も行わせる。続いて名古屋、福岡にもセンターを開設し、一九九〇年末には札幌にもオープン。Qネットの社員たちは自分で電柱を立てて電設工事までやっていた。

メディアの寵児

マスコミは大喜びで玉置真理を取り上げた。

「新ベンチャー会社の女社長は才色兼備の現役東大生」（FLASH）
「年商一四億円めざすニュービジネス社長は現役東大生の才媛ギャル」（週刊読売）
「ダイヤルQ²業界最大手経営者は二一歳の東大ギャル」（アサヒ芸能）

メディアは、のべ二〇〇〇回以上Qネットと玉置を掲載した。売り上げは毎月倍々ゲームで伸びていく。

東京円卓クラブのメンバーであった三和銀行の高山は、三田支店の貸出課に真田が座っているのに目を止めた。

「お前何やってるんだよ」

「あれっ、いやあ今度Qネットっていう会社やってるんだけどね、アメリカ企業と提携したんでこれは成功間違いないよ。それで取引させてもらおうかと思って」

「そういうことは俺に言えよ、銀行員なんだから。でもなんでウチに来たの」

「ここが三田倶楽部から一番近い銀行なんや」

一九九〇年春、高山は支店長と一緒に本店の審査担当役員を訪ねた。Qネットに対する一億円の融資稟議を通すためである。無担保でこれだけの金額を創業間もないベンチャーに都銀が融資するのはかなり異例なことだった。

Qネットはその頃、NTTから毎月一億円近い情報料の入金（前々月分）があったので、これを事実上の担保として押さえるということで、無事にQネットへの一億円の貸し出しは裁可された。その晩、高山と真田は祝杯を挙げた。

リースの保証人も必要だ。東京円卓クラブ代表の伊藤が、原宿にあるアパレルメーカーの社長を紹介してくれた。真田が伊藤に連れられて本社に行ってみると、豪華な内装の部屋の中にルノワールやシャガールなどの巨匠の絵画がこれ見よがしに飾ってある。「この人は本物の金持ちなんだ」と唸らされた。

社長は真田からQネットの話を聞いてリース契約の保証人になることを快諾してくれた上に、「資金繰りに困ったらいつでも言っておいで」と泣ける言葉をかけてくれた。リース会社は「保証人の他にも、代表取締役全員の個人保証をいただきたいのですが」と言ってきたが、真田は突っぱねて玉置の保証は入れさせなかった。

こうして大阪と名古屋のQネットセンターの設備はすべてリースでまかなうことができた。

「どれだけ借金を背負っても、全国にセンターを完成させ、あらゆるコンテンツがわが社に集中する日が来れば、いくらでも日銭が入ってくるんや。現に毎日、情報料収入は増えとる。設備投資するっちゅうことは、その分伸びるいうことや。他社がやる前に先行してセンターを完成させるんやあ」

真田は獅子吼（ししく）した。

最高月商は一億三〇〇〇万円を記録したが、その頃にはもうQネットセンターの売上比率が五〇パーセントまで上がってきていたのである。

天馬空を征（ゆ）くが如し。真田は最高に充実した気分を味わっていた。

どこの集まりに出かけていっても、「真田さん、ご挨拶させてください」「真田さん、名刺ください」「今度食事でも」と下にも置かれぬ応対である。これほど気持ちのいいことはない。

「やはり俺は正しかったんや。俺はこの国に第三のメディアを創り出した。そして二六歳にして会社を店頭市場に公開し、一流企業の経営者という名誉を手に入れる。俺は天才だ……」

大バカ経営者

「株式公開、それは社長がオーナーである会社から、株主がオーナーである会社に変わるということなんですよ。それでいいんですか」

経理を見ていた西山にまっすぐ尋ねられた真田は、「もちろんそれでいい」と答えた。だが、その頃から真田の暴走が始まった。表面的には社長である玉置を立てているように見えたのだが。

一九九一年一月下旬、銀座で飲んでいた真田は、さる政府筋からの確度の高い情報として、「イラクを包囲していた多国籍軍が、一月二六日を期して空爆を開始する」とのアメリカからの通告が、日本政府に届いたという話を耳にした。

「戦争が起こるゆうことは、金(きん)の値段が上がるいうことやな」

真田は早速、社員旅行で長野に出かけている金庫番の西山に電話して、「今、金を買えば確実に値上がり益が見込めるで」と話した。西山は「僕はよくわからないけど、小遣いの範囲でやっておいたらどうか」と答えたのだが、真田はQネットのまとまった運転資金を証拠金として、金の先物を大量に買ってしまう。Qネットは企業としては未熟だったので、こうした支出の決済ルートもまったく未整備であった。

一月二六日、多国籍軍の空爆が情報通り開始された。そこまでは想定通りであったのだが、東京工業品取引所の金価格は一月一六日の終値グラム一八五八円を高値に一六〇〇円を割り込むところまで暴落してしまう。金価格は空爆を織り込んで既に上昇していたのである。読みは完全に外れた。

この取引は役員会の承認を得ずに完全に真田の独断で行われたので、西山以外の社員は知らなかったのだが、先物取引の会社から追加証拠金の催促の電話が何度もかかってくるので、事が露見するまでそう時間はかからなかった。

さらに深刻な問題として、ダイヤルQ^2自体が社会的な問題とみなされるようになったことがある。

一九九〇年の一年間にＮＴＴのダイヤルQ^2サービスは順次全国に拡大した。一九九〇年末にはサービス回線数が三万四〇〇〇回線、情報提供者は二〇〇〇以上。一二月の利用件数は三六〇〇万回まで膨れ上がり、都市圏では電話センターになかなか繫がらない。

ＮＴＴが収金を代行した情報料は月間三〇億円近くにもなっていた。だが、三分間九〇円として一日一時間利用すると一カ月の料金は五万円を超えてしまう。子供のアダルト情報利用により二〇万円を超える電話料金が請求された事例や、残業時間が変に長い勤勉社員が、実は会社からQ²サービスを利用していたという事件が頻発。世論の批判を受けてＮＴＴは、一九九〇年一〇月から「利用者が申請すればその回線ではダイヤルQ²の利用をできなくする」という発信規制を開始する。

Q²サービスの番組内容は英会話や健康相談、クイズなど健全なものが大半で、アダルト番組数は二割程度にすぎなかったが、Q²サービス自体のイメージは急速に悪化し、もはや社会悪とみなされるレベルまで堕ちてしまう。業界七一社は一九九一年二月に「日本電話倫理協会」まで設立して自主規制を始めたが、大企業は飛び火を恐れて番組提供を打ち切り始めた。

Qネットでは、事業環境の急速な悪化を受けて、「当社がやっているのは健全な番組であり悪質業者の事業とはまったく違うものだ」という意見広告やイメージ広告を、新聞や雑誌に打つ対策をとった。役員の間には、「こうしてアピールしておけば、ＮＴＴが問題視するのは一部の悪質業者であり、Qネットのような優良業者の営業を阻害するような規制の網はかけないだろう」という楽観論が支配的であった。

とにかくカネや

だが、真田たちの希望的観測は完全に裏切られる。

多国籍軍がせっせとバグダッドに爆弾を撃ち込んでいる最中、「公共性の高いNTTがアダルト情報の収金代行をしているとは何事か」という世間の批判の声を深刻に受け止めたNTTは、発信規制ができない旧式の交換機の地域については四月から新型のデジタル交換機へ切り換えるまでの間、ダイヤルQ²サービスを停止することを発表した。これにより利用範囲、回線数は増加から減少に転じることになる。

情報提供者に対しても「サービスの健全な発展のための協力」を求め、応じない場合は三カ月後に契約を解除する方針を明らかにした。また、それまで二カ月だった情報提供者への代金支払いの期間を、四カ月へと大幅に引き延ばした。これはリース枠いっぱいまで使って大規模な投資を先行していたQネットにはかなりの痛手となる変更であった。

NTTは、ダイヤルQ²事業の方針を完全に転換し、縮小する姿勢を社会に明確に示したわけである。規制はアダルトか否かを問わず、すべての事業者に対して等しくかけられた。ダイヤルQ^{2}サービスは、電話回線を使って誰でも受けられる情報サービスであり、しかも課金の仕組みも完備した画期的なシステムであった。だが、収益性のよさに目をつけた悪質業者が参入し、情報提供者同士もいがみあって足並みが揃わず、ＮＴＴが盆をひっくり返さざるを得ない立場に追い込んでしまったのだ。

真田が夢に見た「第三のメディア」は死んだのである。日本のネットの夜明けはまだまだ遠かった。

多国籍軍の戦車が砂漠を疾駆して、地上戦が幕を切って落とされた頃、Ｑネットの売り上げは急速な落ち込みを見せていた。番組提供者である大手出版社やレコード会社からの解約申し出が相次ぎ、コール数も目に見えて減った。

世間の風は急に冷たくなり、営業マンも以前なら威勢よく企業に飛び込んで、「われわれは第三のメディアをつくっているんです」と胸を張って説明していたが、「Q^2」というだけで「えっ、ウチはQ^{2}はちょっと……」と相手にしてもらえなくなった。

そこに持ってきて真田の無鉄砲な金先物取引の失敗の噂が社内に伝わった。「勝手なことをされた」と感じた社員と真田の距離感はこれで一気に広がり、社内に抑えが

利かない、不穏な雰囲気が漂い始めた。誰もが「このままで大丈夫かな」という不安を抱えた。

酒席を共にしようという社員がめっきり減ってしまったので、真田は社員たちとの心の繋がりが日毎に薄くなっていくことを感じ取らずにはいられなかった。「経営陣が一気に事業を拡張しすぎや」という批判が最初は間接的に、そのうちに直接聞こえてくるようになった。「おいおい、一年前に飲んだ時に言ってた話と全然違うやないか」と怒りがこみ上げてきたが、そんなことを口にできる状況ではない。

「それにしても資金繰りがつかない」

真田はまず、義理のある三和銀行の高山に一億円を返済した。リース料の支払いもある。何千本もの回線の基本料金もＮＴＴへ支払わなくてはならない。しかしこれはそもそもＮＴＴが早く情報料を払ってくれれば払えるものだ。パーティーラインで提携するインフォコネクションへのライセンス料は交渉すると待ってくれた。ありがたい。

収益性の悪い地方のＱネットセンターは閉鎖した。

問題は急速に膨らんだ人件費だ。大企業が手を引いて番組数が減ってしまったので、「新しいサービスを開発して売り上げを伸ばさなければならない」と考えた経営陣は、技術系の採用情報誌に広告を出して二月から四月の間に技術者を中心に三〇人も採用してしまった。社員数は倍増していた。

リョーマから参加してパーティーラインの運用部隊を率いていた加藤は、親から借金をして二回目の増資で四四〇万円の出資を引き受け、かつ内定していた三井物産の方を断って四月一日にQネットに入社する。この頃の資本金は株式公開を見込んで三回目の増資で九九〇〇万円。五五人が虎の子を出資してくれていたのだ。

「今の状況だと、給料を遅配するとQネットは一気に崩壊しかねん。そうだ、資金繰りに困ったら訪ねるよう声をかけてくれていた、リースの保証人の社長に会ってみよう……」

真田が頼みの綱としたこの原宿のアパレルメーカーは、しかし時期を同じくして資金繰りに行き詰まり、倒産してしまっていた。真田にはまったく金策を頼むことなく、事業に幕を引いていたのである。だが今の真田に、彼に同情する余地などなかった。

こうなったら撤退するより道はない。

「2ショットとアダルト路線に徹し、人や設備を整理すれば少なくとも生き残ることはできるはずだ。だが〝第三のメディアをつくる〟という美しすぎる旗の下に、電通や三井物産、日産など一流企業への就職を蹴って、多くの俊秀が馳せ参じてくれたのである。今さらどうやってこの旗を降ろせるだろうか……」

四月に入ると、事業規模はピーク時の三分の一まで落ち込んでいた。カネが要る。真田は金策に走り回った。たった三カ月ほどの間に、手が届きかけていた株式公開の夢は空のかなたにかき消えていった。

従来の規制に被せて、NTTは五月から公衆電話からダイヤルQ^2をかけられなくする新たな規制措置を発表した。これが決定的な打撃であった。自宅からダイヤルQ^2を利用すると料金請求書に「Q^2利用料」の項目が載る。これを嫌って、Qネットの利用者でも公衆電話からのコールがかなり増えていた。

この規制の結果、コール数がさらに四割もダウンしてしまうことになる。表向きの規制の理由は、「変造テレホンカードを使った不正接続対策」であった。

Qネットの役員たちも何度も役員会を開いて協議を重ね、取引先や伝手のある企業に向けて金策に走った。当然、代表取締役専務の真田は親兄弟はもちろん、考えつく限りのところに赴き借金を乞うたが、「貸したいのはやまやまだけど、こちらにも余裕がなくて」と、どこも似たような冷たい対応である。「そうか、再建計画をつくって、Qネットが立ち直る見込みを提示できなければ有るカネでも貸すわけにはいかないんだ」と気づいた真田は、この窮状から脱する策を考えようとした。

「何か打つ手があるはずや」

彼はもがいた。彼はいつも知恵を使って窮地を鮮やかに切り抜けてきたのだから。しかし今回だけは、何も出てこなかったのである。まったく気持ちの余裕がなかった彼には、どれだけ考えても打開策は見出せなかった。

「どこが間違っとったんやろう。会社がコケたらどうなるんやろ。何もかも無茶苦茶になるんやろな。とにかくカネや、カネが要る」

想念は堂々巡りし、理性は鈍磨していた。三〇人もの人間を関西から東京に呼び寄せ、数十億円のカネを動かし、数百ページの雑誌記事にQネットの社名と玉置真理の

笑顔を躍らせた彼の卓抜した発想力は、しかし、この陥穽（かんせい）から這いだす知恵を生み出せなかった。

四月二四日、Qネットの役員は社員全員に招集をかけた。

西山が、「会社はもう終わりです。これまでのような事業は継続できません」と宣言し、その横で真田は黙って頭を下げた。ゴールデンウィーク前に事態を社員に伝え、自活の途を探ってもらおうという配慮である。社員もこの日のあることを予期していたので、静かに発表を受け止めた。四月に入社した一〇人の社員は、入社四週間目にして路頭に迷うことになった。創業からわずか一年半、Qネットの命脈は尽きた。

再建計画

真田は、廃人のようになって椅子に座っていた。もう彼は主役ではなくなっていた。西山以下の役員たちが冷静に再建策を練り上げ、金策、増資、株式譲渡に応じてくれる企業を探し回った。ニューメディア界に轟（とどろ）いたQネットの社名に魅かれて興味を示す会社は少なくなかったが、Qネットの実態を知ると手の平を返すように引き揚げていった。

その中で何社か引き受けを申し出てくれる会社もあり、役員は交渉にあたった。その一社が徳間書店である。社長の徳間康快はニューメディアに興味を持ち、Qネットにも出資を希望して、情報提供元として取引していた子会社の大映を通して出資を申し入れてきたことがあった。大映担当者だった杉山は「もう一度お願いできませんか」と頭を下げた。

「そちらから一度蹴った話を蒸し返すわけか」と不快感を示されたが、「そこをなんとか」と頼み込んで交渉のテーブルにのせることに成功した。

チャンスである。役員たちは膨大なファイルをつくって再建計画を練りに練った。社員五〇人を退社させ、残った一〇人と会社を引き受けてもらうというものである。

「あの会社はオーナー企業だから、まず徳間さんに会って、話を通そう」

西山と杉山は眦(まなじり)を決して、六月初旬のある日、新橋の貸しビルにあった徳間書店社長室を訪ねた。大人物の徳間康快は、新入社員のように初々しい若者たちが潰れかけ

の会社の再建計画を携えて来たのを意外に思ったのか、「話は聞いてるよ。君たちがやるのか。じゃあやろう」と力強く約束してくれた。一瞬垣間見た希望の光に二人の頬が緩んだ。

だが交渉が事務レベルに降りた時点ではっきりと「Qネットの会社自体は買わない。現経営陣は引き取らない。債務については面倒をみるが、金の先物取引で開けた穴についてはは真田が勝手にやったことなのだから責任は真田に取らせろ」と申し渡された。

Qネットは家賃の安い千代田区岩本町のビルに引っ越していた。五億円の債務を肩代わりした徳間インテリジェンスネットワークが、QネットのスペースでQネットのサーバーや機材を使って営業を始めたのは一九九一年六月のこと。西山、杉山、加藤以下一一人がQネットから移籍。玉置も最後に「私には経営者としての責任がありま す。徳間さんには会社を引き受けていただいた。私も一兵卒として参加したいと思い ます。ヒラとして採用してください」と入社した。

Qネットは営業譲渡して、休眠法人になったのである。

真田はその階下で、一番最初につくった四五〇〇万円のサーバーを使い、月々一〇〇万円近いこのリース料を払い続けるために2ショットのQ²サービス会社をやりつつ債務処理に追われていた。

「とにかくカネを稼がないと」

汚れ仕事をやってでもカネを払い続けなければ、実家が抵当に入っているので取り上げられてしまう。もはや夢も希望も、支えてくれる友もいなかった。あるのは大借金。日本リースに個人保証しているリース債務が四億円ほどあった。玉置を連帯保証人にしていなかったのがせめてもの救いだ。親も保証人にしていなかった。日本リースは督促にやってくるが、真田は開き直った。

「ほら、だって見ればわかるでしょう。もう会社の実体はないんですよ。保証人は僕しかいないし、債務免除してくんないんなら、自己破産しちゃうよ」

自己破産という言葉を出した途端に担当者の態度は「まあまあ、そう言わずに」と丸くなる。「そうか、切り札はこれなんだ」と悟った真田は自己破産をちらつかせては言を左右にして支払いを渋った。

最終的に日本リースはこの債権を放棄し、損金処理することになる。その日本リース自体も一九九八年に潰れてしまった。

インフォコネクション向けのライセンス料は踏み倒した。その他にも細々(こまごま)とした借金があり、玉置が支払ったものもある。

ゴキブリ

だが債鬼というのはひょんなところから飛び出すものだ。NTTがQ2の回線契約を二年契約にする規制をかけていたが、一年ほど契約が残っているパーティーラインの電話番号が何百本かあったので、整理屋経由で一五〇〇万円ほどで暴力団系のテレクラ業者に売ったことがあった。

その後真田はすっかり忘れていたのだが、NTTは「この番号は移転の手続きに一年くらいかかります」とやってしまったのだ。騙されたと思った業者は手を回した。

ある日真田が一人で残業をしていると、いきなり事務所の扉を乱暴に開けてヤクザ風の男が三人、どかどかと侵入してきた。凄みのきいた声で「ちょっと来てくれ」と言ったかと思うと、有無を言わせず真田の両腕を強引に抱え上げて事務所から連れ出し、そのまま前に停めてあった黒塗りのベンツに押し込んだ。車は歌舞伎町の事務所に滑り込み、真田は拉致監禁されてしまったのである。

眼の前を刃物がチラつく。「なんで連れて来られたのかわかってんだろうな。ここから永久に出られると思うなよ」と凄みのきいた声で散々恫喝されながら、腹に何度もパンチを食らった。

「殺されるのかな」と恐怖にかられていた真田だったが、相手が腹しか殴ってこないところを見て「ははあ、こいつら経済ヤクザだ。こいつらは賢い。目的はカネだな」と覚り、かえって冷静になることができた。

「わかりました、電話を貸してください」

と震える手でプッシュボタンを押して、知り合いの社長に事情を話し、なんとかカネをつくって来てもらって、やっと監禁から解放された。

「そうか、わかったよ。俺は徹底的にゴキブリやって生きてやるよ」

杜子春（とししゅん）である。二六歳にして売上高一四億円の会社を切り回し、外に出ればチヤホ

ヤされる。「真田さん、真田さん」とみんなが寄ってくる。女にもてる。

そうした華々しい光景がなんの前触れもなく暗転して、自分を取り囲んでいた人々が潮を引いたようにいなくなり、今度は暗いジメジメしたところで既に敗残者の烙印を押されているのだ。しかもどうやら楽しかったことの方は幻で、こちらの方が現実らしい。


真田は東京円卓クラブのような集まりにも一切顔を出さなくなった。昔の自分を知る人になど会いたくないのである。だいたいどのような顔をして以前羽振りがよかった頃には適当にあしらっていた人たちに会えばいいというのだろうか。

真田は債務処理に目途がついた一九九二年頃、やっと冷静に過去を振り返ることができるようになった。ようやく自分の過ちを認めることができるようになったのである。

「コケたのはひとえに自分の失敗、放漫経営の一言なのだが、特にまずかったのが、〝もしうまくいかなかったら〟と想定せずに行け行けドンドンでカネを使ってしまった甘さだ。俺はビジョンや戦略を描くことはできる。今でもQネットセンターのようなインフラをつくることができると思っているし、当時はマジで思い込んでた。

ひょっとすると俺は経営をする人ではないのかもしれないな。とにかく一つ一つの点で経営下手だったことは認めざるを得ない。

それと撤退の下手さ。今だってQ²で儲けている会社があるのだから、やばいとわかった時点で、2ショットとアダルト番組に絞れば生き残ることはできたかもしれない。でも全面的な転進はできなかった。〝いや、俺はカネだけ儲けてベンツに乗れればそれでええ〟という気にはなれなかったな。新しいものをこの手でつくりたかった。それでは経営者失格なのだろうか。

七〇人近くもいた社員には迷惑をかけてしまった。みんな頑張っているかなあ」

事あるごとに反省しきりの真田であったが、前向きに生きようと思っても自己嫌悪が先に立って落ち込むだけで、ますます内向した。この程度の反省では、運命は一時の真田の慢心を許さないのであった。真田はさらに転落していく。

Q²の会社は資金ショートで閉鎖。知り合いの会社に机を置いて、オフィスコンピューター関係のシステムの設計を手伝ったり、英字新聞翻訳の会社をつくったりしたの

だが、類は友を呼ぶで大阪でQ^2をやっていた友人が会社を潰し、夜逃げして真田のアパートに転がり込んできた。

このまま地獄を這いずり回っていても仕方がないが、できるのはやはり2ショット系のQ^2ビジネスしかない。また懲りずに二人でQ^2をやり始めたのだが、今度は大成功した。なぜか。真田の周囲のQネット出身者でQ^2ビジネスにのり出す友人が増え、彼らからノウハウを教えてもらうことができたからである。

彼らのビジネスは真田のそれよりも堅実で間違いのないものであった。経験者の話では一億五〇〇〇万円程度広告を打てば、一時的に赤字になったとしても必ず黒字転換するということだった。真田はその友人の帳簿を金主に見せて納得させて出資させ、セオリー通りにやって成功した。

一九九三年頃、2ショットのQ^2サービスで月商一億円というのは珍しい話ではなくなっていた。そこでこのビジネスに目をつける者も少なくなかった。ヴィヴィッド・インターナショナルの熊谷正寿もその一人であった。

Qネットを吸収した徳間インテリジェンスネットワークは東京タイムスという夕刊

紙を受け継いだＦＡＸ新聞をつくったりもしたのだが、赤字を埋めることができず親会社の徳間書店の経営悪化もあって業務を縮小、玉置や西山、加藤は一年ほどで徳間書店を去った。

その彼らは熊谷のQ²ビジネスを手伝っていた。この会社は後に、Q²利用のインターネットプロバイダー、インターキューとして大きく羽ばたくことになる。

板倉雄一郎の国際ボイスリンクは、この時期ハイパーネットと名前を変え、Q²を使って伝言とファクシミリ情報を組み合わせて送るハイパーダイヤルを開発したり、パソコン通信サービスを一分間一〇円で提供するといった、至って真面目なQ²利用を事業化していた。

なんとかQ²ビジネスから抜け出したいと足掻いていた真田は、一九九四年、経営を友人に譲り、今度は同年から始まった携帯電話の売り切りに伴う電話のタダ撒き営業に飛び込んだ。電話会社は携帯電話をタダで配って、通話料で元を取るのである。

「携帯電話のような高額のサービスを使いたがるのは不動産業者。そして彼らがいるのは都心の盛り場のクラブだろう。ボトルキープした人に携帯電話をプレゼントする

ことにすれば女将も乗ってくるに違いない」

真田は「一台売れたら三〇〇〇円の高収入」とアルバイト雑誌に広告を出して学生を集め、「ヘネシーキープで携帯プレゼント」というポップ広告を持たせて飲み屋街をパラシュート営業させた。エレベーターで飲み屋ビルのてっぺんまで上がり、店を一軒一軒回って下まで降りて来るという効率的な営業方法である。

一カ月に四〇〇〇台をバラ撒いて、東京で一番売っている代理店になり、うまくいくように見えたのだが、またしてもトラブルに巻き込まれて夜逃げすることになってしまった。


しかしここまで来ると立ち直りも早い。夜逃げの翌日には心機一転、次は携帯電話で培った人脈を活かし、携帯電話の基地局を工事する技術者専門の派遣会社を設立。ビジネスの方法がはっきり見えていたので一年間で年商一〇億円まで伸ばすことができた。

だが、ここでも運は真田を突き放す。やはりトラブルを起こして、このビジネスからも手を引かざるを得なくなってしまう。

この頃真田に関わりを持った人物で彼のことをよく言う人間は、配偶者以外はいないだろう。彼は言葉に詰まるとタバコに手を伸ばす。渋面をつくりながら振り返る。

「おぼれかけてて、手足をバタつかせてる状態ですよ。ずっともう何年もの間乗り越えられなかった何かが大きな壁のように立ちはだかっていて。

僕は既に落伍者の烙印を押されてるわけですから、〝違うんだあ、俺はできるんだぞう。自分は本当は経営がわかってるんだあ〟と虚勢を張らないといたたまれない気持ちだった。だからパートナーと揉めてしまうんですね。

足掻いてたんですよ。足掻いても足掻いても、蟻地獄の淵に沈んでいく。今から客観的に見ると、〝こんなことしてたらみんなに嫌われるよな、ほんとバカだったよな〟と思うようなことをやっていた。

後悔してます。感覚も完全にずれていたし、気持ちに全然余裕がなかった。もうあそこには二度と戻りたくない」

かなり乱暴な商売を渡り歩いていろいろなところで借金ができ、カネを借りる先も銀行から商工ローン、マチ金と変化して、真田は精神的には墜ちるところまで墜ちて

しまう。

それらを返済するためにも稼がなければならない。経営コンサルタントの名刺を持って幾つかの会社に席を置き、事業の収支計画作成を請け負って、金融機関からカネを引っ張る手伝い仕事を不本意ながらやるしかなかった。他人にアドバイスする仕事など、起業家の真田にとっては蛇の生殺しに近い。

「俺の人生、このままずっと、こうなんやろうか」

それでも真田は、表舞台に復帰する日を夢見て、なおも足掻き続けていたのである。これを不屈の意志と言わずして、何と言おうか。

学生時代に人をネットワークすることに卓抜した才能を見せた真田は、それをビジネスに応用して、「通信ネットワークを使っていかに価値を生むか」に関して新しい地平を切り拓いた。

しかしネットワークの持つ社会的な逆作用についてまでは考えが及ばず、事業譲渡の憂き目に遭う。それによって大勢の知人に迷惑をかけ、自らも塗炭の苦しみを味わい続けることになってしまった。

Qネットのメンバーはまったく別々の道を歩き始めた。起業から倒産までの一年半の日々は彼らにとってどんな意味を持つのだろうか。

しかし、改めて話を聞いてみると忘れたい汚点というよりは、「Qネットは青春だった」「会社も、ビジネスも、メンバーも、みんな面白かった」と懐かしげに振り返る人が多い。彼の蒔いた種は次の時代の成功の種となったからである。

というと真田は「地の塩」ということになるが、きょうび地の塩なんか流行らない。長い試練の後、彼は復活の日を迎えることになる。そしてまた、Qネットの野望は潰えたが、一〇年後に彼の構想したシステムを数段階洗練させて実現したサービスが出現する。NTTドコモのiモードである。

だがその前に、われわれはもう一つのネットベンチャーの破綻を目にしなければならない。ネットベンチャー繁栄までの道程は、平らかで安逸なものとは程遠いものだったのだから。

光も影も描かれた青春時代

Blocksmith&Co. 社長
KLab 取締役会長
ファウンダー

真田哲弥 氏

関西学院大学在学中に起業。大学中退後、ダイヤルQ2を利用した情報提供会社を設立して成長を遂げるも、事実上の倒産を経験。アクセスに入社して会社員生活を経た後、一九九八年に堀主知ロバート氏らと共にサイバードを設立、副社長CTOに就任。二〇〇〇年にケイ・ラボラトリーを設立し、社長CEOに就任。二〇一一年に東証マザーズ、翌年東証一部へ上場。現在は Blocksmith&Co. 社長。

「よくこのタイトルにしたよね」

よくこのタイトルにしたよね、と思います。『ネット起業！　あのバカにやらせてみよう』って。でも当時は、確かに〝バカ〟が起業する時代だった。僕を含め、起業した奴はだいたい〝大バカ〟が多いわけです。それと現代はだいぶ違います。

今は東大卒で凄く優秀な、別に霞が関に行ってもよかったんじゃないかという人が起業している。あるいは、起業にまつわるセオリーが体系化され、アメリカで生まれたアカデミックな起業学みたいなものも輸入され、出回っている。たまにスタートアップのスピーチを聞いたりしますが、横文字だらけ。そういうスタートアップが成功するための学問をみんな一生懸命勉強して、起業していくわけです。

でも当時は、そんな学問なんてなかったし、東大卒のエリートが起業するなんてあり得なくて。この本に書かれているあの頃はグレーで、失敗も多くて、〝あのバカ〟と言われても仕方がない世界でした。

実は、著者の岡本呻也さんが「光も影も書きたい」と言うから、「じゃあ、僕から聞くだけじゃなくて、当時の他のメンバーにも取材をしてほしい。たぶん僕からは影の部分は出てこないから」と言いました。

やっぱり成功した人って、影の部分は自分ではしゃべらない。経営者の自伝や講演を読んだり聞いたりしますが、いい話しかしない。話すのはあくまでも成功談であり、そこに失敗談があったとしても、それは美化された成功談の一部なんです。経営者に限らず、四〇〇〇年も前の昔話でも美化された話ばかりが残っているじゃないですか。

でも、岡本さんはあえてそうしたくないと言うから、僕は当時のメンバーの連絡先を岡本さんに渡して、岡本さんがそれぞれに取材した。結果、僕に取材したことよりも、加藤順彦などがしゃべったことの方が影の部分として書かれていると思います。

ですから、この本を読んで、改めて知ったこともあります。「そうだよな、あの頃、俺もひどかったから、こんなふうに思われていたんだな」「そうか、俺ってこう見られていたのか」と。

一つの物事や事象をこっちの側面から見るのとあっちの側面から見るのとでは、捉え方も表現も変わってくる。社員から見たら「ひどい話だな」と思うことも、社長からすると苦悩だったりする。

だから僕の語りを中心にすると、たぶん別のストーリーになるんじゃないかと思いますが、本書の第一章は、当時の社員の目から見てどうかということが中心の話。それで僕も、なるほどと思ったりしました。

この本には、光も影も含めたインターネット黎明期の熱狂が書かれています。

"あのバカ"が与えた影響

僕自身、あの時代の細かいことを覚えていないし、忘れてしまっているところもあるので、書いておいてもらってよかったなと改めて思います。周囲やスタートアップ界隈にも、少なからず影響を与えたのではないでしょうか。

実際にインターネット系の経営者の方々から、「『あのバカ』、読みましたよ」と言われることが多々ありました。先輩経営者やベンチャーキャピタル（VC）の人から読めと渡されたとか、経営者仲間の間で回覧されたとか。さすがに最近は世代が変わってきて減りましたが、それでもいまだに「実は昔、読んでいまして」みたいな話をされることもあって、部数以上に、こんなに読んでいただいているのかと感じる。それは、当時特有の熱気が描かれているからだと思います。

人に青春時代というものがあるように、産業や業界にも青春時代がある。いろいろな産業が世に勃興しては廃れていきますが、この本に描かれている風景は、まさにインターネット業界の青春時代だったな、と。

たとえば、飛行機が登場した時代には〝エアポートキッズ〟みたいな人々が出てきて、飛行機に対する憧れから熱狂が生まれた。そういう青春時代があらゆる業界にあって、僕らはちょうどインターネット業界の青春に居合わすことができたという話だと思うんです。

それは国の成長にもあって、日本の高度成長期は、戦後日本の青春時代だった。僕が子供の頃だからそんなに記憶はありませんが、その時代の会社は今からするとただの「ブラック企業」。おやじたちの時代は、めちゃめちゃ長時間労働をしていたわけですが、でも、それが楽しかった。興奮できていた。辛いけれでも、それも含めて楽しんでいたわけです。

それが青春というもので、あのビットバレーとジュリアナ東京のお立ち台に象徴される、いわゆるインターネットバブルの熱狂にも通じるところがある。確かにいろいろな辛い思いもしましたが、「これから時代が変わるんだ、インターネットで行くぞ」というような興奮のおかげで、総じて楽しかった。関わっていたみんながそうだったんじゃないかなと思います。

あの熱狂をもう一度、と思う人も多い。ＶＣの社名を「ANOBAKA」に変更した社長の長野泰和君もその一人。彼は、KLabに入社してからＶＣ子会社の立ち上げに携わり、その後、子会社の社長になりましたが、二〇二〇年、その会社を自分も含めた経営陣で買い取って独立（ＭＢＯ）したいと言ってきた。

これまで散々投資をして赤字続きで育成してきたものをＭＢＯしたいと言われて、一瞬どうしようかなと思ったけれど、「こいつに任せた方がいい」と思って認めた。その時に「社名をANOBAKAにしたいです」と言われて、僕はＭＢＯの事実以上に衝撃を受けました。

「そんな名前！」って思いましたが、よく考えたらインパクトがあって最高だなと。何とかベンチャーズとか、そんな普通の名前よりよっぽどおもろい。インパクトもさることながら、やっぱりもう一回、あの時代の〝あのバカ〟をつくり出したいという思惑もあるわけです。書籍名から想起しているわけですから。

そもそも彼がKLabに採用面接を受けに来たきっかけは、この書を読んだことらしい。その彼が時を経て、ANOBAKAという会社を立ち上げた。バカですよね。

原点はダイヤルQ²にあり

だからこの本を読んで、また起業する人が増えれば、日本のスタートアップ業界には意味がある。そうであればいいなと願います。

「俺みたいになるなよ」

この本には、僕が何度も失敗をしてもまた別の道を探して、めげずに立ち向かってきた生き様が書かれているわけで、交流会みたいなところで名刺交換した方から『あのバカ』の真田さんから勇気をもらって再起しました」と言われたこともあります。失敗しても何とかなるよという教えがあるのかもしれませんが、僕からすると「俺みたいになるなよ」という教えでもある（笑）。何回、同じ失敗を繰り返しとるんやと。

人間は学習しない動物です。数々の失敗は、その後の人生の学びにはなっていますが、経営に役立っているかというとわかりません。KLabも、みなさんには成功したと映っているかもしれませんが、もう失敗だらけ。僕は二〇一九年に代表取締役社長を辞めて取締役会長に退きましたが、今は業績最悪の赤字企業で、ひどい状況です。しっかりと持続的に成長させ続けることができる経営者が世の中にたくさんいる中で、僕にはそれができなかった。少なくとも僕の時代で新しい事業や人や組織を育てることに成功していたら、そんなことは起こってないわけですから。それは、僕の昔からの悪い癖が影響しているのだと、自分では思っています。

一つのことが軌道に乗ると飽きてくるという最も問題のある特徴が僕にはあって、ちょっと成功して一段落ついたら別のことに目が向いてしまう。それがKLabでも出ていて、組織が一定規模に育って以降、立ち上げる時ほどの情熱を持てなかったということが問題でした。そうであれば、もっと早いタイミングで適切な後任に譲るという選択肢もあったのかなと今では思います。

本書には、「企業の成長段階に応じてトップは、コマンドー、将軍、官僚の三種類に分かれる」という話も紹介されていますが、黎明期を突進するコマンドーであった経営者がそのまんま大将軍になった会社は、成長が止まるわけです。

コマンドーだった経営者には、組織の成長段階や規模によって将軍や官僚へと別人

に生まれ変わっていくか、あるいは将軍や官僚ができる人にバトンタッチするか、どちらかが求められる。KLabも途中まではそれなりにうまくいったけれども、業績が落ちたということは、やっぱり僕がその二つのどちらもできなかったということなのだと思います。

コマンドーであり続ける

やっぱり僕は、先陣を切って最前線で何か新しいことを生んでいくことの方が得意だし、好きなんです。現場に近い方が楽しいと思うタイプ。KLabの社長を退いた後、新しくBlocksmith&Co.というブロックチェーンの会社を二〇一二年に立ち上げたのも、そのため。まだ人がやっていなくて、世の中に普及していないものを早くに見つけて孵化させる。そういうことをずっと今までやってきて、今回もそれをやろうと性懲りもなく始めています。

僕がダイヤル・キュー・ネットワークという会社を立ち上げてやっていた頃、ダイヤルQ²業界の熱狂は本当に凄かった。二〇〇〇年頃のインターネットも、二〇一〇年頃のソーシャルゲームもそう。みんな、われ先にと業界へ入っていく。だからゴールドラッシュとも言います。

あの独特の高揚感が二〇二〇年頃のブロックチェーンにはあったんです。二〇二一年、二〇二二年と熱狂があって人が群がって。今はいったん落ちちゃっていますが、それでも日々、ワクワクできて楽しいです。

ただ当然、そんなに簡単なことではない。体力の限界を感じるようにもなりました。若い頃なら三日徹夜して企画書を書いて持っていくみたいなことをしていましたが、今は一日でもそれをやったら次の日は動けません。会長業は楽でいいけれど、現場監督はこの歳になると体力的に辛い。若い頃のように踏ん張りが利かないなと感じ始めました。

それは認めつつ、しかし僕はこう思います。

人生一〇〇年時代。一〇〇年とまではいかなくても、七〇歳や八〇歳まで生きられる時代なのに、起業した社長が三〇代や四〇代半ばで引退して、エンジェル投資家になったりしている。あるいは、人を育てることに徹したりとかね。いや、「あなたの人生あと何年あると思っているの」と。別にそれは六〇歳や七〇歳になってからでもできるんじゃないのかと。

僕も、若い人を育てるとか伝えるみたいなことをいずれやっていきたいとは思っているし、やっていかなければいけないと思っています。でも、それは現場にいるのがしんどいと思ってからでもよくて、体が動く間はプレーヤーをやり続けたい。

何歳までと決めてはいませんが、やれる間はやる。

だって人生、先は長いですからね。

起業に遅すぎる歳はない

若さゆえの〝バカ〟、という側面はあります。すなわち家族とか子供とか、守るものができると人は〝バカ〟になれない。子供ができたら守りに入るのは動物的本能ですから。守るものがない時に、人は何だってできるので、そういう意味では、〝バカ〟は若いうちにやっておけよと。家族ができる前に挑戦しておけという気はします。
ただ、僕はちょっと珍しいタイプで、家族ができても守りに入らなかった（笑）。それに、やっぱり一定の社会経験を経てから起業するのと、それなしにするのとでは、精度が全然違う。成功確率は上がります。だから、起業に遅すぎるなんていうことはありません。

四〇歳、五〇歳を過ぎてから起業する人も増えてきていますが、それでも全然、間に合うと思います。体力勝負ができないところはありますが、その分、自分がやってきた経験と知識があるわけです。何をやるか次第ですが、起業して挑戦した方が絶対、人生は楽しくなるはずです。

僕がブロックチェーン業界に参入したのは五八歳です。二〇二四年に誕生日が来たら還暦を迎えます。二〇代の経営者が多い業界で、圧倒的な年上、最年長。人はこの歳でも起業して成功できるのか、という限界に挑戦しているようなものです。

今はＡＩ（人工知能）にも興味が湧いています。二〇二三年四月に一カ月間、アメリカのサンフランシスコやシリコンバレーにいました。毎日どこかしらでAIのミートアップが開かれていて、まさにAIが沸き返り、沸騰している最中に身を置くことができました。そして、あの〝感覚〟を体感できた。あぁ、これが業界の青春時代なんだよなと。

僕は今でもそういう時代に居合わすことができていることに幸せを感じますし、別の場所で再びそういう熱狂が起これば、そこに居合わせることができるよう、シフトしようとしています。

（取材、構成／井上理）

ビル・ゲイツに睨まれた男

先駆的なアイデアはしかし、必ずしも報われない。
1980年代の真田は、
Q²への規制強化が仇となり、会社倒産。
1990年代初期に、ネットビジネスに挑んだ板倉雄一郎にも
銀行の貸し渋りが直撃する。

世界初のビジネスモデル

渋谷の南口を出て歩道橋を渡り、桜丘と呼ばれる辺りの、雑多な商店が両脇に立ち並ぶ坂道を上がりきると、突然視界が開け天を衝く高層ビルが姿を現す。渋谷インフォスタワーというオフィスビルである。

一九九七年一二月初旬、山一證券や北海道拓殖銀行の破綻が人々の心に暗い影を投げかけていた頃、このビルの荷物出入口に大型トラックが乗りつけられた。作業服と背広姿の十数人の男たちがエレベーターで一四階に上がり、一二月二日付の自己破産申請の告示が貼りつけてある入り口の閉鎖を解いてオフィス内に入った。

「じゃあ運び出してくださぁい」

破産管財人の弁護士の号令で、男たちは仕事に取りかかった。

まず椅子、机、応接セットなどの備品を次々と運び出す。続いてパーティションやキャビネットの組み立てが外され、中に入っている書類はすべて無造作に床に放り出される。

しばらくは組み立てを外す工具の音と、ファイルや帳簿類が勢いよくザーッとぶちまけられる音がやかましく響いていたが、三時間ほどして静寂が戻ってきた時には部屋の中は巨大ながらんどうになり、ファイルや紙きれだけが散乱していた。オフィスの什器備品は内装会社の持つ一億円ほどの債権の一部として引き揚げられていったのである。

一一月末で一斉解雇された社員のうちの何人かが私物を取りにやって来ていて、この様子を無言で見守っていた。「これが倒産だなあ」。各人が実感していた。不思議と哀しくはなかった。ただ、みんな寂しさを噛みしめていた。

「まあ、なんとかなるさ」と誰かが言った。

ハイパーネット。

一九九一年六月設立、一九九七年一二月破産宣告。負債総額三七億円。

翌一九九八年、三三歳の社長、板倉雄一郎は二六億円の負債を抱えて自己破産の宣告を受けた。破産宣告によって彼は債務からは解放された。

天才的なアイデアマンである板倉は、一九九五年に、広告を配信することでユーザーが無料でインターネットに接続できるシステムを考案、ハイパーシステムとして世界に先駆けて実用化した。二〇〇〇年時点でその特許は、インターキューが買収して世界中に出願しており、既にシンガポールでは成立している。

これが成立すると同じようなビジネスモデルを持つ世界中の無料プロバイダーがすべてこの特許に引っかかる可能性が出てくる。

アメリカで四〇〇万人の会員を持つ無料プロバイダー大手のネットゼロは、この特許成立を見越してインターキューにライセンス料を支払い、北米大陸における無料プロバイダーの営業権を取得した。これが、ハイパーネット倒産から二年半を経た二〇〇〇年五月のことである。

「世界初のプッシュ型インターネット広告システム」

これだけ優秀なビジネスモデルを独力で創出し、ニュービジネス大賞まで受賞したベンチャーの雄が、なぜあっけなく多額の負債を抱えて沈没しなければならなかったのだろうか。

真田哲弥の再来

慶応義塾大学が一九九〇年に開設した新キャンパスは湘南藤沢キャンパスと呼ばれている。ここの第一期卒業生であった西村嘉騎は日本のベンチャーキャピタル（VC）最大手の日本合同ファイナンス（後のジャフコ）に入社した。

二週間ほどの財務研修を終えると、すぐベンチャーキャピタリストとして新規案件の開拓をしなければならない。証券系のVCなので証券営業に似たスタイルである。

一九九四年五月中旬のある日、西村は小さな新聞記事に目を止めた。ハイパーネットという会社がコンピューターの音声応答装置を使って、電話で懸賞広告への応募や通信販売を受ける事業をスタートする。これによって従来のオペレーターによるテレマーケティングの費用を一〇分の一まで抑えることができるという画期的なシステムである。興味を持った西村は、早速飛び込み営業に向かった。

渋谷三丁目のこぎれいなビルの七階にあるハイパーネットのドアをノックすると、コーヒーを入れたマグカップを片手にドアを開けてくれたのが、社長の板倉雄一郎本

人であった。眉毛の太い、ちょっと俳優の西郷輝彦に似たルックスで、パリッとスーツを着こなしている。社員四人の小さなオフィスだ。

「ジャフコといいまして、株式公開のお手伝いをしている会社なのですが……」

「知ってますよ。一度出資を頼みに行って断られたことがあるから」

「えっ、あっ、そうですかそれは……」

「いやいやいいんですよ。ちょっと待っててくださいね、今資料持ってきますから」

板倉は自分の会社を公開に一歩近づけてくれるかもしれないこの若僧に、得々と新事業の説明をした。

西村は板倉の話に感銘を受け、「この人は自分が追い求めてきたタイプのベンチャー経営者だ。他人にないオーラが出ている。きっと成功するに違いない」と、上司にこの件を報告した。上司も「これは新人の第一号案件には丁度よさそうだ」と思ったのか、「じゃあやろう」ということになり、ハイパーネットに出かけてその年の九月に最初の増資二四〇〇万円を引き受け、二カ月後に八〇〇〇万円のワラント債を引き受けることになった。

西村はこれを機会にハイパーネットに出入りするようになった。

実はこの事業、第一章の最後に紹介したハイパーダイヤルがQ[2]規制に引っかかって売り上げが急減したので、なんとか生き残るために板倉が脳みそからひねり出したものだった。

当時は音声自動認識の技術などない。電話をかける人には機械の自動応答の声が「ご住所を都道府県からお願いします」と流れるのだが、実はその住所を聞いて入力しているのはオペレーターなのである。

ただし、住所は日本中の地名を入れたデータベースをつくり、未熟な人でも簡単に入力できるように工夫されていた。こうしたアンケートの答えは年齢・性別など定型で入力パターンが決まっていることに目をつけた板倉が、従来のハイパーダイヤルのインフラを転用して始めた商売なのである。

一時期、トヨタの広告に載っている懸賞の大半はこのシステムを使っていた。アンケートで客の所有車の年式を質問してデータベースをつくり、それをそのまま見込客リストにしてしまうのである。

ちょっとした金鉱脈を掘り当てた板倉はこの仕事で大手広告代理店とのルートを開拓し、データベース・マーケティングのノウハウを身につけた。考えてみると、現在

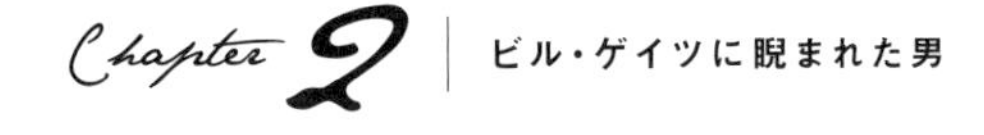

のインターネットを使ったデータベース・マーケティングの雛形のようなものだ。

この頃、板倉は友人に誘われて赤坂陽光ホテルで開かれたベンチャー企業交流会に赴き、このホテルの専務と出会う。

「板倉君、ベンチャーやるんだったら、やっぱり銀行の知り合いは必要だよ」、そう言って彼は、後日一人の若い銀行員を連れて板倉のオフィスを訪ねてきた。彼が仲人を務めたというその若手行員は、当時三和銀行青山支店で優良企業発掘に精を出していた高山照夫だった。当時、東京円卓クラブは赤坂陽光ホテルに会場を移していた。

頭の回転が早く、アイデアマンで鼻っ柱が強い板倉を見た高山は、「こいつは真田哲弥の再来だ」と思わずにはいられなかった。

この機会に板倉が紹介されたもう一人の銀行マンは大物だった。住友銀行丸の内支店長の國重（くにしげ）惇史である。若い板倉は緊張して支店長室を訪ねたが、國重は温かく板倉を迎えた。

実は國重は、丸の内支店長に就任した時、「これからは重厚長大産業偏重では難しい。ニュービジネスへの積極的融資でシェアを拡大するべきだ」との信念を持っていた。特にディスカウンターとＩＴ関連を狙っており、わざわざ仙台まで出かけて酒販ディスカウンター最大手のやまやに融資したくらいである。ソフトな物腰と行動力を備えたスマートな銀行マンだ。

当時のベンチャー業界は第三次ベンチャーブームに湧いていた。銀行も遅れてならじと、ソフトを担保にして融資する試みを行ったり、住友銀行はバンダイと合併でマルチメディア産業へ投融資する会社をつくったりした。

銀行が優良案件を発掘して融資するだけでなく、系列のＶＣからも積極的に資金をつける。マルチメディア産業は都心に立地し、「ベンチャーは青山から」と言われていたようだ。そういう中でハイパーネットも既にＶＣ四社から二億円の増資を受けていた。大企業が不良債権に縛られて身動きが取れずもがいている中で、ベンチャー企業に期待が集まりつつあった。

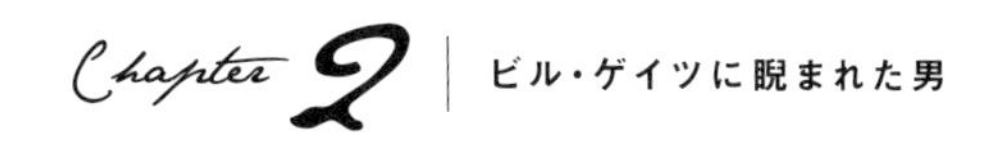

ハイパーシステム

一九九五年秋、ジャフコの西村は相変わらず暇さえあればハイパーネットに入り浸っていた。西村が応援でハイパーネットの社員とだべっていると、板倉が「すっげえこと思いついた」と言いながらドアを開けて入ってきた。

「インターネット広告だよ。インターネット広告。ネットに接続するプロバイダーをやろうと思うんだ。でも、もちろんわれわれはハイパーネットだから単純なプロバイダーはやらない。

ユーザーには加入時にアンケートに答えてもらいユーザー属性を把握する。インターネットのブラウザー(閲覧)ソフトは当社がユーザーに配る。このソフトを起動すると、ネットに接続している間は画面の一部に別枠のブラウザーが出てきて、常に広告が流れるようになる。スポンサーがいるから、ユーザーはタダでインターネットに接続することができるというわけだ。

その広告はデータベースセンターから流すんだが、広告主の指定した属性のユーザーのところにしか流れないというのがミソだ。極端に言うと一人にしか流さないということもできる。これによって広告主は広告効果を一段と強めることができるし、広告を打つにしても無駄な相手に打たずにすむようになるから広告コストを節約することができるというわけだ。広告料はまあ、一人当たり三〇～五〇円だな。名づけて、ハイパーシステムだ。どうだい、凄いアイデアだろう」

これこそ個別広告を可能にする画期的なプランであった。だがその場にいたものは狐につままれたような顔をして顔を見合わせている。「そんなものをつくって何になるんだろう」「だいたいそんなものつくれるのか」と表情が語っている。ややあって西村が「それは凄い、すぐやりましょう」と言った。

「そうだろう、わかってくれるのは西村君だけだよ。でもこれ、社員が足りなくてやる人間がいないんだよ。君やってくれないかい」

「うーん、面白そうですねえ。ちょっと考えさせてください」

二日後、西村は転職の決断をした。

だが、このアイデアに本当に市場性があるのかどうか、板倉は悩んでいた。

一一月にはラスベガスのコムディックス（コンピューター関連の大見本市）に行っ

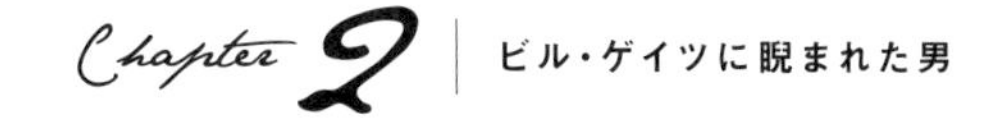

て、アメリカにも類似のサービスがないことを確認していた。しかしこんな大プロジェクトを立ち上げるためには人とカネが要る。

板倉は三和銀行の高山に声をかけた。「誰か優秀な奴がいたら紹介してくれないかなあ」。「そうですか、いいっすよ」と明るく請け合った高山は仲のよかった東京円卓クラブのメンバーの中から、ペンシルバニア大学ビジネススクールでＭＢＡ（経営学修士号）を取って帰ってきたばかりの東京ガスの夏野剛を板倉に紹介する。

夏野はビジネススクールでインターネット利用のビジネスに関する授業を受け、本場のｅコマースの実情も見てきていた。既にアメリカではオンラインバンキングも始まっており、夏野は「インターネットは社会のインフラである」という進んだ認識を持っていた。

「板倉さん、データベース・マーケティングがこのビジネスの核ですね」

ハイパーシステムの話を聞いて、一発でこの事業の本質を見抜いた夏野の眼力に板倉は驚かされた。

「これは非常に面白い。成功するビジネスモデルだ。板倉さん、すぐにでもアメリカに進出するべきですよ。市場調査は僕がやってもいいですよ」

「よろしくお願いします。もし夏野さんにうちに来てもらえたらありがたいなあ」

もう一人、ハイパーシステムの本質を見抜いた人間がいた。住友銀行の國重である。

『いくら必要なんだ？』

「銀行員にこうしたネットビジネスが理解できるはずがない」とタカを括って説明した板倉は、國重の反応を聞いてわが耳を疑った。そして反射的に答えた。

『一〇億円というところでしょうか』

『NOはないよ』

國重は答えた。

説明を聞いた後、「次の出先までお送りします」と板倉が申し出たので國重は板倉の車に同乗することにした。國重には普通のセダンに見えたのだが、この車はBMWのM5という車好きなら誰もが知る名車だった。板倉には車の趣味があったのである。

車中、板倉は國重に話しかけた。

「國重さん、世の中には新しいアイデアや技術やノウハウを持った人間はごまんといると思うんですよ。だけどそれを集めてマネージできる人がいないんですよね。その

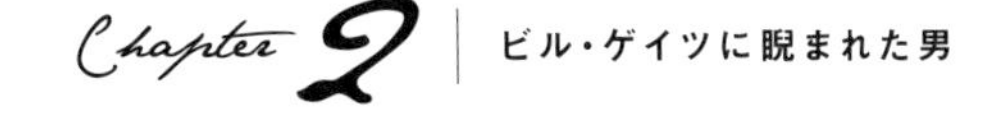

力を持った人が成功するんじゃないでしょうか」
「うん、僕もそう思うよ」
板倉はマネジメント力の重要性も的確に把握していたのである。

國重は一九七二年にMITへ派遣留学で行った時に「上司が経営判断するためにどのような情報を提供するべきか」という経営情報システムの研究を行っていた。マネージャーにはタイプがあって、いちいち自分が情報を直接検証しなければ気がすまないタイプの人には具体的な情報を渡す必要があるが、一方で部下に細かく目を配り部下を通して状況を判断するタイプの人には抽象的な情報を渡した方がよい。

人によって必要とする情報が違うので情報をサービスする場合には、オーダーメードの情報システム、つまりワン・トゥ・ワン・マーケティングが必要なのである。そしてそれを可能にするのはデータベースの構築だ。ハイパーシステムにはこれが組み込んであり、ユーザーが行ったページや使ったツールがわかるようになっている。

「これは画期的なインフラだ」、ということを判断できる素地が國重にはあった。

この経験はその後、國重が社長を務めることになった住友銀行系のオンライン証券会社、ＤＬＪディレクトＳＦＧ証券の戦略にも活かされている。

同社のサイトでは日経新聞のデータベースや時事通信、株式新聞のニュースも提供されており、口座を開いた顧客は無料で利用することができる。またプロのディーラーが使っているようなロイターのリアルタイムの株価情報サービスを当面は無料で、その後はせいぜい一〇〇〇円程度で提供している。とにかく情報をふんだんに提供して、必要なものを顧客に選択してもらおうということである。情報提供力による差別化のために同社は厖大なコストを投入している。

若き起業家たち

この時期板倉はもう一つの出会いの機会を得る。彼が今も「あれは青春だった」と振り返るのは、青年起業家たちの交流の場、ＹＥＯ（ヤング・アントレプレナーズ・オーガニゼーション）である。この会は一九八七年に世界の起業家のネットワークとして誕生したものだ。青年会議所とよく似ているが、自分がベンチャーとして会社を

興した者にしか参加資格がないというところが違っている。

若手起業家たちを勧誘し、初代会長となったのはグロービス社長の堀義人。くだんのモデル出身の丸の内青年倶楽部の創設者である。

堀は住友商事からハーバード大学のビジネススクールに留学し一九九一年に帰国したのだが、ハーバードで本場の経営学に触れて「これを知らなければビジネスはできない。組織力で戦っているアメリカ企業に日本人は竹槍で立ち向かっているようなものだ」と強烈なショックを受ける。

しかもこれからは自動車や鉄鋼業などの大量生産、資本集約型産業からサービス業などの知識集約型産業が主流になるだろう。そこで競争力になるのは創造性であって、企業間戦争は今までとはまったく違う領域に入りつつあると実感した。

「日本の大企業はまだほとんどそれに気がついていない。これはまずいだろう。誰もこの知恵の移転をやっていないのなら、僕がやるしかない」

元々起業家精神が旺盛であった堀は一九九二年、友人たちから資本金を募って社会人向けビジネススクールを運営するグロービスを立ち上げる。

ハーバードの教材を使って、ケーススタディと呼ばれる方式の授業を展開するこの学校は、留学したくても機会のない若手サラリーマンの支持を受け繁盛した。講師には堀の友人のＭＢＡ取得者が多数協力した。

　堀はそこで培ったノウハウを教材に落とし込んで企業研修の請け負いも始める。二〇〇〇年の時点では二〇〇社の研修を請け、年間四〇〇〇人の社会人がグロービスで学んでいる。堀は競合他社がない、独自の地位を築くことに成功した。

　社交的な性格の堀は、通産省が後援するニュービジネス協議会などにも出入りしていたが、そこで知り合ったドミノピザ社長のアーネスト比嘉（ひが）から「日本でもＹＥＯを立ち上げないか」と誘われていた。実はＹＥＯは五〇歳までの経営者八〇〇〇人が参加する世界組織ＹＰＯ（ヤング・プレジデント・オーガニゼーション）から派生した組織なのだが、比嘉はアジアにもＹＥＯの拠点をつくりたいという要請を、ＹＰＯ経由でしばしば受けていたのである。

「どうも香港で立ち上げようという若手経営者の動きがあるらしいよ」

「うーん、アジアで最初にやるのは日本でないと困りますよねえ」

堀は腰を上げ、同年輩の若手経営者たちに声をかけ始めた。

その中でも堀が重視したのはソフマップの鈴木慶、光通信の重田康光の二人であった。当時光っていたこの二人が動けば、みんな集まってくるに違いないと堀は睨んでいた。

その他、テレビキャスター出身で一〇〇〇人を超す在日外国人のネットワークを持つユニカルインターナショナルの佐々木かをり（YEO二代目代表）、ジュリアナ東京やヴェルファーレといった巨大ディスコを企画し、後にダイヤル・キュー・ネットワークにいた佐藤修と組んでグッドウィルをつくる折口雅博、イーディーコントライブの川合歩といった面々である。

当時、経済メディアを賑わせていた若手起業家の中で声をかけられなかったのは、プラザクリエイトの大島康広ぐらいであろう。どうも大島は同世代には嫌われていたらしく、アスキーの西和彦の三三歳を抜いて、三一歳での史上最年少の株式公開社長の座を狙っていた大島は、公開一カ月前に光通信の重田に抜かれて地団駄（じだんだ）を踏むことになる。

YEOの仲間はヴェルファーレのVIPルームでシャンパンを開けて光通信の公開

を祝い、「これからこのメンバーが公開する度にここでシャンパンを抜いて祝おう」と誓い合った。

二〇〇〇年にYEOの代表はフルキャスト社長の平野岳史であるが、彼はQネットに番組を提供する代理店をやっていた。また現在は独立してファミリービズを経営している元Qネット社長の玉置真理もYEOのメンバーの一人だ。


一九九五年一〇月一五日、堀が声をかけて集めた三〇代起業家たちが二〇人ほど、六本木に程近い東京アメリカンクラブに集合した。堀は愛想よくメンバーを迎え、板倉は「あー、こいつ雑誌のモデルやってた奴だ」と思い出した。他に板倉が強烈な印象を持ったのは光通信の重田である。

「ああ、俺、こいつと同じ業界じゃなくて良かった。こいつとビジネスやったら勝てないだろうな」

起業家というのは平たく言うと「俺がこの世で一番」と思っている人間のことである。自己主張も人並み以上に強いのだが、またある意味では友だちも少ない。サラリーマンになった同級生は居酒屋で会社のグチをこぼすが、起業家は「なんだ、そんな

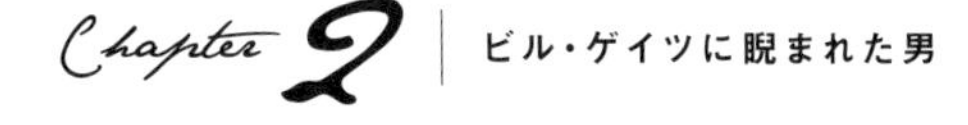

んなら辞めちゃえばいいじゃん」と簡単に言ってしまう。辞められないからグチるのであって、辞めてしまってはサラリーマンが成り立たない。起業家という人種はこうして孤独になっていくのである。

そういう意味では、もしお互いを認め合える関係であれば、起業家が交流し意見を交換し合うことは精神的に大きな支えになることだ。

実はＹＥＯには数人の固定した仲間の間でお互いのビジネスや個人的な悩みを語り合うというプログラムもある。実にアメリカ的なメソッドだが、日本ではあまり機能していないようだ。そんなことをしなくても日本人は酒を飲めば打ち解ける。特に同年代であればなおさらだ。

二次会は六本木のヴェルファーレに席を移した。

「あんたは〝今、俺が一番だ〟と思っているかもしれんが、一〇年後には俺かもしれんよ」

と、会社規模の大小に関係なくはらわたを晒け出して語り合える青年起業家たちのネットワークができた。ＹＥＯは出資や提携の舞台ともなっている。

各人が刺激し合って起業家精神をさらに高め合い、株式公開についての情報なども交換できるこの人脈は連綿と続き、日本では四〇人、アジア地域全体では四〇〇人の会員を擁するようになった。彼らはYEOを通してアジアにも人脈を広げたのである。

一二月の第二回YEOの集まりの時、ヴェルファーレのVIPルームでは板倉、堀、重田、折口といった面々が卓を囲んでいたが、板倉の様子はいつもと違い、何か思い詰めた様子であったという。やがて板倉は一座の中で宣言をした。

「今まで悩んでいたビジネスをやることにした。俺、今から人生賭けるよ」

経営者が二度と元の地点に戻ることができないような大きなビジネスに乗り出す大きな一歩を踏み出すには覚悟が要る。ベンチャー精神が激しくぶつかり合うYEOの場の雰囲気が彼の背中を押したのだろうか。YEOのメンバーたちは口々に板倉を励ました。

三カ月でこの世にないものを

ウィンドウズ95が発売され猫も杓子もパソコンへと靡(なび)く年末の慌しい中、板倉はハ

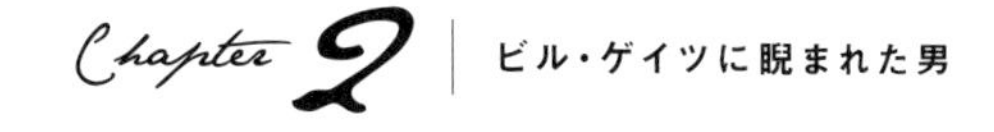

イパーシステムプロジェクトに向けた大ミーティングを開いた。やらなければならないことは山ほどある。

システム開発

特許や著作権などの申請と保持

データベースのマネジメントと保有

インターネットプロバイダーの確保

広告獲得

「これは俺の手に余るのでは」という思いは板倉の脳裏を一瞬掠めただけでどこかに飛んでいってしまった。

「起業は自分の唯一の表現方法。自分の溢れ出るエネルギーも、余った時間も吸い取ってくれる。自分は一人で放っておかれるととんでもないことをしでかしてしまう人間なので、起業は自分のエネルギーにやるエサとして一番いいんです。

量がたくさんあるということは、エサがたくさんあるということ。〝やらなきゃあ〟と思うんじゃなくて、エネルギーが勝手に出てきますから。〝わあ、こんなにやることがいっぱいある〟というのは、僕にとって凄く楽しいことなんですよ」

板倉は仕事に取りかかった。ここから倒産までのハイパーネットは、まさにジェットコースターに乗ったようなものである。

まずカネだ。住友銀行の國重は一九九五年一一月、板倉に二億五〇〇〇万円を融資した。これを皮切りにたちまちのうちに二〇億円もの銀行融資が集まった。ベンチャー企業に担保などない。すべて板倉の個人保証を入れているが、事業の失敗を疑わない板倉は平気で判をつきまくった。堀義人はしきりに「板倉さん、銀行融資は危ないって。エクイティ・ファイナンス（増資）に替えた方がいいよ」と諫めたが、板倉は聞かなかった。

聞かないはずで、話は先のことになるが一九九六年の四月頃から板倉はアメリカのナスダック（店頭市場）への上場を狙い始める。成功すれば日本のベンチャー企業初のことであり、公募増資で莫大な資金を手にすることができる。

それを当て込んで、同社はバランスシートを格好よく見せるために手元流動性まで住友銀行から三億円ほど預金担保として借りていたのだから、財務戦略には大きな問題があったと言わざるを得ない。

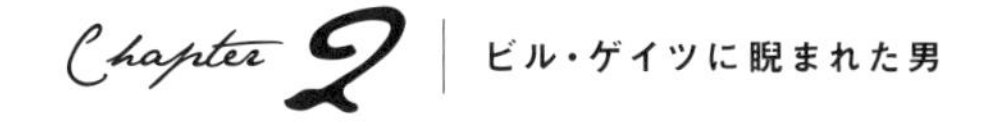

次にシステム開発。市場調査の反応は「なるべく早くサービス開始が望ましい」とのことだった。

外資系の日本タンデムコンピューターズが「四月までにやりましょう」ということで開発を引き受けてくれた。

話が決まった後で板倉は、『あれは一体幾らするんだ？』と考えたが、五億円とのことであった。しかしタンデムと繋がっていた日本リースがシステムを一括して買い上げ、リースしてくれることになったので、「じゃあ、悩まなくていいや」と話を進めてしまった。

実はタンデムにとってはこの案件、同社の最上級並列機の販売を含めた上半期最大の商談成立であり、「一介のベンチャー企業がこのような注文を出すとは何事か」と業界の注目を引いたほどの、平たくいうと無駄遣いだったのである。

プロバイダーはアスキーが六カ月間は独占してやってくれることになり、開発から切り離した。ハイパーネットはアスキーに対してユーザーの接続時間一分当たり八・三三円を支払う契約になっていた。

人材も重要だ。夏野は連休中にアメリカに市場調査に行ったり、東京ガスの勤務時間外に夜な夜なやってきては事業計画や戦略立案を手弁当で手伝ってくれていた。

板倉は、最初は東京ガスを辞める気などなかった夏野を「真剣に手伝ってもらえないか」と口説き落として、六月に副社長として迎え入れた。三和銀行の高山も退職してハイパーネットの監査役に就任する。その他にも英語がわかるＭＢＡクラスの人間を確保。社員は四〇人に膨らんだ。


ハイパーシステムの試験運用は四月から、本格稼働は六月からと決まった。たった三カ月でまだ世の中にないシステムをゼロからつくるのである。

だが板倉には人を巻き込む神がかり的な力があった。彼が「ハイパーはマイクロソフトを超える。世界を制覇するぞ」と言うと、社員はそれを信じた。高学歴の人間が何もかも打ち捨てて不眠不休、家にも帰らずに働く様を見て、業界雀たちは「あそこはオウム真理教のようだ」と囁き合った。そのハイパー教の教義は「人生はしょせん暇つぶし。だったらできるだけ楽しく、失敗してもいいから大きくやろう」というものであった。

限界までスピードを追求する主義の板倉からは「あれやって、これやって、すぐや

って」と矢継ぎ早に指示が飛んでくる。「朝令暮改できるのがベンチャーだ」と威張りながらころころ変わる板倉の指示を受けて、社員たちは右へ左へと走り回り、不可能とさえ思えることにアタックしていった。

やっている仕事はハイテクなのだが、本人たちは「自分がやることは必ずできる」という信念だけで行動していたのである。「板倉に言われたことはやる」、それ以外の選択肢はなかったし、「できない」という疑念もまったく浮かんで来なかった。「やらなければ感情の起伏が激しい板倉に殺される」と思い詰めていた社員もいたほどだ。

それでも本当に四月一五日までにシステムが完成するとは板倉自身も信じてはいなかった。社員の多くも無理だとあきらめていただろう。しかし後には退けなかった。二月二九日にはヴェルファーレを借り切って派手な記者会見を開き、大々的に宣伝していたし、國重の紹介で「日経ビジネス」編集部に赴き、三月一一日号の「挑む」と題するコーナーでハイパーシステムを取り上げてもらっていた。

この際、板倉の情熱的なプレゼンテーションを冷静に聞いた記者が「このビジネスは面白いけど、もし万が一失敗したらどうするんですか」と質問したが、板倉は「そしたら御誌の『敗軍の将、兵を語る』に登場して、その後、本でも書いて印税で回収しますよ」と答えている。

実際に板倉は「敗軍の将」のコーナーに登場したが、おそらく「挑む」から「敗軍」までの最短記録ではないだろうか。著書『社長失格』は一九九八年の一一月に日経BP社から出版されている。板倉は「起業が唯一の自己表現手段」と言うが、そんなことはない。この本にもその才能を遺憾なく発揮している。この章の会話文で二重鉤括弧の部分は、『社長失格』からの引用である。

「明日からハイパーシステム試験運用スタート」と既にアスキーが広告を打ってしまった四月一四日の午後八時、開発責任者が『できました、社長』とパソコンを持ってやってきた。

プロバイダーに接続するとデータベースセンターに繋がって広告が送られてくる。広告のボタンを押すと広告主のホームページの画面が現れた。

ちゃんと動くじゃないか——自分で考えたシステムを前にして板倉は信じられない気持ちだった。

『やったね』

『ええ。やりました』
この瞬間、ハイパーネットはカリスマになった。

板倉は車を赤のフェラーリF355スパイダーに乗り換え、颯爽と六本木のナイトクラブに乗りつけた。白金の家賃五〇万円の一軒家に住み、二五歳の六本木の女と同棲を始めた。

無料プロバイダーのサービスを希望する会員は一〇日で一万人、二〇日で二万人集まった。順調な滑り出しである。

ソロモン・ブラザーズ証券がアメリカのナスダックへの上場を持ちかけてきた。野村證券も協力を申し出た。日米最高の証券会社がこの有望なネットベンチャーをアメリカ市場に送り出してくれるというのだ。

しかもアメリカ二位のパソコン通信会社であるコンピュサーブとの提携契約ができるという連絡が夏野から入ってきた。アメリカの方が日本より市場規模が大きい。

板倉はアメリカでの成功を信じてハイパーネットUSAの投資強化に乗り出した（ちなみにコンピュサーブの代理店として日商岩井と富士通が一九八七年から始めた

のがニフティサーブである。コンピュサーブの親会社は一九九七年にコンピュサーブをワールドコムに売却。ワールドコムは個人向けオンラインサービス部門をAOLに売却して、AOLの覇権が確立した）。

下りのジェットコースター

成功を信じて疑わなかった板倉。ジェットコースターは最高地点を上がり切った。ここからは一直線の下り坂が待っていたのである。

六月一九日、ハイパーシステムは本格稼働をスタートしたが、七月の売り上げはわずかに三〇〇万円。広告が入らないのだ。九月に三〇〇〇万円になったが、事業計画上では億単位の売り上げになっていなければならなかった。

だがこの数字は、実は国内のインターネット広告獲得数では、文句のないトップだった。つまりハイパーネットの敗因は、ネット広告の全体需要を読み間違っていたという点にあるわけだ。

板倉は写真転送、リンク機能のついたブラウザーソフトの「モザイク」を見た瞬間

に「これは決定的だな。家庭のパソコンは端末になる。ホストコンピューターから情報やソフトを送るネットワーク・コンピューターの時代がくるに違いない」と閃いたという。

「ネットをやるなら広告しかねえだろう。ニフティを追い抜き、ヤフーをぶっち切り、日本全体の広告シェアの五〇パーセント取ってやる。これは一兆円ビジネスになる」

もしハイパーネットの資金が続いて、日本人の使うパソコンのほとんどにハイパーネットのブラウザーソフトが組み込まれるようになっていたら、板倉は孫正義と並ぶネット界の帝王になっていたかもしれない。

しかし一九九六年当時のネット広告市場はまったく小さく、当初見込みの売上達成は絶望的だった。一九九九年の国内のネット広告市場でも二四一億円の規模である。ハイパーネットはコストのほとんどが固定費だったので、資金的には非常に厳しい状況に陥った。

二〇〇〇年の日本で活動中の無料プロバイダーにライブドアがある。ライブドアのためにアメリカのＶＣが用意した資金は三〇億円以上。これを食いつぶしながら一年間で一〇〇万人の会員が獲得できればなんとかなるというビジネスモデルだ。これと比べれば四年も前にハイパーネットの選んだ道の厳しさが想像できる。

だが板倉は増資をせず、銀行借り入れ二〇億円、リース一〇億円に頼り続けていた。ハイパーネットUSAはシステムの構築と営業にかなりの投資を行っていた。社員数は二〇人。稼働前にもかかわらず、大手企業からの引き合いも多い。一〇月にコンピュサーブとの提携は破談になったが、強気の板倉は「アメリカでは自前でプロバイダーを事業展開する」と決定した。

ナスダック公開のための準備会議は野村證券渋谷支店の大会議室で、証券会社担当者や弁護士、監査法人など二〇人ほどの人間を集めて、すべて英語で行われた。こうした準備に板倉の時間が割かれる一方で、本業ではトラブルが続出。

まずデータマーケティングなどの支援事業で電通と揉めてしまう。一〇〇万円の慰謝料を請求されたが、板倉のプライドは支払いを許さなかった。三カ月後、電通のマーケティング子会社からの受注はゼロになった。

九月にはハイパーシステムにトラブルが発生。二週間もの間、広告の履歴データが

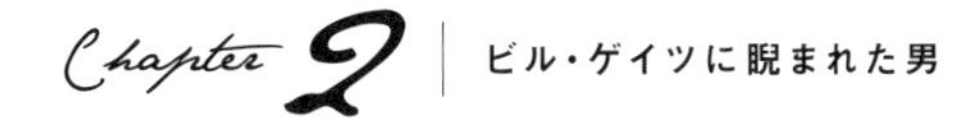

まったく出力できなくなる。ほとんどの広告クライアントが一〇月からの出稿を見合わせ、売り上げはゼロになってしまった。勇ましい構想の割には、ハイパーネットの足元はガタガタであった。

社員数は八〇人に膨れ上がっていたが、この頃を境にハイパーネットからは神がかり的な部分が徐々に消えていった。事業を立ち上げる時にははっきりした目標があるので社員は死に物狂いになって働く。モチベーションがあれば人は動く。

だが、いくら営業が頑張っても、ネット広告の売り上げは期待していた数字には届かない。「俺たちはやっている。初年度から売れないのは当然だ」と営業部隊は思っていた。事実、市場環境から考えればベストの働きをやっていたのである。ナスダック上場のために営業部門と管理部門にファイアーウォールをつくったのも、社内が一枚岩でなくなる原因だった。

一方で自己中心的な板倉は無理難題を押し付けてくる。自分のわがままを聞かない社員は無慈悲に切ってしまう。彼はさながら織田信長であった。本人は、「僕は社員には愛情を持っていた」と言うのだが。

「板倉さんは基本的には愛情がない人なんですよ。前向きでポジティブだし、ある意味では尊敬しますが、人間としてそれで幸せなんですかと言いたい。ベンチャーとしてポッと出で名を上げるなら、人間的に未熟でもいいかもしれない。でも、大きくなるには人間的に成長しなきゃいけなかったんじゃないでしょうか」

ある元社員は回想する。社内はガタつき始めた。

しかし世間にそんなことは伝わらない。一二月の初旬、ハイパーネットは「データベースおよびネットワークを利用したパーソナルマーケティングサービス」で、ニュービジネス協議会のニュービジネス大賞、通産大臣賞、会長賞を受賞する。

この年、最高に注目された有望ビジネスとして評価されたわけである。この時、主役の板倉に一歩も二歩も譲った形で、「インターネット接続サービス」でＩＩＪの鈴木幸一が特別賞を受賞している。

表彰式は一二月一〇日ニュービジネスメッセ'96で行われたが、その当日、板倉は会場のパシフィコ横浜で、マイクロソフトＣＥＯのビル・ゲイツの講演を聞いていた。

というのも、このパソコン界の帝王から、板倉に「会いたい」という連絡が来てい

たからである。板倉が考案したハイパーシステムは、遂にビル・ゲイツの目にとまったのだ。

だが、彼は単に「お友だちになろう」と言ってくるほど暇人ではない。ハイパーネットを買収する気か、それとも潰す気か、提携を申し込まれるのか。

板倉は一冊の本を座右に置いていた。『シリコンバレー・アドベンチャー』である。著者のジェリー・カプランはペン入力の携帯型コンピューターをつくるGOという名の会社を起業、六年間で七五〇〇万ドルも投資を受けたが、ビル・ゲイツと敵対して潰された。

『これは他人事ではない』

その日、板倉はCSK会長の大川功から賞状とトロフィーを受け取った。

ビル・ゲイツの目

数日後、板倉と夏野は都内のマイクロソフトの施設で、ビル・ゲイツと日本法人のトップである会長の古川享、社長の成毛眞と面会した。

板倉の目に焼き付いたのは、『ガラス玉のような冷たさを感じさせるビル・ゲイツの目』だった。ゲイツはラップトップパソコンでハイパーシステムを操作しながら、夏野と一時間近くも議論したが、板倉は最後に一言、

『ハイパーシステムを御社のブラウザーソフトだけに限定して使えるようにするということに興味ありますか』

と聞き、ビル・ゲイツは短く『YES』と答えた。それで会談は終わったが、この先どうなることか、板倉には見当もつかなかった。

数日後、板倉はマイクロソフトの契約する都内のマンションで成毛に再会する。インターキュー会長の熊谷正寿に誘われたからだ。

熊谷は頭のいい、クールな事業家である。板倉に熊谷を紹介したのはインターキューの仕事を手伝っていた玉置真理だった。

当時熊谷は、ダイヤルQ^2を使って課金するプロバイダー事業に乗り出していた。

「インターネットを使うためにいちいちプロバイダーと月極め契約するのは面倒だ」と考える人は少なくない。そこでインターキューは、ダイヤルQ^2課金による、いつで

も申し込み手続きなしで一分間二〇円でインターネットに接続できる「インターQ」を全国で展開していた。このシステム構築にあたっては、玉置や西山らQネットの元社員たちの力が大きかったようだ。

玉置はある時、板倉のところに飛び込みでやってきた。「なんだこの東大生は」と板倉は思った。その玉置が熊谷の誕生日に「プレゼントにいい人を紹介してあげる」と熊谷をハイパーネットに連れてきた。

そして一九九六年一二月にインターキューはアスキーに次いで二番目のハイパーシステムを利用したネット接続サービス提供者となることを発表していた。「interQフリーパス」が無料プロバイダーの二番手として登場したわけである。

その場には、ビデオレンタルチェーンのTSUTAYAを運営するカルチュア・コンビニエンス・クラブ社長の増田宗昭、板倉にナスダック公開をもちかけたソロモン・ブラザーズの黒部光生、ソフマップの鈴木慶、キャンパス・リーダーズ・ソサイエティの初代代表でマーケティング会社を経営する西川りゅうじんなどがいた。成毛は板倉に近寄り、

『実はね、この前、ビルと会った後の話なんだが、ビルはハイパーネットをマイクロソフトの事業部にしたらどうかと思っているらしいんだよね。でもそりゃあちょっとねえ。で、たとえばハイパーシステムの海外の権利をうちに譲るとかね、そういった方法はないかな』

と話しかけてきた。板倉は混乱した。その場の全員が「おめでとう、億万長者の誕生だ」と祝ってくれたが、板倉はそうした話の広がりの大きさと、買収のような重大な秘密がこれだけ公然と語られていることに、当惑を覚えずにはいられなかった。

ナスダックの呪縛

一二月二二日、アメリカでハイパーシステムが稼働した。が、開発費用がかさんだ上に、ユーザーの属性ごとに違う広告を送るというターゲティング機能が使えない、不本意なスタートであった。広いアメリカでの広告営業の戦略も立っていなかった。

売上目標は半期で一〇億円であったのに対して、ハイパーネットの一九九七年三月通期の売上高は七億八五〇〇万円、経常赤字は九億八四〇〇万円。ユーザー数は二〇万人に伸びていたものの、同社は売り上げが伸びなければ、どうにもならない状況に追い込まれていた。

しかも一九九六年後半、ナスダックのハイテク株は大幅に下げ、ネット関連企業の公開は厳しくなっていた。一九九七年が明けてすぐ、ソロモン・ブラザーズの担当者はナスダック上場の延期を申し入れてきた。野村は「うちはやりますよ、社長がやるなら」と言ってくれたが、板倉はナスダック公開の延期を決断する。

「あれが一番勇気がいったことだったんです」

と板倉は振り返る。ナスダックでの上場・資金調達のためにハイパーネットUSAに投資がかさみ、日本の方の資金が逼迫（ひっぱく）していた。これでは本末転倒だ。

そこで板倉は二つの根本的な解決策を考えた。一つは増資である。二月末にVCを中心にして六億円もの増資を確保した。会社の内情は意外と外部には洩れていないものだ。板倉雄一郎は未だに「ベンチャーの旗手」だったのである。YEOのメンバーの何人かも投資をしてくれた。

もう一つはハイパーネットのシステム自体を企業向けにライセンス供与することだ

った。既に会員を抱えている銀行やカード会社などに、自社の広告スペースを持った独自のメディアとして活用してもらうというのだ。

板倉は、夏野を伴って住友銀行に國重を訪ねた。國重は住友銀行がハイパーシステムのOEM供給（相手先ブランドによる制作）を受けることについては前向きに受け止め、吉田副頭取と調査部長を紹介してくれた。住友銀行はOEM供給を検討すると約束し、ついでに、ありがたくも「追加で新規融資の必要がないか」と訊ねてきた。

そこで確認のため再度住友銀行を訪れた板倉は、ここぞとばかりに決めぜりふを口に出した。

『うちのビジネスの将来性でしたら、マイクロソフトに聞くのが一番です。彼らがハイパーシステムを評価しているのは間違いないと思います』

ビル・ゲイツがハイパーシステムを評価し、彼のビジネスに取り込もうとしていることは、板倉にとっての切り札であった。銀行融資は無担保であるが、ビル・ゲイツが「あのビジネスは儲かるから組んでやるつもりなんだ」と言ってくれれば、それはどんな担保にも勝るお墨付きになるだろう。しかも住友銀行はマイクロソフト日本法人のメインバンクだった。

数日を置いて、板倉は再度住友銀行を訪ねた。マイクロソフトの件を國重に訊くと、

『いやあ。面白かった。先方はハイパーシステムの特許が気になっているみたいだねえ。事業については興味がないみたいだけど』

不安になった板倉にかぶせるようにして國重は、

『で、板倉君、もしマイクロソフトが同じような事業をやるっていったら』

と尋ねた。その瞬間板倉には、近くに座っていた國重が急に遠くに行ってしまったように感じられた。実際、住友銀行はこの後、ハイパーネットと距離を取り始める。平たく言うと見放したわけだ。

國重はマイクロソフトで何を聞いてきたのかも具体的には語らなかった。だが、マイクロソフトが板倉が期待していたようなことを言わなかったこと、どちらかというとその反対の方向を示したことは確かである。

マイクロソフトの意図にかかわらず、板倉や周囲が同社による事業買収や提携を期待したということは、ハイパーネットにかえって大きなダメージを与えることになってしまった。

もう一つ、板倉は社内外に大きな不協和音をもたらす決断を下した。販売促進のために、ハイパーシステムの広告単価を一人当たり四〇円から二五円まで値下げしたのである。これには代理店やＶＣから苦情が殺到した。普通雑誌では部数が増えると広告料金は高くなる。そのアナロジーで行くと、この状況で値下げなど考えられないことだ。

しかし板倉はまったく違うところを見ていた。ハイパーシステムはターゲットを絞って訴求するので、雑誌よりダイレクトメールに近いモデルである。ターゲットを絞って広告を打つのであれば、空鉄砲を撃つよりも一人当たりのコストは下がっていかなければおかしい。板倉はハイパーシステムが全国制覇する日を想定して値下げに踏み切ったわけである。しかし周囲が彼の意図を理解できるはずもなかった。

社内はさらに混乱した。ＯＥＭ化や価格政策の変更は、商品コンセプトを根底から変えてしまう。営業現場からは反対の声が上がった。それより影響が大きかったのはナスダック上場の延期である。それまで「近々上場」などという話が毎日社内で交わされていたが、パッタリそういう話が出なくなった。

不安が増していた社員たちは、「裏切られた」「話が違う」と感じ、今まであれほど

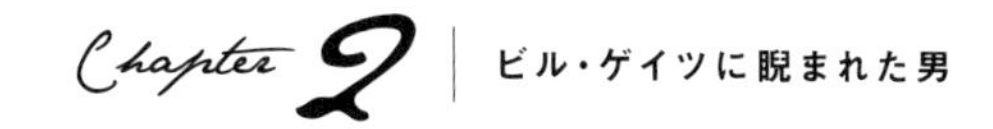

強かった板倉へのロイヤリティが失われてくる。また悪いことに、板倉は社外との交渉に走り回るばかりで社員に現状やナスダックに上場した場合にかかるコスト（社長の時間が社外対応にかなり割かれるなど）を説明する余裕がなかった。

社員との意識の乖離はますます拡大したようである。そうなってくると組織はスランプ状態に陥る。スポーツでチームがうまく行っている時はみんな負ける気がしないので技術や力量がたいしたことはなくても勝てるのだが、一度歯車が外れてしまうと前と何も変わっていないのに点が取れなくなる。そういう手応えのない感じを社員たちは味わうようになった。

そして板倉自身は自分のマネジメント力に疑問を持つようになってしまう。不死身のマクベスが、バーナムの森が動いて自分が万能でなくなったのを覚った瞬間のようなものだ。この時点で板倉も自分が「コマンドー」であることに気がついたのである。二月末、彼は財務担当取締役に社長の座を譲ることを告げた。フェラーリも売り飛ばした。

三月初め、各行は一斉に電話をかけてきた。この辺の銀行の対応は各行すべて同じなので具体的な行名を挙げる必要はない。全行まったく同じ行動だったと板倉は言う。

『ＢＩＳ規制の関係で貸出資産を圧縮しなければならないので、三月末の決算をまたぐ間、〝いったん〟可能な額を返済してほしい』

いわゆる「貸し渋り」が始まっていた。営業状況については毎月数字を銀行に報告しているので、ロールオーバー（借り換え）しなければハイパーネットが潰れてしまうのはわかっているはずだ。銀行はそんな愚は冒さないはずだから、各行の融資残高の三〇パーセントくらいを一時返済しよう、そう考えた板倉は二〇億円の融資残高のうち六億円強を返済した。

だが住友銀行は五億円の無担保融資のうちの二億五〇〇〇万円の折り返し融資に応じなかった。この辺の事情に関しては双方の意見を聞く限り、約束した、しない、という水かけ論である。そして他行は「冗談じゃない、メインの住友さんが折り返しできないって言ってるのに、なぜうちができると思うんですか」との返答であった。

板倉はここで、メインがいる限り他の銀行に迷惑をかけることはないというメインバンク制度の意味を了解した。

『他の六行にとって住友銀行という大銀行が融資していることが、当社の財務内容や事業内容以上に重要な〝保険〟だったのだ』

國重はこう語る。

「ハイパーシステムはいけると思いました。最終的には営業収入で返済してもらえるだろうが、ひょっとしたらナスダックで調達した資金で返済してもらえるかもしれないと思った私も甘かった。

板倉君は、〝ナスダック公開のためにアメリカでハイパーネットを立ち上げる〟と言って突っ込んで行ってしまった。ナスダックの名に舞い上がってしまったんですね。そうやってできた大変な赤字がハイパーネットの命取りになった。

経営者がよく陥るワナは、カネが入って来ないと〝カネはないか〟と探し回るし、増資で簡単にカネが入ってくるとわかると、それに振り回されてますます事業に専念しなくなる。みんな同じ思いをしてますよ。

でもね、本当に大事なのは事業をどうやってつくっていくかということです。経営者がダイヤモンドになるか、そうでなくなるかはそこにかかっています。今はちゃんと儲かっているネットベンチャーはほとんどない。問題は、儲かる事業ができるかどうかだけですよ。

板倉君を見ていると、途中からは金繰りと資金調達ですべての才能を潰してしまったように思いますね」

墜ちたカリスマ

四月、社内でクーデター騒ぎが起こり、板倉は関係者を馘首する。

人心は完全に離反していた。

この後は、板倉の持ち株六〇パーセントを第三者に譲渡するという話から始まって、事業の譲渡先をひたすら探すことに板倉の時間は費やされる。加ト吉会長の加藤義和、ミロク情報サービス会長の是枝伸彦、ソフトバンク社長の孫正義（第三章に登場する内古閑(うちこが)宏は当時孫の近くにいて、板倉の事業内容説明を聞いている）、大日本印刷といった企業に次々と接触するが、会社の内情を知られ、あっさり断られてしまう。

六月には新築ピカピカの高層ビル、インフォスタワーに引っ越した。住友不動産は「今風」企業のテナントとしてハイパーネットを選んでいたらしく、破格の値段を提示されたので、とても資金繰りに困っている会社が入居するようなところでない豪華

物件に入ることになった。

実はこの前に一軒決まっていたのだが、そこよりもこのビルの方が安かったのだ。月々三〇〇万円のコストダウンを達成し、単月黒転に貢献した。熊谷のインターキューもその同じビルへの入居を決めていたのだが、ハイパーネットがインフォスタワーに移ると、ついて来て一〇階に入居した。

板倉はオフィスについても金融機関の担当者からねちねちと嫌みを言われ続けることになる。


六月、板倉は財務畑の森下に社長の座を譲り、会長となった。同社がベンチャーではなく守りに入った証拠である。森下はカリスマ性はないが、社員には人気があった。

こうした中、韓国サムソン財閥との提携がスタート。ハイパーネットは全売上高の五パーセントをロイヤリティとして受け取る契約である。アメリカの事業家からの提携話も舞い込んできた。こちらのロイヤリティは七パーセント。ＹＥＯを通して、香港やシンガポールでの事業化についても契約を交わすことができた。これらのロイヤリティ収入が入ってくれれば、ハイパーネットの資金繰りはかなり改善するはずだった。

しかし銀行の担当者は毎日やってきた。

『本部からの指示なんですよ。手ぶらで帰るわけにはいきません。二〇〇〇万円ほど預金してください』

『これで本部を説得します。ですからここに〝お父さん〟のサインをもらってきてください』

父親を連帯保証人にしようという目論見である。日本リースもやってきた。

『いまおたくのビルに車をつけているんですけどね』

小切手を切らないとリース機材を引き揚げるというのである。板倉は自分の首を絞める小切手を切り続けた。

八月、一年間で四〇回以上の海外渡航を繰り返し、海外戦略を支えていた夏野がエヌ・ティ・ティ移動通信網（後のＮＴＴドコモ）から引き抜かれて辞めた。

一〇月、売り上げは最盛期の三分の一の月商三〇〇〇万円に落ち込む。社員も「もう倒産する」とわかっているから営業してクライアントに迷惑をかけることはできないのだ。給料は遅配した。

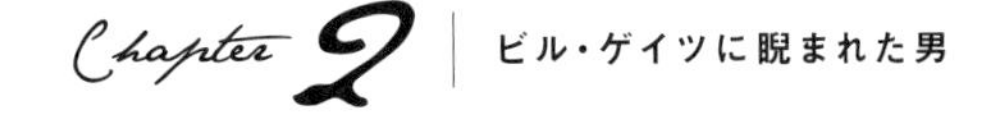

それでもプライドの高いハイパーネットの社員たちは「ここまで来たら最期を見届けてやろう」と辞めずに、どこかから都合した現金を不渡りが出る前にせっせと運び続けた。

華僑相手の増資話を横目で睨みながら、銀行の先付小切手の要求を呑まされて、あっさり倒産の日は一二月一日と決まった。これ以後、アルコール漬けになった板倉は、神がかり的な憑き物がすっかり落ちて、ただの空元気なおにいちゃんになってしまっていたという。

板倉に話を聞くと、真田との共通点が幾つかある。

「一番辛かったのは社内の人間の自分を見る目が変わったことでした。外部の人に何を言われてもたいしてこたえないんですけどね。

ひょっとすると、あまりにもビジネスに感情移入しすぎてたのかもしれませんね。没入するのではなく、淡々と合理的にやっていればよかったのかもしれない。でも日本人は欧米人に比べると生活の中で仕事の占めている範囲が大きい。仕事の中に愛情も生活もすべて求めてしまうというのは間違いなんですよ。

それと、カネ儲けに徹していれば潰れなかったと思います。もしそうならナスダックもやらなかったろうし、電通にも黙って一〇〇万円払ったと思う。

でも、それならあれだけのメンバーは集まらなかった。僕は技術オタクで革命家。コンピューターが見せてくれた可能性を追いかけたんです。今までのルールを変えることはできても、金儲けはうまくなかった。

出資者の人たちに対しては、債権者のみなさんの次に申し訳ないと思っています。彼らは僕のルールブレイカー（掟破り）としての部分に賭けてくれた支援者だった。結局、それが僕の使命だったんですよ」

ジャフコからハイパーネットに入社し倒産まで在社した西村もまた、Qネットの元社員と同様の感慨を抱いている。

「ハイパーネットは青春そのものでした。自分が心の底から燃えて取り組んだ仕事だったし、初めての挫折を経験したし。僕は、ハイパーネットにいたことを誇りに思うし、自分は同じような失敗はしないぞと思っています」

西村は知り合いの会社に入ったが、あのジェットコースターの興奮の中にいた身と

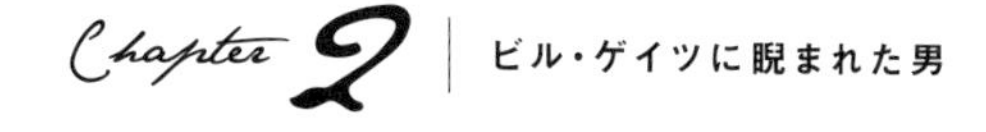

しては、普通の会社の仕事では到底満足することができない。元同僚の友人と、財務の知識を使って起業しようと考えた。そしてアプリケーション・サービス・プロバイダー（ASP）的な発想に辿りついた。

ASPとは、インターネットを介して顧客が必要とするソフトを提供するサービスのこと。ハイパーシステムもこの発想に近い。彼が独立して設立したのが中小企業から経理のアウトソーシングを請け負うネットベンチャー、バックオフィスである。

経理事務は繁雑で面倒なものだが、同社のソフトを使うと、顧客企業側は支払いや入金のデータさえ入力してバックオフィスのサーバーに送れば、バックオフィス側で仕訳や会計処理をしてくれる。月額一万円でできる経理アウトソーシングだ。会計事務所に頼むよりかなり安上がりである。

「今のネットベンチャーのように、ドカンとファイナンス（増資）して広告を打って客を増やすというやり方は採りません。それが可能な環境だとは思いますが、僕はハイパーネット時代の〝来月受注がなかったら資金繰りをどうしよう〟という苦しみがトラウマになってるんですよ。この仕事は地道に営業活動をやるのが大変ですが、大手企業が入りにくいし、一社独占にもならない。一～二年かけてきちんと飯が食べられるようなビジネスに育てたいと思っています」

社長失格

板倉の書いた『社長失格』はヒットし、一〇万部近く売れた。一〇〇〇通もの読者からの電子メールが板倉の手元に届いた。彼は「メールが自分を一番成長させてくれた」と自覚している。

一九九八年一月に板倉は会社借り入れの個人保証分二六億円の破産宣告を受け、人生にリセットスタートをかけた。一九九九年の一年間で六〇回の講演をこなす。

その間に本物のベンチャーブームがやってきて、ネットベンチャーは銀行借り入れに頼らなくても市場で資金を調達して起業できるようになった。板倉は二〇〇〇年時点で、インターキューをはじめ一〇社程度の会社の顧問になっている。

「ですからね、あんまり力を入れずにね、淡々と、ニュートラルにやっていればいいとわかったんですよ。それでお呼びがかかったら〝あいよっ〟と出ていってやればいいという感じです」

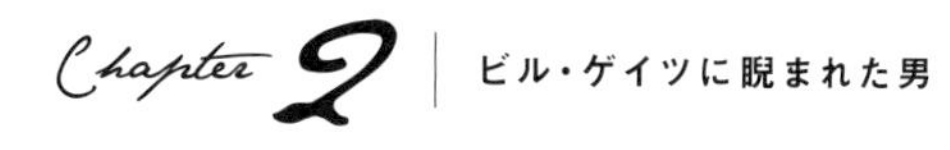

という板倉だが、その起業意欲に衰えはない。二〇〇〇年二月に、ベンチャーマトリックスという会社を設立し、ＣＥＯに納まった。インキュベーターなのだそうだが、会計士や弁護士、エンジニアのネットワークをつくり、ビジネスプランを実現していくことを目指しているそうだ。

彼の起業能力を惜しむ人は少なくない。ベンチャーができる人材は圧倒的に足りないのだ。

「常に創業が楽しいんですよ。事業のスタートアップに比べると社長業はつまらないルーチンワークだし、僕は不得意だな。日本の社長は発案、人事、プレゼン、財務、営業などが全部わからないといけないと思われている。平均点が取れる人の方が偉くて、創業が楽しいという人は生き残れないんです。

いくら創造的な社長でも、長くやっているうちにいつの間にか元々のビジョンが見えなくなってしまう。でも、日本でもソニーの井深－盛田とかホンダの本田－藤沢という二人三脚があった。アメリカではスペシャリストの集団がもっと分業して経営しているし、人材の流動性もある。要は〝人〟がどれだけ活躍できるかが問題です。

とにかくハイパーネットでは忙しくて社員と話す時間もなかった。あれから二年間考える時間をもらって、自分の才能の長短がわかりました。その中のよい部分を活かしていけたらなあと思うんです。

ベンチャー成功の鍵は、経営リソースと経営スタイルが一致しているかどうかですよ。ベンチャーの経営スタイルは、ハイリスク、ハイリターンで市場シェアを取るというものですから、それに見合ったものにベクトルを一致させるべきだった。

ところが僕はそうしなかったんですね。リソースというのは、まずカネですがベンチャーならリスクマネー（株・債券）を使うべきなのに僕は銀行融資に頼ってしまった。人材は、ＭＢＡや会計士の資格を持った高給取りを集めてしまった。モノはタンデムに頼んだけど、実はパソコンサーバーでよかったんです」

板倉の饒舌は止まらない。

「またベンチャーブームが来ましたよね。僕はハイパーの時代はＩＴに賭けてました。でも今、ＩＴをやるのは当たり前すぎると思う。もし僕が今からやるのなら、全然違うことをやると思います。

それでネットバブルと言われてて、必ず失敗する会社が出てくると思う。投資する側は一社一社ちゃんと見て投資すればいいんです。アメリカが凄いのは、失敗したベンチャー経営者のリサイクルの場を二〇年かけてつくっていること。『シリコンバレー・アドベンチャー』の著者ジェリー・カプランだって、オンセール（パソコン関連機器のオークション会社）で復活してネット長者になった。日本でも失敗する起業家を受け止める場をどうつくるかが問題だと思います」

これは、本音だと思う。「起業＝ネット」と思い込んでいる人も少なくないが、この世代以前の起業家たちはネットなしでも会社を興した。それだけのアイデアとネットワーク力を持っていたわけだ。

だから、ネットの特性に過度に頼る経営者には、ある部分、経営力としての脆弱性を感じずにはいられない。あくまで起業家としての資質を備えつつ、ネットの特性をその中で活かすという意識でなければ、本当の成功企業にはなれないだろう。

「偉そうに言ってますけどね、僕は大学出てないしＭＢＡも持ってない。ビジネスの仕方やモノの本質、人生のことは全部、車から勉強したんです。自動車は二〇世紀の産業の縮図なんですよ。マーケティングも技術開発も、生産技術も経営も、自動車理論もレースも、すべてそこにある。今ですか、今はボルボ８５０に乗ってますよ」

彼がベンチャー経営者として再び栄光の座を回復する日が来るのだろうか。私は思わずこう訊かずにはいられなかった。

「もし板倉さんがフェラーリじゃなくて、トヨタ車に乗っていたら、日本の大企業の行動様式がよく理解できたはずだから、銀行借り入れ依存を避けていたかもしれませんね」

しかし、日本車型経営がベンチャーに相応しいとも、到底思えないのだが。

何度でも挑戦していい。それを伝える生き証人でありたい

随筆家・投資家

板倉雄一郎氏

一九歳でゲームソフト開発会社をスタートしたのをきっかけに起業家として歩み始め、一九九一年にハイパーネットを創業。世界から注目を集めるも一九九七年、倒産と自己破産。その経験を基に、執筆・講演・セミナー、ベンチャーキャピタル運営などを行い、現在は投資家として、随筆や会員制の投資クラブ運営を行う。二〇二三年一月、食道がん発覚するも治療が成功し、現在は定期的な検査中。

「失敗したら終わり」ではない

僕がすべての話を知っているわけではないし、当事者である僕のところにはいい話しか聞こえてこないのも事実なんですが、かつてハイパーネットに関わってくれた従業員からは、「とても素晴らしい体験をさせてもらった」という話を多く聞きました。

一九九八年にはハイパーネットの顚末（てんまつ）を語った『社長失格』という書籍を出しました。一部の従業員の中には、その内容が気に入らないという声もあったそうです。それでも、ベンチャーで働く学びはあったと思っています。

一般的に「会社倒産」と聞くと、周囲に迷惑をかけたとしか思われません。

でも、そこに至るまでの経験や成功体験によって、今後の人生のために何かを〝与える〟ことはできたと自負しています。だからこそハイパーネットが倒産する直前には給料を渡せなかった従業員も、僕を慕ってくれたんだろうな、と。

それともう一つ。僕のような失敗した人間が、失敗談を出版して、それがそこそこ売れて、その後もそこそこ生きてこられているわけです。僕自身の姿を通して、「失敗したら終わり」ではないことを示せていると思います。

失敗する可能性を理解した上で、本人も利害関係者も集まっているなら、何度だって挑戦をしていい。僕はそれを伝える生き証人でいたいと思っています。

お金も人も、後からついてくる

僕は今、少なくとも「これが欲しいけれど、お金がなくて買えない」というような暮らしをしてはいません。ハイパーネットは倒産させてしまったけれど、それでも人生トータルで見れば、成功していると思います。まあ、今の一〇倍の純資産があったら、今と同じようなライフスタイルなのかはわかりませんが（笑）。

僕は会社を経営していた頃も今も、充実した人生を歩んでいる。その原動力となっているのは「楽しみたい」という欲求です。ハイパーネットが破綻した後も女の子とデートをしていたし、お金がないならないなりにその時々で楽しみを探していました。

極論すると、「お金があればやりたいことができる」と言っている人は、これからの世の中では生きていけないんじゃないでしょうか。「お金がないから起業ができない」とか「お金がないからビジネスを立ち上げられない」と言っている人は、きっとお金があっても挑戦しない。これは間違いありません。

だってやる気があって、アイデアがあって、行動力があれば、お金は集まりますから。お金って集めるものなんです。人材だってそう。両方とも後からついてくるものなんです。

起業環境は天と地の差

二五年前と今でベンチャーを巡る環境は大きく変わりました。最も決定的な違いはファイナンスにあります。

当時はデット・ファイナンス（金融機関からの借り入れによる資金調達）が中心で、僕も仕方なく銀行からの借り入れに依存していた。結局、銀行の〝貸しはがし〟がハイパーネットの直接的な倒産原因になりました。

エクイティ・ファイナンス（株式発行による資金調達）なら、仮に事業がうまくいかなくとも「カネを返せ」という話にはなりません。もちろん経営者の評判は落ちるだろうし、株主に迷惑をかけることにもなりますが、当時の僕のような形で倒産する羽目に陥ることはないはずです。僕自身、自己破産することもなかったでしょう。

当時もベンチャーキャピタル（ＶＣ）は存在していました。ただ企業価値評価の算定方法はとても未熟だった。特にベンチャー企業の企業価値については、経営者が思うより低く評価される傾向にあったんです。ハイパーネットはもっとレバレッジを効かせたくて、当時はデット・ファイナンスを選びました。

幸か不幸か、当時は不動産バブルが崩壊した直後だったので、銀行にとってみれば融資先があまりなかった。その結果、ベンチャーにも目が向いたんでしょうね。ただ当時、日本全体で様々な資産の担保価値が下がっていた時期でもありました。特にハイパーネットは担保にできるような資産もそんなに保有してはいませんでした。だから銀行も仕方なく「事業価値を評価しよう」という話になったんです。

本来、事業価値を評価するのはエクイティ・ファイナンスの場合であって、デット・ファイナンスなら事業価値も考慮はしますが、最も重要視するのは倒産リスクです。銀行はお金を貸さないと儲からない。だから貸す理屈を考える上で、本来ならばエクイティ・ファイナンスのために使う「事業価値評価」という考え方を持ち込んで、ハイパーネットに融資できる理由を探そうとしてくれた。

でもね、銀行員に事業価値なんて測れるわけがないんです。

当時、住友銀行丸の内支店長だった國重惇史さんが最初にお金を出してくれました。住友銀行がメインバンクになると、他の銀行も足並みを揃えてお金を出してくれるようになったんです。ですが、最後は住友銀行が最初に逃げて、他の銀行もつられて一斉に逃げ出して、ハイパーネットは終わりました。


現在のスタートアップの場合、「銀行から借りる」という発想はあまりありませんよね。まずはエクイティでやっていこうとなるわけです。

もちろん、銀行からの借り入れに頼ることもあります。たとえば急成長している中で、売掛金の回収よりも仕入れをどんどん前倒す必要があって一時的に資金がショートしかけてしまう、というような場合は借り入れに頼ってもいい。でも、「成長のために開発費が必要」となれば、やはりそこはエクイティで資金を調達しますよね。

こうした使い分けがはっきりとしていて、起業しやすくなっているように感じます。

二五年をかけて、やっと当たり前の世界になってきたのではないでしょうか。

ネットビジネスの大筋をつくった

今、改めてハイパーネットが果たした役割を考えると、ネットビジネスの大筋の流れをつくったことだと思っています。

広告収入をベースにすることで、ユーザーに無料でサービスを提供するというビジネスモデルは、今となっては当たり前。GoogleやFacebookを使うのにお金を払いませんよね。

こうしたビジネスモデルの土台をつくったのは間違いなくハイパーネットです。だから当時はビル・ゲイツもハイパーネットに興味を示したんでしょう。

ゲイツは昔、「シェアを先に取れ。利益は後からついてくる」と言っていました。シリコンバレーのビジネスはみんなそうでしょう?「とりあえずは客を集めて、歯ブラシのように毎日使うサービスをつくれ」と言うんです。人が集まればいくらでも後からマネタイズはできる。昨今注目が集まっている「ChatGPT」だってそうです。

ハイパーネットでは「ブラウザーに広告を表示するから、インターネットに接続する料金が無料になる」というサービスの裏で、ユーザーの広告に対するレスポンスをデータベースにしていました。これは今でいうビッグデータですよね。そういうことにも、挑戦していたんです。

令和の〝あのバカ〟は三木谷さん

この令和の時代に〝あのバカ〟はまだいるのか。僕に言わせると、今はほとんどいません。

よくも悪くも、賢い人ばかり。みんな、日本のスタートアップエコシステムの範囲で成功するような事業を選んでいますよね。日本の市場規模は中途半端に大きいから、それでもビジネスは十分に成立します。携帯電話だって、一億台くらい売れる市場があって、そこで十分儲かったわけです。

でも、だからこそGoogleやAmazonをつくるようなチャレンジが生まれないのでしょう。

ハイパーネット時代の僕は、「ビル・ゲイツに会社を売る？　そんなの冗談じゃな

い。逆にお前の会社を買ってやる」くらいの勢いでやっていました。だからこそ、彼が僕のところに話を聞きに来たわけです。

そうこうしているうちにシリコンバレーのエコシステムがどんどん成長して、人材も資金も技術もノウハウも、あらゆる面で世界トップになっていきました。日本のスタートアップを取り巻く環境とは雲泥の差です。だから今の日本で〝バカ〟が出てきても、本当に〝ただのバカ〟で終わる可能性はあります。

もし今の日本に〝バカ〟がいるとしたら、それは三木谷浩史さん（楽天グループ社長兼会長）じゃないでしょうか。携帯電話事業への参入なんて大変なこと、あえてしなくてもいいのにチャレンジを続けています。

僕が若かったら今でも起業をする

僕自身は今、起業しようとは思っていません。ハイパーネットの後に立ち上げた音声ライブアプリの「VoiceLink」が失敗した時、僕は「今後はもう、自分では起業しない」と思うようになったんです。

技術やアイデア、行動力に優れているのはやっぱり若い人たちです。だから起業よりも投資をして応援したい。確かに今は、〝あのバカ〟のような存在は少なくなりました。それでも若くて優秀な人は多いから、そんな人たちをバックアップしていきたいと思っています。

もし僕に今、二〇代や三〇代の頃のような若さがあれば、もちろん自分で起業をしていたでしょう。よく「起業するか悩んでいる」といった相談を受けますが、悩んでいるくらいならやらない方がいい。

僕はこれまで起業するかどうかで悩んだことはありません。起業以外の選択肢が自分の頭の中になかったんです。

「成功した自分」のイメージを持って生きろ

今、この本で描かれたような若者たちにアドバイスできることがあるとすれば、「成功した自分のイメージを持って生きろ」ということに尽きます。

僕の体験を振り返ってもそうですし、成功者を分析した結果もそうですが、「自分

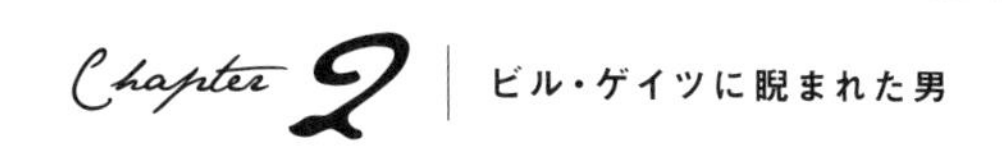

は成功するんだ」と思い続けることが一番大切です。「成功するために頑張る」のではなく、「自分はこういう道筋で成功するから、そのために今日はこれをやる」というイメージを持つこと。メジャーリーガーの大谷翔平だってそうでしょう。彼は若い頃から今のような姿をかなり具体的にイメージしていましたよね。

挑戦する前からイメージだけでも膨らませていく。人間は自分が見ている方向に進んでいく生き物です。失敗をイメージすると失敗する方に進んでしまう。だから、もし何か失敗しても「うまくいくはずなのに、おかしいな」ぐらいの気持ちでいればいいんです。成功だけをイメージしていれば、自然と成功に向かって体が動くし、周りから見て辛そうなことでも楽しくこなせるはずです。

僕は人生を最高に楽しんでいる

僕は今、六〇歳になりました。誰かに「フォレスト・ガンプみたいだ」と言われたことがありましたが、事実、自分の人生を楽しんできているなと思います。特に二〇二三年一月に食道がんが発覚してからはそう感じています。

手術ではなく、化学放射線療法と抗がん剤によってその年の夏には一度、がん細胞は見つからなくなりました。ところが年末にがんが再発したので、今度はＰＤＴ（Photodynamic therapy）というレーザー治療をして、今のところはうまくいっている状況です。

ただ、いずれにしても人はいつか死ぬんです。この治療がうまくいったとしても、いつかは別の理由で死ぬわけです。この一年で「死」が今まで以上に迫ったので、これから先の人生で何をしようか、そして自分は何者なのかと深く考えました。

結果、「僕は旅人だ」と気づきました。誰かのためじゃなく、自分の人生を楽しんで生きてきた。僕は事業という形で自分を表現してきたんだと気づきました。

そこからは、一日二四時間という時間の中で、自分の興味あることにどれだけ時間を費やせるかを真剣に考えて生きています。

スティーブ・ジョブズは、毎朝鏡に向かって、「もし今日が人生最後の日だとしたら、今日やろうとしていることを本当にやるだろうか」と問いかけていたと言います。僕にそこまでの狂気はありませんが、「今を本当に楽しんでいるか」と常に考えながら生きています。

かつてはそれが事業でしたし、ここ何年かはそれが自転車になっています。

今はロードバイクに乗るのがとにかく楽しい。若い頃はブンブンと排気音が鳴る自動車が好きだったんですが。やっぱり当時は「人にどう見られるか」という意識があったし、「女の子にモテたい」とか「他人から凄いと思われたい」といった思いがありました。

そのために起業して、時間とお金を使ってきたわけですが、この五～六年でそんな気持ちがなくなりました。

「旅」の目的が、少し変わったのかもしれませんね。

（取材、構成／岩本有平）

Chapter

3

ゴールドラッシュの予感

1990年代後半、
ようやく日本にもネットビジネスの機が熟する。
アメリカのビジネススクールに学んだ若者たちが、
ニューヨークのシリコンアレーに触発され、始動。
次第に人とカネが集まり始める。

市民革命

一九九九年、渋谷の街を舞台にして、日本初の市民革命が成功した。ビットバレーの出現である。一枚の宣言文が仲間を動かし、その波紋がメディアを通して世の中全体に拡大し、政府や大企業の動向にまで大きな影響を与えた。

ビットバレーの効果は、従来の日本の企業文化からはみ出たネットベンチャーが、ネットビジネスに関して大企業に大きく先行し、「ネットを使った起業」と、その特性を反映した新しいビジネス文化を確立したことと、社会経験のない者でもメインプレーヤーとして活躍できる新しい土俵をつくることで、これから社会に参画していこうとする若年ビジネスマンや学生たちの、組織や社会に対する参画意識を根本からひっくり返したことにあるだろう。ここにはまったく新しい価値観の萌芽がみられる。渋谷を震源地とした地殻変動は二〇〇〇年も、鳴動を続け全国に広がりつつある。

インターネット市民革命の流れについて後講釈することは簡単だ。

パソコンの普及。ある程度十分な数のネットベンチャーの叢生(そうせい)。経済全体の停滞と低金利。バブル以後の学生たちの社会参加意識の変化、いくつかの幸運な要素がたまたま重なった結果であると。しかし数人の若者たちがこれだけ大きなムーブメントを起こしたというのは、まさに明治維新に匹敵する歴史上の大転回と評価しても過分ではないだろう。

ではビットバレーが火つけ役になったインターネット市民革命史を繙いてみよう。

主人公はビットバレーの共同提唱者であるネットイヤーグループ代表の小池聡、ネットエイジ社長の西川潔、ビットバレー事務局の宮城治男、同・松山太河といった面々。そしてビットバレーの住人である二〇代のネットベンチャーたち。

まず最初に彼らの来歴とビットバレー前夜の様子を語らなければならない。起業家精神に溢れた彼らが、インターネットという武器を持つことで、これまでの日本の社会通念とはまったく違った行動や考え方を身につけ、それを文化として社会に発信する前段階の話である。

新潮流は、インターネットと共に、やはりアメリカからやってきたようだ。

インターネットとの遭遇

まず登場するのはネットイヤーグループの小池聡である。穏やかな容貌と都会的なファッションセンスが好印象を与える四一歳。彼の功績は、ビットバレーのコンセプトを打ち出し、アメリカ流のネットベンチャー経営・支援の文化を広めたことにある。中央大学法学部時代に、学生を集めてマーケティングリサーチの仕事をしていた小池は、Qネットの真田やハイパーネットの板倉より一世代前の学生事業家であった。一九八〇年頃のことである。そこそこ儲けていたので、「そのまま続けてもいいな」と思う一方で、しかし学生の力の限界も感じないわけではなかった。

「これは一度、社会人になって修行した方がいいかな。しかしサラリーマンになって組織の歯車になるのは嫌だな。車輪の真ん中でプロジェクトを回すハブのようになれる仕事はないものかな」

と考えて電通のクリエイターに相談したら、紹介されたのが電通国際情報サービスという会社だった。この会社は電通とゼネラル・エレクトリック（GE）の合弁会社で、コンピューターの共同利用や、国際回線を利用した初の国際電子メールサービスなどを業務としていた。

「まあ僕もよくわからない会社だけど、仕事は君たちがつくっていけばいいんだよ」

と適当な説明を聞いて、小池の方もその時のノリで入社を決めてしまった。


入社後は、銀行など金融機関の担当として規制緩和に対応しながら、デリバティブなど新しい金融手法のシステムづくりや、海外店舗のネットワーク、日銀の国際決済の仕組みづくりをサポートする。

バブル真っ最中の一九九〇年にニューヨークに赴任。バブルが崩壊したら日本に帰任した社長の後任が送られてこなかった。小池がCOOになってしまい、GEとの役員会に出席したり、同社のマネジメントスクールで研修を受けるチャンスを得た。

GEというのは、あの発明王エジソンがつくった世界最大の家電・重電メーカーであるが、最先端の経営で知られており、ビジネススクールで必修の新しい経営手法や、日本にも紹介されて書店の店頭を飾るような経営術を次々と開発している。まさにアメリカ経営学の頂点であり、尊敬に値する企業だ。GEの全体マネジメント会議に参加するチャンスなど、そう易々（やすやす）と得られるものではない。

合弁相手が先端技術を持っているので、小池はインターネットにも真っ先に触れることができた。GEはスーパーコンピューターを持ち、世界中に専用回線を張り巡らしていたのである。

電子メールなど、電通国際情報サービスでは一九八三年当時から使っていた。パソコンのなかった時代、タイプライターのような端末を使っていたらしい。インターネットについても商用開放以前の一九八〇年代後半から情報を得て研究していた。おそらくアメリカでも一番早かったクチだろう。

さて、いよいよ一九九五年にはインターネット・ゴールドラッシュが始まった。一九九三年九月にゴア副大統領が「情報スーパーハイウェイを全米に張り巡らせる」と演説しているのをテレビで見て、小池は「これは世の中、まったく変わるかもしれない」と思った。

それまでは家に帰ると寝ころんでテレビでも見ていればすんだものが、夜中まで電子メール処理に追われるようになり、会議への出席だってメールで返事をしないと受けつけられない事態になるのに、そう時間はかからなかった。

航空チケットはネットで買うし、子供の宿題ですらインターネットで調べて書くようになるなど、ネットがアメリカ社会を変えていく様を体感したわけである。

ところが、その時期彼がやっていたのは日本からやって来るお偉いさんのガイド役。お偉いさんは、ネット革命の現場に連れて行っても英語の説明を子守歌にしてうたた寝している。寝ていても大丈夫。彼らは、小池がまとめた「最新インターネット産業レポート」を、さも自分が書いたかのように本社に帰って提出するのだから。

日本企業の役員の出張というのは概して儀式であり、時間と資源の無駄遣いをして株主に損害を与えているだけである。小池は本社宛にもさんざん企画書を送ったが、インターネットの大きなうねりはまだまだ太平洋を越えては伝わらなかった。

そこで小池は、日本企業のアメリカ現地法人に対して啓蒙活動を行い、現地法人の広告費を使ってその企業のウェブサイトを立ち上げるような力業（ちからわざ）まで使って、ここに千載一遇のビジネスチャンスがあることを日本に知らせようとしている。日経ネットなどもその一つである。

この頃、ネットとビジネスが結びつくと考える人自体が少なかったのだ。企業サイトというのは、広告予算が余ったら「じゃあつくってみようか」という程度のものだった。猫も杓子もホームページをつくっている昨今とはかけ離れたネット先史時代のお話である。

この後、小池はGEの仕事のためにシリコンバレーにオフィスをつくり、インターネットの規格の標準を定める機関であるW3Cもつぶさに目にする。先端技術の勉強会をした後で、ニューヨークにとんぼ返りしてコンテンツビジネスに携わるという生活をしばらく送る。

そこで小池は気がついた。そしていよいよいてもたってもいられなくなり、たまたまアメリカに出張してきた電通の社長に、こう直訴したのである。

「社長、これから先はインターネットが世の中をまったく変えていくことになると思います。

今、アメリカ人がどれだけネットで買い物しているかご存じですか。消費者相手のネットビジネスはどんどん成長しています。ビジネスチャンスはいっぱいあるんです。だから、ビジネスで一番重要な〝アイデア〟という知的資源をきちんと評価して、起業を手伝えばネット関連企業はまだまだ成功するでしょう。つまりプロのビジネス立ち上げ屋さんであるインキュベーションビジネスはうまくいくはずです。

それともう一つ、SIPS（ストラテジック・インターネット・プロフェッショナル・サービス）という仕事があります。これは、サイトビジネスを支援する業態です。たとえばショッピングサイトは、まずきれいで見映えがよくないと客が集まりませんから、クリエイターが内容を考えて、デザイナーがデザインします。

しかしデザイン優先でサイトをつくってしまうと、利用者が行きたいページに行くことができなかったり、行けたのはいいけれど、今度は戻れなくなったりということが起こるのです。その結果、買いたいお客さんを逃してしまうことになります。ではといって、技術に詳しいシステム・エンジニアがサイトをつくると、ページ自体が面白くないのでお客さんが来ません。

もう一つ、データベースの中では、利用者のログ解析（サイトの中で一人一人がどのように行動したかを自動的に調べる作業）をして、扱う商品を変えたり、どんどん改善していかなければ他のサイトとの競争に負けてしまうことになるのです。

つまりホームページさえ開いておけばビジネスができるという時代は、アメリカでは一九九四年ぐらいに終わっています。テクノロジーとクリエイティビティとマーケティングという、異なる要素を連動させないと、儲かるサイトはできないのです。私がいたシリコンバレーでは、そこに特化したサイト制作支援ビジネスの会社が三〇〇社くらいできました。

電通国際情報サービスは、GEの先端技術がありますし、電通のクリエイティビティとマーケティングのノウハウもある。ぜひこのSIPSと、インキュベーションをやる会社をつくらせてください」

アメリカの東西のニュービジネス地帯を股にかけた小池のプレゼンテーション能力には定評がある。普段はスマートで物静かな彼に、ビジョンとコンセプトを整然と情熱的かつ雄弁に説明されると、なかなか否というのは難しい。

直訴は成功して一九九七年、小池は電通の一〇〇パーセント子会社として念願のSIPS(コンサルティング)、インキュベーター会社ネットイヤーをシリコンバレーに起こすことになった。

インキュベーターというのは、要するにアイデア工場である。代表例としてアイデアラボを挙げることができる。

同社は一九九六年設立。ロサンゼルス郊外のパサディナ市にある。創立者のビル・グロスはソフト会社を二社起業し、二社とも大手企業に売却して巨額の資金をつくった上で、ネットビジネスだけを創業支援するアイデアラボを起業した。

「支援」という意味だが、それはもうありとあらゆることを手助けするわけである。もし読者がビジネスのアイデアを持っていたとしよう。アイデアだけでカネも手伝ってくれる人材もなかったとしても、もしビル・グロスが「これは有望だ」と判断すればしめたものである。先立つカネはアイデアラボ・キャピタル・パートナーズというベンチャーキャピタル（ＶＣ）が出資してくれる。

アメリカでは無額面で株を発行することができる。日本のように一〇〇〇万円ないと株式会社としてお上が認めてくれないという制度（編集注：二〇〇〇年当時）もないので、出資比率のコントロールも楽だ。

ビジネスを勉強したいなら社員として働きながら教わることもできるし、場所も貸してくれる。財務や法務がわからなければ、スタートアップ企業にとって必要な財務法務を委託する会社があるし、営業やPR、人材募集も代行してくれる。自分は経営が苦手だと思う人のためには、経営者だって連れてきてくれる。

一番ありがたいのは、十数人のきわめて優秀なプログラマーが、高度なプログラムをちゃんと書いてくれることである。

このように雑事を代行して、アイデアを持っている人を完全にサポートし、ビジネスだけに集中してもらう。そのかわりに早くナスダックに株式公開して、株式公開益を実現させるというビジネスである。

ネットビジネスはスピード勝負なので、支援して時間を稼ぐこととアイデアラボのブランドの下にアイデアや資源を集中させて、ビジネスを成功させ、かつ株式公開をテコにして、投入したコストの何倍ものリターンを稼ぎ出すことができるわけだ。

こうしたビジネスは日本にも二〇〇〇年春以降増えてきた。日本のネットベンチャーの元祖に近い伊藤穰一が経営するネオテニーは、赤坂の有名ビルのプラザミカドを大改装してしまった。あのキャバレー「ミカド」が入っていたビルである。

ここに一〇〜二〇人規模の小部屋をたくさんつくっている。それぞれに自社が支援するネットベンチャーを入居させ、人、モノ、カネの面倒を全部みて、同時にたくさん株式公開させる〝会社製造工場〟をつくった。独立系企業ばかりでなくコンサルティング会社なども同様のビジネスに触手を伸ばしつつある。

二カ月先は闇

「力で理不尽を押し通そうとする既存の巨大勢力に対抗したい。そのためにはアイデアだ。アイデアからすべてが生まれる。それとスピード、この二つが勝負の鍵だ」

小池の心底にはこうした考え方があった。ネットビジネスの時間的感覚を表すのに「ドッグイヤー」という言葉がある。平均寿命から考えると犬は人間の七倍くらい時間が経つのが早いと考えられる。ネット産業の進歩のスピードは他産業に比べるとその程度早いはずだということで、シンボル的に使い馴らされている言葉である。

小池はこれに対してネットイヤーという言葉をつくった。彼の考えるネットイヤーは二カ月である。二カ月以上先のことなど見えないからだ。二カ月を一年単位と考えて、その間に一つのビジネスが終わるように考えて行動しようということである。

そして、このネットイヤーが新会社の社名となった。親会社の電通の名前は一字も入っていない。知り合いや友人を引き抜いて、社員も充実させた。

「脳みそに与えるエサというのは、給料やボーナスではなく、エクイティ（株式）なんですよ」

と、小池は言う。日本では大手銀行をこかした経営陣でも巨額の退職金を得て余生を安楽に暮らしている。世間の批判などどこ吹く風だ。これでは経営者がまともに働くはずがない。だから会社が潰れるのだ。

アメリカの経営者の給料は知れているが、ストックオプションという仕組みで、自社株をもらうことになっているので、自分の任期中に業績が上がって株価が跳ね上がれば、たいした仕事もしていないが格式だけは高い日本の大企業のトップの退職金とは桁の違う巨富を得ることになる。だから彼らは目の色を変えて、睡眠時間も削って仕事に取り組むのだ。

アイデアを出す人はアイデアを出す。カネを出す人はカネを出すということだが、インキュベーターは役員を送り込んで、マネジメントについても大いに口を出す。カネを出すのだからその権利はあるだろう。優れた事業を立案する創業者が必ずしもよい経営者でないという事例は、読者は既に目にされたはずだ。

そこで社長は一流企業を経営していた人を連れてきて、事業の発案者は経営陣の一人に納まってもらうということもアメリカでは普通である。たとえばソフトバンクと組んで日本に進出するリバース・オークションのプライスライン・ドットコムでは、事業の発案者で特許オタクのジェイ・ウォーカーは副会長で、経営はシティコープの元会長やＡＴ＆Ｔの元経営陣に任せている。

アイデアが優れていればいるほど、成功の可能性を高めるためにはマネジメント技術に長けた専門家の力を投入すべきだ。「これはイケる」というプランがあれば、どんなに高給を支払ったとしても、たとえばソニーの出井伸之会長とか、オリックスの宮内義彦会長を引き抜いてきても割に合うということになる。

ここにあるのは、形のないアイデアに人、モノ、カネ、知恵をつけて、最速で「高株価」に結晶させるためのシステムである。

シリコンバレーのＶＣは、自分が車で行ける範囲の会社にしか投資しないという。これもまた地域集積のメリットだろう。彼らは投資先を細かく回って経営を指導するから当然、投資件数を増やして数打ちゃ当たるという方式をとることはできない。代表的なＶＣでは、ネット関連だけで年間五〇〇〇件のビジネスモデルの持ち込みがあり、一〇〇人の経営者の首実検を行い、そのうち実際に投資を行うのはせいぜい一〇件という厳しさだ。

小池はこうした方式を踏襲して、本場シリコンバレーでネットベンチャー支援ビジネスをスタートさせたのだが、一九九八年秋、親会社の電通が株式を上場するという話が持ち上がってきた。

これまで、戦時国策会社であった経緯から未上場であった電通だが、数年後を目途にいよいよ株式を上場して資金調達しようというのだ。その準備として、関連会社の整理が必要になる。ネットイヤーの場合、海外の事業というだけでリスク大とみられるのに、いつになったらナスダックに公開できるのか皆目見当のつかない会社に投資してその面倒をみるというのでは、見直し事業ブラックリストの筆頭である。

小池としても、日本企業の子会社であることが足枷（あしかせ）となって思うような動きがとれなかったところだ。

一〇月一日の電通の組織改編までに決着をつけなければならない。小池は、後先を考えずに自分でこの会社を電通から買収する決断をした。

「自分でやるからネットイヤーを売ってください」

起業した時と同様の迫力ある交渉で二週間かけて電通を説得。次に二週間で買収資金をつくらなければならない。退職金をすべてつぎ込んだのはもちろん、ＶＣから資金を調達して本当にネットイヤーを自分のものにしてしまった。のれん分けのようなものであるが、これをＭＢＯ（マネジメント・バイアウト）という。

早くもその一カ月後には、出資先のマイルネットという会社を、検索エンジンを運営するエキサイト社に売却するという話がまとまりかけていた。

マイルネットのビジネスは、ネット上で企業の広告を口コミで広げていくと、航空会社のマイレージ・ポイントが貯まっていくというあざといビジネスであったが、創業者三人から知人に送られたソフトは一週間で五〇〇〇人に広がっていった。五〇〇万円でつくった会社に対して一カ月後に提示された買収金額はなんと七億円。

残念ながらエキサイト自身が他社に買収されてしまったので、この話は流れてしまったのだが、ことほど左様に企業とは売り買いされる対象なのである。

理想の会社なんてない

次に登場するのは、ネットエイジ社長の西川潔である。彼は「週刊ネットエイジ」というメールマガジンを四〇〇〇部発行しており、このインフラ上でビットバレーの概念が爆発的に広がった。

四二歳程度のはずであるが、本人は「年で事業を判断されたくない」という韜晦趣味で年齢を秘している。スタイルにこだわる性格のようだ。

彼は起業家意識が固まってできたような男である。東京大学教養学部卒業後、KDDに入社。大企業の仕事にあきたらず、外資系コンサルティング会社や他の企業を渡り歩き、その合間に外国放浪も経験している。

その後外資系プロバイダーのAOLに転職、とにかくお仕着せの仕事はつまらないらしい。「理想の会社なんてない。だから自分で起業して、熱意の持てる仕事を楽しくやるしかない」という信念の持ち主。彼のオフィスには、

Work hard,
Have fun,
Make history

という、アマゾン・ドットコムの創業者ジェフ・ベゾスの言葉が掲出してあった。
彼らは仕事の中に悦楽を見出し、成功を手にするのである。楽しくない仕事などやっていても無駄であろう。

西川は一九九五年頃から妻と二人で、パソコンを教える学生家庭教師を派遣するというビジネスを「ホライズン」という名で始めていた。学生は（パソコン通信ネットの）ニフティサーブの掲示板に書き込んだり、秋葉原の街頭でチラシを配るなどして、優秀な者たちを最盛期には五〇〇人も集めることができた。彼らを使ってパソコン家庭教師以外にも、オフィスのパソコン一〇〇台の引っ越しと再設置を請け負ったりしていた。

その中に一橋大学の小椋一宏がいた。彼は彼で、大学内のホームページで「会社をやろう」と仲間を集める告知をして、それがニフティのフォーラムに繋がって、西川と知り合うことができたわけだ。小椋はホライズンを引き継いで、ホライズン・デジタル・エンタープライズ（リナックスという新しいパソコン基本ソフトを使ったインターネットサーバーや管理ソフトなどを制作している企業）を経営している。

MBAの会

西川は一九九五年に、社会人向けビジネススクールを経営するグロービスの堀義人とも出会っている。ウィークリーマンションを経営するツカサ社長の川又三智彦に招かれて堀が講演した時に、会場で堀に「私もベンチャーをやりたいと思っているのですが」と声をかけた。話を聞いた堀は、早速、堀が主宰するＭＢＡベンチャー研究会に西川を誘った。

ＭＢＡベンチャー研究会とは何か。当時のベンチャーを取り巻く環境をイメージしていただくために説明しよう。

そもそものきっかけは日本人ＭＢＡ（経営学修士号）取得者を集めた大パーティーだった。

ハーバード大学ビジネススクールを一九九四年に卒業した内古閑宏(うちこがひろし)は、当時東芝のパソコン企画部門に勤めていたが、ＭＢＡ取得者のネットワーキングをやろうと考え、一九九五年に「ＭＢＡ94＆95の会」を、六本木に近い東京アメリカンクラブを借りて開催した（この集まりは、その後もMBA 90s Reunionとして内古閑を中心に運営されている）。

会場には一二〇人ものエリート・ビジネスマンが集合した。そこに堀義人をはじめとするハーバード大学ビジネススクール一九九一年卒業生のベンチャー経営者を三人招き、三分間スピーチをしてもらうという趣向である。

内古閑はその後、東芝のエリートコースを打ち捨て、ソフトバンクに移籍。孫正義の近くに座を占め、ジオシティーズ（ネット上の仮想コミュニティ）の運営に当たった後、独立して技術系ベンチャー企業のヴィジョネアを経営している。ゲストの選定はそうした内古閑のベンチャー志向の現れだろう。

会場で堀は内古閑に声をかけた。

「なんか最近のＭＢＡの人は凄いなあ。僕も刺激を受けたよ。今度この辺りの人たちを誘ってＭＢＡでベンチャーに興味を持っている人の勉強会をやろうと思うんだ」

美男の堀がしゃべるとなんでも爽やかに聞こえるが、彼にしてみると「自分は住友商事を辞めて独立起業したのに、後に続くＭＢＡ出身者が少ない。みんなまだ大企業にしがみついている。それは大いに問題だ」という意識があった。

経営を学んできたはずのＭＢＡ取得者がベンチャーに携わらなければ、誰が新しい産業を興すというのか。堀はそう考えて月に一度、グロービスの教室で起業のためのノウハウを勉強するベンチャー研究会を設立しようと考え、友人たちに声をかけ、第一回目の集まりを開催したわけである。平日の夜に集まったのは一〇人程度。

当時堀はＶＣに強い興味を示し、実際にグロービス・キャピタルというＶＣを自分で立ち上げている。そういう面で、ベンチャーとは切っても切れない資金面への目配りも含めた構想を描いていたのだとすると、現在のインキュベーターに近い支援体制を構想していたのかもしれない。

研究会では各々がビジネスプランを持ち寄って叩き合いをしたり、起業の初期段階で投資するようなベンチャーキャピタリストを呼んできて資金集めについての勉強を行ったりしている。講師にはハイパーネットの板倉雄一郎も登場した。

参加者の一人で一九九四年スタンフォード大学ＭＢＡの江端浩人はデジプリ社長。彼のビジネスは、デジタル・カメラの画像を普通の写真のように印画紙に現像したり、ネット上で画像を保存したりするサービスを提供するものだが、当時、伊藤忠商事に勤めていた江端はこの事業プラン「デジタルプリント構想」をＭＢＡベンチャー研究会で発表することにした。発表前には参加者全員に機密保持契約への署名を求めたという。その場で好評を得たことに勇気づけられた江端は翌年伊藤忠を退社し、デジプリを起業する。

西川自身も、自動車仲介サイトであるカーディーラーズの事業プランをＭＢＡベンチャー研究会で発表した。


この勉強会で、西川は、後にネットエイジの社外取締役となる仮屋薗聡一（グロービス初期の卒業生）や西野伸一郎（ニューヨーク大学ＭＢＡ）と知り合うことになる。そしてこの二人が第二期のＭＢＡベンチャー研究会を切り盛りし、ビットバレーにも深く関わることになる。また後述する松山太河、メールマガジンの広告代理店であるメールニュースを起業する才式（さいしき）祐久などもここに出入りしていた。
それまで日本では日陰者だったベンチャーだったが、この会はアメリカ直輸入のベンチャー文化が情報共有される貴重な場となった。さながら、グロービスはビットバレー自体のインキュベーターであった感がある。

ある時、二次会で麹町の堀の家に転がり込んだ面々は、ピザをぱくつきながら議論をしていた。その時堀は、「この辺を日本のシリコンバレーにできたらいいのになあ」と希望を洩らしている。一方、西川のシリコンバレーに対する憧憬（しょうけい）も相当なもので、三鷹の自宅のトイレには、シリコンバレーの地図が貼ってあり、彼は彼で「中央線沿いを日本のシリコンバレーに」と言っていた。

いずれにせよ、「なぜ日本にシリコンバレーがないのか」は、彼らにとって解決されなければならない課題であったのだ。

西野伸一郎は西川と組むことになる。彼はニューヨーク大学在学中に日本人コミュニティからはみ出していたおかげで、インターネットの隆盛とマンハッタンにおけるマルチメディア関連ベンチャー企業の興隆を目の当たりにして一九九五年に帰国。

ＮＴＴに戻ってマルチメディアビジネス開発部に配属された。

非主流派のことを「平家、海軍、国際派」と呼び習わすように、国際感覚は日本企業では邪魔にしかならない。そこでいかにソフトランディング（軟着陸）して国内感覚をいち早く取り戻すかというのが、帰国したサラリーマンの処世の知恵となっているが、西野の場合にはまったく逆で、シリコンバレーの企業に出資したり提携したりする仕事を与えられた。

上司に代わって提携企業の役員会に出たりする機会も少なくなかったので、シリコンバレーのベンチャーの起業家精神にすっかり感化を受けてしまう。しかも悪いことにＮＴＴの本社は、西川が勤めるＡＯＬが入居する東京オペラシティの隣にある。

西野は徐々に、夜になって仕事が終わると吉祥寺のホライズンに出入りするようになった。西川も会社を辞めて自分で事業を起こしたくて仕方がない。

そんな時、あるメールマガジンで富士通総研が「インターネットビジネス最新事例集」の調査レポートを募集している記事が目についた。レポートを一件幾らで買ってくれるという話で、彼らにしてみると自分の知りたいことを勉強しながら、お金がいただけるというありがたい仕事だ。二人はアメリカ時代の知り合いがどんな仕事をやっているのかを問い合わせたり、インターネットのサイトを調べまくってネットビジネスのパターンを何百件もレポートしていった。

ある時、彼らはアイデアラボという会社のサイトを発見した。宝の山を発見したようなものである。なぜならそこには何十ものネットビジネスの種が掲載されていたからだ。

「これでレポートの件数が稼げるぞ」と喜んだ二人だが、次にアイデアラボのようなインキュベーションビジネスをやってみたくなった。アメリカのネットビジネスをリサーチした結果、無限に近いアイデアでこの二人の頭の中は膨れ上がっていたのである。「インターネットには確実にビジネスチャンスがある。とにかくやってみたい」という動機が彼らを動かしていた。

西川が書いたネットエイジの事業計画書には、具体的なプロジェクト名は書かれていなかった。「この頃までに〝プロジェクト1〟を立ち上げる。次に〝プロジェクト2〟を起こして、その次に……」と時期だけ書いてあって、どのプロジェクトを選ぶかは膨大なアイデアの中から選べばいいだろうという、いささか乱暴な話ではある。

一九九七年末、西川はAOLを退社するのだが、その前に重要な人物と出会っている。「面白い人が集まるワインの会がある」と聞いた西川は、ワイン好きでもなんでもないのだが出かけていった。

そこでシリコンバレーから帰国中のネットイヤーの小池聡に出会ったのである。西川の話を聞いた小池は、西川がインキュベーターというベンチャー育成ビジネスについてしっかりしたビジョンを持っていること、当時日本ではあまり知られていなかったアイデアラボについてちゃんとした知識を持っていることに驚いたという。

「では日本のことはネットエイジで、アメリカの方はネットイヤーでやろう」という協力体制を築くことになった。小池は一九九八年一〇月にネットイヤーの経営権を手にした直後、ネットエイジに出資した。同社の株は小池と西川で五〇パーセント超を保有していたのである。

小池の後ろ楯を得た西川は、年が明けた一九九八年二月にネットエイジを起業。一橋大学を出たばかりの新人一人を技術者として雇って、アイデアの事業化に取り組み始めた。

アイデアは山ほどあっても、人を雇うカネがない。では社員を雇わなければよいのである。パソコンが使えて、ある程度ビジネスの交渉ができる学生アルバイトがいればそれで十分だ。ホライズンは五〇〇人ものパソコンに習熟した優秀な学生を抱えていた。彼らは、その辺の大企業に就職して甘やかされている新入社員よりよほど役に立つ。

西川が最初に事業化したネットビジネスは、「スペース・ファインダー」。ここのサイトに新年会や商品発表会などでホテルの宴会場を使いたい企業の担当者がアクセスすると、宴会場のリストが載っていて、希望先を入力すると自動的に見積りが返信されるというサービスである。目論見どおりうまく成功し、その後、イー・ベントという別会社として独立させている。

そのスペース・ファインダーのためにホテルを懸命に回って商品となる宴会スペースを取ってきたのは、学生アントレプレナー連絡会議（ETIC.）という組織からインターンとして派遣されてきた女子学生だった。

アントレプレナーとは、事業を自分で立ち上げたいと望む起業家のことである。それが学生であるのだから、真田や板倉のような学生起業家と同じようなものだと思われるが、この時代の学生企業のあり様は彼らの頃とはやや違っていた。

ヤンエグ世代の陰影

バブル崩壊以後の大学生というのは、学生運動の失敗を見た後の連中がシラケ世代になったように、ヤンエグ世代の行動を見て物質的繁栄に対する単純な信仰を捨ててしまった。

彼らは生まれた時からカラーテレビを見ている恵まれた人種である。ひもじい思いなどしたことはない。食欲のような原始的な欲求は、精神形成に甚大な影響を与えるので、「儲け」を追求して会社を興す人たちの強烈な動機となっているケースが多いのだが（戦後の焼け跡世代で起業してバブル前に株式公開した人はたいていそうだった）、バブル崩壊後に大学に入った世代は、それ以前の人たちには信じられないほど金銭に対する執着がない。

グロービスの堀義人などまさに「ヤング・エグゼクティブ」世代。ニューヨークの金融街を肩で風切って歩いていたヤッピーの日本版である。この世代の学生時代は、

マーケティングの才能を発揮して広告代理店を入り口に大人たちと組み、上手に遊んでいた。

ところがそのヤンエグ世代を中高生として見ていた彼らは、「いい学校からいい会社へ入るのが、果たして正しい生き方なのだろうか」と冷静に考えていたわけである。人に迷惑をかけたり、環境を破壊してまで儲けたくはないという自分の問題意識を反映させ、かつ既存の企業が手を染めていない部分を模索するという形で、ポストバブル世代の学生たちはリサイクルショップや有機野菜販売といったビジネスをスタートさせていった。

起業は学校で教えくれない

こうした志に溢れた学生ベンチャー企業を支援し、また起業家を増やそうとするお節介な組織がETIC.なのである。設立に携わり代表理事を務める宮城治男は、この組織の設立経緯をこう語る。

「大学時代は自分の好きなことをやっていたのに、就職活動ではやっぱり偏差値的に就職が難しい会社を上から順に受けて、合格して喜んでいる先輩の姿を見て違和感を覚えたのがきっかけなんですよ。〝それで本当にいいのか。お前がやりたかったことは一体何なんだ〟と思いましたよね。

早稲田の学生は、〝せっかくここまで勉強してワセダに入ったんだから、学生時代に横道にそれてもちゃんと足を洗って一流企業に就職しなきゃ〟という自分で敷いたレールの上を走っているんです。でもある先輩が起業家支援組織で働いていて、そこでは事業計画に一〇〇〇万円まで融資するという話を聞いたんです。

〝そうか、会社って自分でつくることができるものなんだ〟

これは発見でしたね。人はまず会社の枠の中に自分を嵌め込まずに、人生をもっと自由に考えて、生き甲斐のある仕事をやるべきなのに、〝起業〟などということは学校の先生も教えてくれない。だけど、起業家になるということはすべての選択肢を手に入れることなんです。〝起業〟という言葉には、〝自分の人生の中で本当にやりたいことは一体何なのか〟ということを考えさせてくれるパワーがあります。

僕は、周りにいる学生たちの就職一辺倒の意識を解放したかったんです」

〝自分は何でもできるんだ。何にだってなれるんだ。世界は自分のものだ〟という青年の気概がなければ、新しいものは生み出されてくるはずもない。ところが戦後の財閥再結成を経て出来上がってしまった五大企業グループを中心とする大企業では、そうした横紙破りな気質など学生に望んではいない。

それは現在でも変わらない。就職の募集要項には〝独創性のある人材求む〟と書いてあっても、面接で本当に〝独創性〟を発揮しようものなら決して採用されることはない。爪を隠して入社したとしても、長年かけて持ち前の才能を磨滅させ、同期管理の中で精神的に去勢してしまうのが大企業の文化なのである。

一九九三年、宮城治男は、早稲田大学で起業に関心のある先輩とアントレプレナー研究会を立ち上げた。一九九四年には、これが関東一〇大学の同志と結んだ学生アントレプレナー連絡会議（ETIC.）に発展。さらに関西、名古屋とネットワークを広げ、NPO（非営利民間組織）としての体裁を整えていった。

ETIC.は大学を舞台に年間五〇回を超える講演会を行い、起業に対する啓蒙活動をした。それまで大学のサークルが講演に招くのは文化人か政治家、芸能人と相場が決まっていたので、成功したベンチャー経営者の講演を学生に聞かせるというのは新しい試みであったろう。

運営はすべてボランティアの働きである。「起業家の話を学生に聞かせたい。世の中を生き抜いてきた人たちの声を聞くチャンスを学生に与えたい」というのが宮城の狙いだ。

講演料無料で駆けつけてくれた経営者は多数にのぼるが、ソフトバンクの孫正義、朝日ソーラーの林武志、プラザクリエイトの大島康広など、山あり谷ありの事業人生の本物の迫力に、参加者はショックを覚えたという。グロービスの堀義人も北海道、京都、九州と遠方まで足を運んで講演した。ネットエイジの西川も何度か講演している。こうして経営者と学生たちの繋がりができてきた。

ETIC.のもう一つの主要な活動に、アントレプレナー・インターンシッププログラムがある。インターンとは、体験実習のこと。ベンチャー志望者や、マネジメントに興味を持つ学生をベンチャー企業に送り込んで、ビジネスの実際を体験させようというプログラムである。ETIC.は年間で一〇〇社、人数にして四〇〇人もの学生を企業に送り込んでいる。ネットエイジの営業で大活躍した女子学生も、ここから派遣され

たわけだ。こうしてETIC.は、ベンチャー企業と大学を繋ぐ太いパイプになっていった。

サイト制作ビジネス

一九九五年以降には、徐々に普及してきたインターネットが学生たちの新しい武器になった。これまでになかった「ネットを利用した起業」という選択肢を得たのである。彼らは、まず理系学部の研究室でインターネットに触れる機会を持つ。

その一方で、コンピューターやエレクトロニクスメーカーはもちろん、意識の高い企業は、ネットの普及に連れて「自社サイトをつくらなければ」と考えるようになった。しかしどこに頼んだらいいのかよくわからない。

ところがうってつけの一団があった。慶応義塾大学湘南藤沢キャンパス（SFC）。ここの学生はパソコンに精通していた。総合政策学部と環境情報学部を有する、湘南の緑豊かなキャンパスをつくった慶応の教授陣は、入学してきた学生にまず二つの言語を学べと教育した。自然言語である外国語と人工言語であるコンピューター言語だ。身につけた二つのコミュニケーション能力を使って何をやるかは自分たちで考えろ、という教育方針である。

理屈は通っているのだが、第一期の卒業生を新卒社員として一九九四年に迎えた企業は、英語とコンピューターには詳しいものの、奔放に行動して、どうも社会的適応性に欠ける彼らを持て余し、「ＳＦＣの学生は使えない。せいぜいシステム・プログラマーにでもして使うしかない」という評判がたってしまう。大企業に入社後すぐ退社する卒業生も続出した。ＳＦＣの試みは時代の遥か先を行っていたのである。ＳＦＣ卒業生にとっても、企業にとっても不幸なことであった。

ＳＦＣの高邁な理想の旗を振っていた教授陣の一人が、村井純である。彼は日本のインターネットをつくった人物といっても過言ではない。

最初のネットは、郵便袋に電子メールを詰め込んで、コンピューターからコンピューターに順送りに送るようなものだった。村井が唱導して大学や研究機関のコンピューターを繋げるJUNETが発足し、一九八八年にアメリカなどとそのネットワークを繋ぐWIDEプロジェクトができたのだが、資金難に陥っていたこのプロジェクトを資金サポートして、アメリカとの間にさらに太い回線を引かせたのがリクルートだった。さらにもう一人、日本のインターネットの恩人を登場させるとなると、一九九二年に初の商用プロバイダーＩＩＪを設立した鈴木幸一であろう。ＩＩＪに続いてプロバイダー事業に各社が参入し、インターネット利用者が一挙に増加した。

話がずれたが、この村井純の薫育を受けた学生たちの中にも、ＩＭＤなどネットベンチャーとして起業した学生が多い。村井は「ベンチャーを起こして四〇歳までに自分で四億円稼げ」と学生たちに発破をかけている。

一九九六年頃、就職した先輩たちの不遇を伝え聞いていたこのＳＦＣの現役学生たちは、三菱総研などのシンクタンクにアルバイトに出ていて、バイト先やその紹介で徐々にホームページ作成を請け負うようになっていった。なぜなら彼らは世界でも一番早くからインターネットに触れていた人間たちだったからだ。

一気に勉強して他に負けないスキルがある。暇だから一日中ネットを見ていて、忙しい社会人より確実にネットに詳しかった。

「君ホームページつくれるの？　うちの会社のページつくってくれないかなあ」

「いいですよ。一ページ一〇万円で一〇ページだと一〇〇万円です」
といった具合である。

企業の担当者もネットのことがさっぱりわからない。「パソコンは何でもできる魔法の箱だ」と思っているので、「企画も君たちで考えてよ」と学生に丸投げする。「面白くて儲かるバイト」には参入者が相次いだ。

SFCの学生の間では、ネット企業をつくるのが流行していたのである。各人に得意不得意があるので、自分の不得意な仕事は知り合いに融通するなどして、仕事を介して同業者のネットワークが広がって行ったようだ。

ビットバレーのベンチャー経営者は楽天の三木谷浩史のような三五、六歳を中心にした層と、二六、二七歳を中心とした層に分かれているが、言ってみれば前者がバブル期以前に大学を卒業したヤンエグ世代、後者がインターネットで登場にチャンスを得たサイト制作出身世代ということになる。

一九九五、九六年頃、六本木のヴェルファーレには、二〇〇〇年三月にナスダックとマザーズの同時上場を果たすクレイフィッシュ社長の松島庸や、インディゴの孫泰蔵、楽天で三木谷社長を支える慶応大学湘南藤沢キャンパスの面々、松山太河などが出入りしていた。

VIPルームでは、光通信の重田康光の株式公開を板倉やグッドウィルの折口雅博がシャンパンを開けて祝っていたはずである。

こう考えると、ディスコというのはつくづくベンチャー経営者養成所のような気がしてくる。ディスコで面白く遊べる折衝能力のある人間がベンチャーに向いているということか。あるいは「ボクちゃんディスコなんて行きません」と母上にネクタイを締めてもらってから銀行勤めに出かけるような石部金吉にはベンチャーは向かないということか。

一九九六、九七年に、それ以前から企業のサイト制作を請け負っていたベンチャー群が、相次いで法人登記を行っている。

一九九五年一〇月、クレイフィッシュ設立

一九九六年二月、ヤフー・ジャパンの立ち上げに合わせてインディゴ設立
一九九六年四月、オン・ザ・エッヂ設立
一九九六年一二月、電脳隊設立
一九九七年二月、一九九五年に興銀を辞めた三木谷が楽天を設立
一九九七年七月、イエルネット設立

初期の頃は大手コンピューターメーカーやソフト会社からの注文が多かったようだ。オン・ザ・エッヂの堀江貴文はオラクルやアップルコンピュータからのサイト制作の注文を受けていた。

電脳隊は日本相撲協会のサイトを、ガーラは全日本プロレスのサイトを請け負ったという。パソコンおたくには格闘技ファンが多いのでこの分野や、アイドルのサイトなども流行したようだ。また、ちょっと感度のいいブランドもの輸入業者のオーナーなどもホームページに興味を示し、学生に注文を出していた。

しかしいいアルバイトだったサイト制作のページ単価は、一〇万円から一万円程度

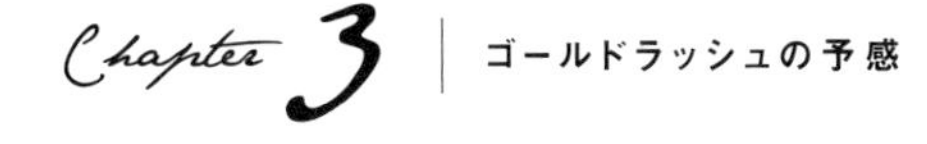

に落ち込んだ。単にサイトを見映えよくデザインして、それをHTML文書に移すだけでは、商売にならなくなってしまったのである。単価の下落にもかかわらずページ単価一〇万円時代のどんぶり勘定、放漫経営をやっていた学生たちはあっという間に消えてしまった。

オン・ザ・エッヂの堀江の場合は、その不遜な態度と釣り合いが取れた優れた経営感覚を持っていた。

ウェブサイト制作会社を運営するためには、最低限必要な単位がある。社長である堀江は、営業して仕事を取ることとサイト全体を企画すること、HTML文書を書くことを一人でできる。もう一人はプログラマー兼デザイナー。そしてサーバー管理者の三人がいればよい。このチームだけでサイト制作の仕事が完結する最小ユニットを基本にして、ここに徐々に肉付けして組織を作った。

社長自らが、各分野の仕事を最低でも〝中の下〟くらいのレベルまではやることができる。だからつまらない仕事をやっている社員を「このくらいなら俺でもできる」と一喝することができる。そうやってクリエイター軍団を統率し、情報を収集しつつ技術力を磨き続けて、ウェブサイト制作事業における強者の地位を確立したのである。

同社は国会図書館や有名芸能人、様々な大企業のサイト構築や運営を手がけている。

「当たり前のことを当たり前にやっているだけですよ。周りには冒険しているように見えるかもしれませんが、僕はリスクなんか取ってないんです。この商売は基本的に赤字になる体質ではありませんよ」

堀江は抑揚のない声でさも当然そうに語る。いつも目を半分つむったような眠そうな顔をして、くぐもった話し方をする。しかしその長髪の中には東大文学部で宗教学を専攻した燃犀（ねんさい）なる頭脳がしまい込まれている。

結局、大学は卒業しなかったが、その知恵は経営センスに昇華していた。サイト制作の世界で凡百の同業者から抜きんでて株式公開しようと思ったら、この程度の才覚がなければ難しい。

とにかくサイト制作請け負い業者から脱皮しなければネットベンチャーとして生き残ることはできない。そこで学生起業家たちは広告業に進出したり、コミュニティサイトをつくったり、利用者の消費を仲介したり、直接物販を行ったり、あるいは大企業のネットビジネスをサポートしたりと、自分の得意な分野を足がかりにして、考え

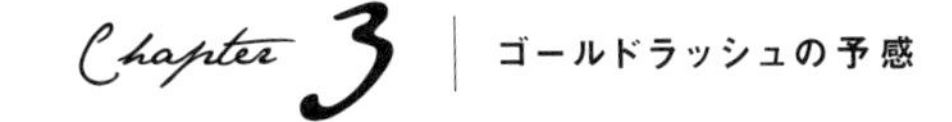

られる限りのあらゆる方向にビジネスを進化させていったのである。

電脳隊のケース。青学二人、SFC二人、東大二人の陣容で一九九六年一二月に法人登記した彼らだが、就職活動の時期がやってきて、適当に活動して内定をもらいつつ、この先どうするべきか議論になった。

「選択肢は幾つかある。ウェブサイトの制作受託はもう先が見えてしまった。競争が激しくなって、単価も下がっていく」

「じゃあ、どうすればいい？　どう差別化したら生き残ることができるんだ」

議論に行き詰まってしまった。

そこで一九九七年夏、当時社長だった田中祐介は、シリコンバレーのベンチャー企業の仕組みと資本政策、今後のビジネスマーケティング調査のために知人を頼って訪米する。

知人と言っても、ひょんなことから、知り合っただけにすぎない。電脳隊の面々が夜中に原宿のじゃんがらラーメンでラーメンを食べていた時に「どうやったらこのラーメンの匂いをインターネットで送ることができるか」という、通常人から見るとヨタ話に思えなくもない問題について話し合っていた。「キミたち面白そうな話をしてるじゃないか」と横からしゃしゃり出てきた変な外人に紹介してもらっただけなのだ。彼は東大の大学院に留学中で、彼の「MIT時代の友人がたくさんシリコンバレーで成功しているから紹介してあげよう」という言葉だけを頼りに訪米したのである。

西海岸で多くのベンチャーを訪れてトップと話したが、その中に、携帯電話でインターネットを利用するためのWAP方式を提唱し、世界中のキャリアに受け入れられているフォン・ドットコムという会社があった。

田中の帰国後、「さてどうしようか」という相談になった時に、経営の教科書がわりに使っているグロービス著の『MBAマネジメントブック』(堀義人の学校の講師陣がマネジメントスクールの授業内容をまとめた本。シリーズ化されていて人気が高い)を引き出してきて、ポートフォリオを描いてみる。

「サイト構築はここ、ウェブTVはここ、携帯電話はここにあるから、じゃあこの中では一番有望な携帯のインターネット・コンテンツをやれば、サラリーマンにならずにやっていくことができるんじゃないの」

という判断で一致して、一九九七年末には、それまでの「ネットのことならなんでもやります」という営業方針を転換。従来のウェブサイト制作の仕事をすべて断ってしまう。

客には「そんなことを言って、あんな小さな携帯のディスプレイでインターネットができるわけないだろ。せっかくの仕事を断って」と言われたが、「いえ、一年後を見ていてください」と切り返したそうだ。

情報の収集と論理的分析の結果描いた戦略に基づいて、それまであった収入源をすべて断ってしまうというのはかなり大胆なことだ。経営者にそれだけの洞察力と決断力があれば助かりそうな大企業は幾らでもあるのだろうが、身軽さと自負に欠けているせいか、これほどの大転換を見せる大企業経営者は稀である。

後の話であるが電脳隊は、携帯電話向けの個人情報管理システムを開発しているＰＩＭと二〇〇〇年六月に合併。そのＰＩＭは同年九月に、携帯電話向けのサービス拡充を望むヤフーと合併した。ＰＩＭの株式一八株に対しヤフーの株式一株が割り当てられた。技術環境の進歩を受けて、ネットベンチャーの会社の形態も目まぐるしく変化しつつある。

一九九五年のインターネット元年以来、日本のインターネット人口は累増し、二〇〇〇年までに一〇〇〇万人を超えていた。そのコンテンツを供給する学生企業群は、たいてい代々木から渋谷、恵比寿、六本木あたりに偏在していた。まともなオフィスビルには相手をしてもらえないので、マンションオフィスである。

彼らは二四時間働くので、個別空調のマンションはかえって好都合なのだ。オフィス立地のないところとなると、自然とそのような分布になる。その中心に位置するターミナルが渋谷であった。

そしてこの時点で、彼らに対してインターンを供給するNPOまで存在していた。パソコン通信やメールマガジンを通して、そうした起業家や起業家予備軍が緩い繋がりをもって連合しているという状況であった。よく「ロシア革命は破れかけた扉を最後の一蹴りで吹き飛ばしただけだ」という言い方がされるが、ネット革命についてもその機は十分に熟していたのである。

小池聡の呼びかけ

一九九九年二月初め、シリコンバレーにいたネットイヤーの小池は、帰国中に東京ビッグサイトを訪れた。通産省の肝煎りのニュービジネス協議会が毎年開催している「ニュービジネスメッセ'99」に誘われたからである。東京湾岸の空中に吊り下げられたビッグサイトの巨大な展示スペースには、ベンチャー企業群がブースを出してひしめき合っていたが、シリコンバレーの感覚でそのブースの間を歩いてみて、小池は愕然とした。

「何だこれは。ベンチャーといっても、フランチャイズと村おこしばかり。この時代にネットベンチャーの姿がまったくないじゃないか。僕のところには、アメリカで成功して次は日本を狙いたいというベンチャーからの相談が山のように来ているというのに、これでは根こそぎやられてしまうぞ。まずい。これはまずいなあ」

滅入りながら歩いていると、会場の中に大学生のような若者がパソコンを並べて座っている一角があった。小池は吸いよせられるようにそこに近づいていった。カネのかかったパネル展示も一切ないブースだったが、広い展示場の中でそこだけにネットベンチャーの趣があった。

　この一角は、主催者であるニュービジネス協議会が無償でETIC.に貸したものである。このメッセの運営自体にもETIC.は大勢の学生を派遣しており、ブースの企画自体を依頼するという企業も少なくなかった。そういう繋がりで「学生起業家にも出展してほしいからアレンジを頼む」とニュービジネス協議会から要請されたわけだ。

　そこで宮城はインディゴ、イエルネット、電脳隊、ホライズン・デジタル・エンタープライズ、スリープロ、クララオンラインズ（社長の家本賢太郎は一七歳）に声をかけ、ブースを出してもらった。といっても展示にカネをかけられないので、チラシを配って集客するという学園祭のノリである。おそらく他の参加者からは異様な集団とみなされたことだろう。

　しかし小池の目には、彼らこそ本物のベンチャーに映った。話を聞いてみると非常に面白いアイデアを持っている連中だ。やる気もある。しかしカネは集まらない。親兄弟からせいぜい三〇〇万円借りて有限会社としてやっているのだ。

「キミたち、埋もれているんじゃないか」

そこから小池と彼らのつき合いが始まった。

「ひょっとしたら、彼らを中心にして、日本にもシリコンバレーをつくることができるかもしれない」

小池はニューヨークにいた時に出席していたある集まりを思い出していた。

ニューヨーク、シリコンアレー

マンハッタン島先端部の金融街やタイムズスクエア近辺は、まさに天を摩す高閣がぎっしり立ち揃って壮観だが、四一丁目から南の方、さらには二三丁目より南側は、やや低層の古い建物が並んでいる。

この地域を、一九九二年頃から西海岸のシリコンバレーに対してシリコンアレー（アレーとは路地とか裏道の意）と呼ぶようになったのは、そうした裏通りに面して建つ古い工場や倉庫（ロフト）をアトリエとして使っていた芸術家たちに、一九九〇年代初めからニューヨークにある大手メディアがCD-ROMの制作を依頼するようになってきたからである。特にソーホーと呼ばれる芸術家が多く住んでいた地域には、そこにマルチメディア関連の注文が殺到するようになり、人を大勢雇って会社として急成長する芸術家も出てきた。

しかし一九九四年頃にはこのブームはいったん終息し、放漫経営の会社は潰れてしまう。芸術と経営は相反する語彙である。そしてCD-ROMと入れ替わるようにして、商用開放されたインターネットのサイト制作の仕事がやってきた。

「アメリカ人は、常にキャリアアップするために、虎視眈々とチャンスを狙っている。インターネット・ゴールドラッシュがやってきた時、自分の周囲にいたビジネスマンたちはどんどん会社を辞めて起業したり、インターネットを使って成功するビジネスモデルをどのようにつくるべきか、会社のつくり方や資金の集め方について試行錯誤していた。彼らは日本人みたいに考え込まずにどんどん動いていく」

と小池は、アメリカ社会のダイナミズムを驚きを持って振り返る。

小池はそうした起業家たちが誰ともなく集まって始めた勉強会に、まだ十数人しか会員がいなかった当初から顔を出していた。その会合の名はニューヨーク・ニューメディア・アソシエーション（NYNMA）という。メンバーの持ち回りで、毎月一度、メンバーの会社を開放して交流会を行ったのだが、だいたいどの会社も古い製造業の倉庫を改造してオフィスにしていたので、天井も高くパーティーにはうってつけだった。二〇〇〇年時点でも毎回五〇〇人もの起業家が集まり、ビールを片手にワイワイやっているようだ。ウォールストリート（金融街）のベンチャーキャピタリストと知り合って話がまとまり、出資を受けるなどという幸運な出会いも期待できるという。

他方、三〇人くらいで起業家を囲んで成功の秘訣を聞いたり、会社に必要なＶＣ、弁護士の話をじっくり聞いたりという勉強会も行っていた。ほぼ同時期にグロービスの堀が麹町でやっていた勉強会と同質のものであろう。

NYNMAの運営形態はＮＰＯである。ここでいろいろなことを勉強し、人脈も広げることができた経験から、小池はNYNMAをモデルにした〝地域密着型コミュニティ〟を日本でもつくることができないかと宮城たちに相談した。

ここから、瓢簞（ひょうたん）から駒で「日本にシリコンバレーを」という誰もが望んだ構想が現実のものになっていく。

シリコンバレーは名前の通り、半導体関連企業など技術志向の会社が多い。それに対してシリコンアレーはコンテンツ制作からスタートした企業が多いだけあって、日本のネットベンチャーはこちらの方に近かった。シリコンバレーにも同様のベンチャー支援NPOはあるが、NYNMAはまさにうってつけのモデルだったのだ。

この流れを受けたビットバレーは、「理念が社会をつくる」ことを証明した貴重な事例となっていくことになる。

Key person

誰にだって挑戦する権利と失敗する自由がある

ベジタリア社長

小池 聡氏

iSi電通アメリカ副社長を経て米国でベンチャーキャピタリストとして活動後、日本で数多くのベンチャー企業を育成。代表取締役として会社を上場させた後、二〇〇九年に就農し、農業経営とスマート農業の実践、地方創生プロジェクトに奔走中。文部科学省科学技術学術会議産学連携・地域振興部会委員、卓越大学院大学プログラム委員、経済産業省地域未来スペシャルアドバイザーなどを務める。

米国で知った「ネット起業」の可能性

『ネット起業! あのバカにやらせてみよう』の時代は、最初から「起業」という選択肢を考える人がほとんどいなかったんじゃないかと思うんです。僕は一九七〇年代の終わりから一九八〇年代初めに大学時代を過ごしたんですが、実はこの学生時代に一度ベンチャーを立ち上げています。でも、その時は別に「起業しよう」と思って始めたわけではありませんでした。

当時は日本の景気がもの凄くよかった時代で、消費も学生が牽引していました。だから大手広告代理店は大学生をターゲットとした商品開発やプロモーションに力を入れていたのです。そこで僕は広告代理店のアルバイトとして各大学の学生団体と連携し、大学生を対象とした大規模なアンケート調査やサンプリング配布などを手伝うようになりました。

その請負規模が大きくなって、広告代理店から「さすがにアルバイト代として個人にその金額は支払えない。会社を通してくれ」と言われました。商社に勤めていた先輩に相談したところ、それじゃ会社をつくろうということになって、その流れで起業したにすぎません。

立ち上げた会社はそれなりに順調でした。ですが、あまりにもビジネスで知らないことにぶつかることが多くて、「一度社会に出て、修行しよう」と決めました。

その頃、付き合いのあった電通のディレクターから「電通がアメリカのGEと組んで新しいビジネスを始めている」という話を聞きました。学生起業でマーケティングとコンピューターの両方に興味を持った僕は、当時の電通とGEとの合弁会社の電通国際情報サービスに入社することになります。

入社したのは一九八三年。テレックスやファックスはあっても、電子メールはまだ普及していない時代です。ですが、片方の親会社である米国GEとのやり取りは、GEが運営していた世界最初の国際コンピューター・タイムシェアリングシステムやそのネットワークを利用したQuickCommという電子メールを使うことが義務づけられていました。「音響カプラ」という通信機器を使って通信速度はたったの300bps。1秒間に300byteしか送れない通信速度です。今じゃGbpsが当たり前ですが、当時は今の10億分の1の通信速度で仕事をしていたんです(笑)。

一九九〇年代初めには駐在員として米国に赴任しました。GEが深く関わっていたためインターネットの原型となった「ARPANET」に触れる機会も多くありました。ARPANETとは国防総省の資金で運営されていた軍事・研究用のネットワークでした。ただ当時の米国は景気低迷を理由に予算を削減しており、ARPANETも例外ではありませんでした。それで、「一九九四年の春を目途にインターネットを民間に開放して商用化する」という話をＧＥの幹部から聞いたのです。それも一年半も前に、です。

今考えれば、機密情報だったのではないでしょうか。「これは凄いビジネスになる」と思いました。米国では一九九三年一月にクリントン＝ゴア政権が誕生し、ゴア副大統領は高速ネットの通信網を米国中に張り巡らす「情報スーパーハイウェイ構想」を掲げました。またイリノイ大学のマーク・アンドリーセン（ネットスケープ共同創業者）がMosaicというウェブブラウザーを開発・リリースして、いよいよネットビジネスが本格化すると確信しました。

そこで一九九三年に、現地法人内にいち早くインターネットのビジネスユニットを立ち上げたんです。ＧＥが社内にインターネットの事業部をつくったのが一九九六年でしたから、相当早かったと思います。

日本を元気にしなければならない

その後、インターネットを活用した新規事業の開発とベンチャーのインキュベーション事業をすべく当時の社長に直談判して、シリコンバレーにネットイヤーグループという、一〇〇パーセント子会社を立ち上げて社長となりました。しかし、電通国際情報サービスの上場準備に伴ってその会社をＭＢＯするに至ります。この辺の話は本編にある通りです。

ＭＢＯの後、日本で「ニュービジネスメッセ」というカンファレンスに参加しました。当時、米国で「ニュービジネス」といえばＩＴやネットが盛り上がっていました。ですが日本の「ニュービジネス」をみると……なんというか、「今までのビジネスと一体何が違うのか」と疑いたくなるような事業ばかりが並んでいました。

そんな中で、若い人たちが集まっている場所が一つだけありました。ETIC. の宮城治男さんの出展ブースでした。

宮城さんは学生起業家や若手起業家をブースに集めていました。そこで出会ったのが電脳隊の川邊健太郎さん（現・LINEヤフー会長）やイエルネットの本間毅さん（現・HOMMA Group, Inc. 社長）をはじめとした起業家たち。話を聞いたらみんな面白い。日本でも熱量のある若い人に出会えたのは大発見で、「こういう起業家をサポートして、もっと日本を元気にしたい」と思いました。

当時のベンチャーキャピタル（ＶＣ）は金融系が中心。上場間近、もしくはそれに近いステージのベンチャーへの投資が中心で、シード、つまり創業期に投資をして育てるスタイルはほとんどありませんでした。だからそこをやろう、と。

僕自身も設立時から参画して米国のネットビジネスを底上げしたニューヨーク・ニューメディア・アソシエーション（NYNMA）を参考に、まずは勉強会や交流会から始めました。最初一〇人くらいだった会は、数千人にまで広がりました。理由はやはり、「ビットバレー」というエコシステムのコンセプトと、それぞれの分野で影響力のある人がメーリングリストで情報共有・拡散していたからでしょう。

ネットエイジやネットイヤーに集まった起業家たち

本編にある通り、知り合いのワインの会でネットエイジ代表の西川潔さんに出会いました。当時、西川さんはＡＯＬ日本法人におり、ネットビジネスのインキュベーションの話で盛り上がりました。

僕がネットイヤーグループをＭＢＯした一九九八年に、西川さんがネットエイジを創業。その後、ネットイヤーグループとグロービス・キャピタル・パートナーズが資本参加し、僕と仮屋薗聡一さんが社外取締役として一緒に事業を立ち上げました。そこには西野伸一郎さん（現・富士山マガジンサービス会長）や松山太河さん（現・イーストベンチャーズ共同代表）もいました。

当時のネットエイジにアルバイトやインターンなども含めて出入りしていた若者には、後に業界を牽引する次世代の起業家が集まっていました。笠原健治さん（現・MIXIファウンダー）、小澤隆生さん（第六章で登場、ヤフー元社長）、田中良和さん（現・グリー会長兼社長）、宇佐美進典さん（現・CARTA HOLDINGS社長）などです。後にライフ・ワークバランスを立ち上げた小室淑恵さんも学生インターンとして大活躍していました。

小澤さんが創業したビズシークには、ネットエイジやネットイヤーグループ、グロービス・キャピタル・パートナーズが投資。西川さんと仮屋薗さん、僕の三人が社外取締役として事業をサポートしていました。山田進太郎さん（現・メルカリ社長）が創業したウノウにもネットエイジは出資していました。山田さんはウノウで数々のサービスを生み出し、その後会社を売却。世界一周を経た後でメルカリを創業した話は有名ですよね。

東京大学の学生だった笠原さんは当時、ネットエイジのオフィスに席を借りてイー・マーキュリーを創業し「Find Job!」という求人サイトをつくっていました。そこにインターンとして入ったのがインドネシア留学生だった衛藤バタラさん（後のミクシィCTO、現・イーストベンチャーズ共同代表）です。当時、アジアで「Friendster」というSNSが流行していたので、日本でも同様のSNSをつくろうと彼が提案して、そこから生まれたのが「mixi」です。

当時のSNSは、アフィリエイト収入や広告収入に頼るビジネスモデルでしたが、ユーザーが爆発的に増え、それに伴ってサーバーもどんどん増え、運用コストが膨れ上がっていきました。それでも笠原さんは、成功を信じて突き進んでいく。そこで、資本業務提携先としてサイバーエージェント社長の藤田晋さんにミクシィへの出資をお願いしました。

ネットイヤーグループも一九九九年に日本法人を立ち上げました。アメリカから石黒不二代さんと佐々木裕彦さんを日本に呼び寄せ、磯崎哲也さん（現・フェムトパートナーズ ジェネラルパートナー）や川崎裕一さん（スマートニュース元執行役員）、田中弦さん（現・Unipos社長）などが立ち上げメンバーとして参画してくれました。みなさん、凄まじく優秀でしたね。

西川潔と松山太河

西川さんは凄く想いのある人でした。温厚な性格で包容力がもの凄い。面倒見もよかった。様々な相談に真剣に乗っていて、若い起業家にとっては頼りになる兄貴分のような存在でした。日本のネット産業を育て支えた、本当に重要な人物だと思います。もし僕がワイン会に行かなかったら、今のような状況には至っていないかもしれません。人生にはいろいろな縁がありますが、大きな出会いでした。今は体調を崩されて表舞台に出ていないと聞いておりとても残念ですが、機会があればまた一緒にいろいろやりたいと思っています。

太河さんの役割も大きかった。彼は学生の頃から凄く幅広い人脈を持っていたようです。ほかに米国発のヤフーを日本に持ってきて、ヤフージャパンの立ち上げに参画した中心人物の一人に孫泰蔵さん（現・Mistletoe社長）がいます。ヤフージャパンの立ち上げメンバーを集められたのも、泰蔵さんや太河さんの人脈によるところが大きかったのではないでしょうか。太河さんは前に出るタイプではありませんが、自分の信念をしっかりと持っていて、起業や起業家への思いもあって、人望もとても厚い人物です。

ネットイヤー立ち上げから間もない頃に投資や支援をしたベンチャーでも、彼を介して知り合った起業家は多くいました。たとえば、「@cosme」を手がけるアイスタイル会長の吉松徹郎さんや就職・採用支援のジョブウェブの佐藤孝治さん、ネットエイジに参画したスペースシップ代表の椎葉宏さん、グロービス・キャピタル・パートナーズにいる小野壮彦さんなども、太河さんのアンダーセンコンサルティング時代の人脈から生まれたご縁でした。

なぜ今、農業と環境なのか

僕は今、ベジタリアというアグリテック（農業×テクノロジー）や防災テックと農業系の脱炭素支援の会社を経営しています。

今は人生一〇〇年時代といいますが、二〇〇九年、ちょうど折り返し地点の五〇歳になる時に、人生後半戦は、地に足を着けたライフワークを見つけたいと考えました。できれば、社会貢献できる分野でやりがいを持てるようなテーマに取り組みたい、と。

いいアイデアが思い浮かばなかったので、大学に行って勉強をしたんです。東京大学のエグゼクティブ・マネジメント・プログラム（EMP）の一期生として様々な分野を横断的に学び、そこで興味を持ったのが「健康、食、農業、環境」でした。

人間にとって食と健康は最も重要なテーマの一つです。その食をつくる農業には様々な課題があり、大きなイノベーションが求められています。同時に農業はICTの活用からも遅れた産業でした。そこで東大EMPの教授陣や同窓生にも出資や協力をしてもらって、「東大EMP発」のベンチャーとして、ベジタリアを創業しました。

今、僕が真剣に取り組んでいる循環型スマート農業や脱炭素技術は、世界全体の社会課題であり、科学とテクノロジーの活用が遅れていた分野でもあります。こうした分野にイノベーションを起こすには、異分野の融合した技術革新が必要です。

実は、僕が農業を始めたと聞いて、昔の同僚や投資先のCTOなど、いろいろな人が興味を持って連絡してきてくれました。また農業を通じて様々なご縁と出会いもありました。こうしたきっかけを活かして、異分野の素晴らしい人材が集まってこの課題に取り組んでいます。

農業は儲からない。「三K（きつい、汚い、給料が安い）」産業かもしれませんが、これまで一五年取り組んでみて、ますますやりがいを感じています。これからイノベーションが必要になるこの分野に多くの人が関心を持つことで、農業を最先端の産業に変えていくことができるのではないかと考えているんです。

チャレンジする権利と失敗する自由

『ネット起業！　あのバカにやらせてみよう』を執筆するために取材をしてくださった岡本呻也さんのことは非常によく覚えています。僕についてもかなり丁寧に取材をしていただきました。

ただ、この本に登場するほかのみなさんと比べると、僕の泥臭い失敗談は描かれていなくて、きれいにまとまりすぎていて少し恥ずかしい。僕だって相当大変な目に遭ってきました。

ネットイヤーをMBOした時も手元にお金がほとんどない状態からのスタートでした。日本でビットバレーのブームに乗って大型の資金調達と事業の急拡大をした途端にネットバブルが崩壊して、自社や投資先の資金調達が行き詰ったこともありました。ネットイヤーの投資インキュベーション部門とネットエイジを経営統合して事業再編し、何とか東証マザーズの上場承認までこぎつけたところで、今度はライブドア事件が起こり、株式上場を一年延期せざるを得なくなりました。その後も挑戦と失敗の連続です。

過去を振り返ると、挑戦した事業の失敗や撤退は数え切れず、創業した会社も何度も潰れそうになってきました。実際に清算した会社も多々ありますし。

だから、本書を読むみなさんには、本書に登場する人がみんな「特殊な人だから成功したんだ」なんて思わず、失敗してもいいから挑戦してみるということが大事だと伝えたい。

僕は米国での経験を通して、「チャレンジする権利と失敗する自由がある（Right to challenge. Freedom to fail.）」という言葉を座右の銘にしています。誰にだって挑戦する権利はあるんです。

後は意思決定や行動を先送りにしないこと。いいアイデアを思いついたり、チャンスが巡ってきたりしたら、とにかく挑戦することが大事です。

それで失敗してもいいんですよ。失敗というのは途中であきらめるから失敗になるだけで、成功するまで続ければ、その失敗は成功に向かうプロセスでしかない。もちろん、時には引き際も大事ですが。

今はVUCAの時代だから、あれもこれもそれもとやってみて、いけそうだと思うものに集中すればいい。昔の経営の教科書では「選択と集中」という言葉を多く見かけます。しかしそれは、新たに事業を切り拓いていく今のような時代にはリスクを伴います。集中した事業が失敗した時、ポートフォリオが「終わり」になってしまいますから。

僕の経験から言うと失敗を恐れず、タイミングを逃さずにあれもこれもとやってみればいい。特に新しい事業をつくる時は、手を動かしながら試行錯誤を重ねて、「これは」と腹落ちしたものに絞り込んでいけばいいんです。

成功を信じている間は我慢強くブレずに打ち込むこと。

これは駄目だと思ったなら、深みに嵌まる前に事業を転換するか撤退すること。大切なのは、リスクを恐れず決断することです。今の時代、最大のリスクは機会損失のリスクなんですから。

考えすぎて機会を逸してしまうより、失敗を恐れず挑戦して、スピーディーにチャンスを掴みましょう。

（取材、構成／岩本有平）

Chapter

4

誕生　ビットバレー！

長い苦難の時を経て、日本のベンチャービジネスは
渋谷のビットバレーの誕生で一気に爆発する。
夢を描く若者たちを繋ぐネットワークはいかにして、
日本を震撼させるムーブメントとなったか。

ビターバレー構想

一九九九年は、渋谷における市民革命の年、ビットバレーの年であった。だが意外にも、ビットバレーは銀座からスタートした。

ニューヨークのネットベンチャー群の支援団体に接した経験から、その日本版設立のために一枚の宣言文を起草した小池聡は、一九九九年二月二一日日曜日夜、西川潔、宮城治男ら一〇人程度のネットベンチャー経営者たちに招集をかけた。場所は銀座のとあるサロンである。場所柄から、小池の気負いが読みとれる。

だが、当時のネットベンチャーというのは、今とは違ってひ弱な存在であった。カネに縁もなく、社会的認知度も低い。

この場には、何人かの重要人物が出席していた。

松山太河。この長髪の若者は一九七四年生まれ。早大卒業後、アンダーセンコンサルティングに入社。西川が発行していたメールマガジン（「週刊ネットエイジ」）、富士通総研の調査で発見した興味深いアメリカのビジネスモデルについてネットベンチャー向けの啓蒙を行ったもので、業界ではかなり読者が多く、一年間で発行部数は四〇〇〇部になっていた）を見て「面白そうだ」と思った松山は、いきなり西川を訪問し、そのままネットエイジに居ついてしまう。そこで彼が携わったビジネスが、顧客からの自動車の見積依頼を販売店に紹介するネットディーラーズだった。

松山は、孫正義の実弟でインディゴ社長の孫泰蔵と友人であった。インターネット関連ビジネスへの参入を考えている大企業から個人までに、経営面、技術面、財務面での支援を行う企業で、検索エンジンのヤフー・ジャパンの開設（一九九六年四月）に参加する形で創業し、学生一〇〇人を動員してヤフーのデータベースを構築。この二人のラインで、立ち上げて二週間足らずでネットディーラーズのソフトバンクへの売却がまとまった。その後、松山は役員をつとめていたネットエイジを去り、ビットバレー・アソシエーション（ＢＶＡ）の役員となる。

小池はこの日、顔を揃えた面々にＡ４大の紙を配った。そこには、「ビターバレー構想」と書かれていた。

Bitter Valley 構想

〈設立趣旨〉

近年の米国におけるネットワーク・エコノミーの興隆は、シリコンバレー（北カリフォルニア）、シリコンアレー（ニューヨーク）、デジタルコースト（南カリフォルニア）、ルート128（ボストン）といった地域密着型コミュニティーにより発展してきました。日本においても官公庁、大学、研究機関、ベンチャー・キャピタル、民間企業、各種団体等の協力を得ながら情報の共有化、教育を行い、また海外との交流を図りながらインターネット関連ベンチャー・ビジネスの創出、育成が急務となってきています。東京でも若者の町として現在も多くのインターネット関連ベンチャー企業が集中する渋谷区周辺地域を Bitter Valley（渋谷）と命名し、日本におけるネット・ビジネスのメッカとして多くのベンチャー企業を誘致し、投資を呼び込み、情報の共有化と競争によりベンチャー企業の底上げを行うことを目的とします。

〈オープンな相互支援組織〉

この組織は、オープンな相互扶助を基本とする組織でなければならないと思っています。ニューヨーク・ニューメディア・アソシエーション（NYNMA）も起業家、学生、大企業、弁護士、会計士、ベンチャーキャピタルなどいろいろなメンバーが自由に参加しています。それぞれビジネス上のメリットは大いに求めてWin-Winのシチュエーションをつくるべきだとは思いますが、閉鎖的な組織にはしたくありません。シリコンバレーもスタンフォード大学周辺から広がって地理的には、かなり広範囲に広がっています。たまたま渋谷＝Valleyだったわけで、象徴的な名称として使うことはあれ、渋谷区に限定する必要はありません。東京以外の人、企業でも入会は自由であるべきだと思います。

〈海外との交流〉

ニューヨーク、シリコンバレーなどの団体との交流も重要です。各種団体との提携も図っていきます。また、起業環境の違いから米国での起業も促進して行ければと思います。シリコンバレーでもイスラエル、中国、インドなどから多くの起業家が渡米し事業を起こしています。日本人も殻に閉じこもらずにもっと世界に出るべきだと思います。

この宣言がこの後、一年間続くお祭り騒ぎの出発点であった。ここには、渋谷＝「ビター（渋い・苦い）」＋「バレー（谷）」を日本のシリコンバレーとし、「企業の相互扶助組織」をつくるということが明快に謳われている。

小池は、並み居る起業家たちの若いが自分自身と事業の将来性を信じてキラキラと輝いている顔を見渡しながら、自分の認識を彼らにぶつけた。

「ベンチャー成功の秘訣は、自分が〝これだ〟と思ったアイデアに集中して、それをしっかり育てていくことにあります。しかし今の日本のベンチャーは、とにかく食べていくことが先に立って、来た注文を全部受け、何でもウェブ屋さんになっているところが多い。これでは自分のやりたいことに集中なんかできない。みんな学生からそのまま商売の世界に飛び込んで、やり方もわからず右往左往している。

これとまったく同じ状況が、一九九四年のニューヨークにもありました。NYNMA

が結成されたのも、そうしたベンチャーが寄り集まって仕事のために必要な資金調達や法務の情報を共有し、提供し合っていこうということから始まったんです。

それともう一つ、インターネットというのは非常にバーチャル（仮想的で現実感が乏しい）と思われていますが、ネット企業についてはそれは逆で、西海岸にも東海岸にもフェイス・トゥ・フェイス（直接顔を合わせて話し合う）の場があります。そうしたオフの付き合い（オフ会＝オフライン・ミーティング。ネット上の付き合いをオン、直接会うことをオフと呼び習わす）の場に起業家が集まっていると、そこに弁護士や会計士、ベンチャーキャピタル（ＶＣ）も寄ってきて、人、モノ、カネが集中し、競争も起こって自然とそこが活性化されていくという仕組みです。僕はそれをこの目で見てきました。

東京でもやはり同じように起業家が地に足をつけてビジネスを勉強できるコミュニティをつくらなければならない。東京にもネットベンチャーの聖地をつくるべきではないでしょうか」

「東京にシリコンバレーをつくろうということですね」

と参加者の一人。

「そうです。東京のネットベンチャーは渋谷中心に分布しているので、僕はシリコンバレーに対してビターバレーと名づけるのがよいと思います」

小池の話に、我が意を得たりと参加者は顔の輝きを増した。

「僕もそういうコミュニティを求めていたんです」

「では、ここにいるみんなから、ネットを使って知り合いに呼びかけていこう。日本にシリコンバレーをつくろうと」

ここからさざ波のように、「渋谷に日本のシリコンバレーを」という想いが広がっていった。

もともとみんなが何年も前から考えていてできなかったことであり、しかもなかなか接触できない研究機関やVC、会計士と会うチャンスができるかもしれないとなると、起業家たちの関心を高めるには十分であった。

この後、この構想を伝えて他のネットベンチャーを勧誘する電子メールと、賛意を表す返信が飛び交うことになる。

ビットな奴らの(アトムな)飲み会

三月五日、たまたまではあるが、渋谷の居酒屋「うおや一丁」で、三〇〜四〇人ほどのネット関係者が集まって宴会が開かれた。シリコンバレー在住のネット界での有名人、神田敏晶(世界で一番小さなデジタル放送局KNN、カンダ・ニュース・ネットワークを運営。カメラを持って世界中を飛び回っている)の帰国をネタに集まろうと、松山太河と神田がお互いに会いたい人に声をかけて人を集め、業界のキーマンが初めて顔をあわせたのである。

彼らはホームページやメールマガジンで自分の個性を主張し合い、常に持論を交換していたので、初めて会う人でもその人の中身はよくわかっているという奇妙な関係である。「ああ、あなたがあの〇〇さんですか」という素っ頓狂な声があちらこちらで上がっている。

一次会が終わっても気分が盛り上がっている人が多く、みんな帰ろうとしない。

「じゃあ二次会だ」ということで場所を探したが、あいにく大人数で入れる店が見つ

からない。「じゃあネットエイジに行こう」と、記念撮影をした後、当時は渋谷に隣接する高級住宅地、松濤の歯医者の二階にあったネットエイジの畳敷きのオフィスに一五人ほどがなだれ込んだ。

　この時、西川は地方出張に行っていて留守だったのだが、ネットビジネスに対する想いを共にする同士が集まっているので談論風発。

　神田が「凄いビジネスがあるんだよ」と、シリコンバレーで見てきた、バナー広告交換のネットワークを提供するリンクエクスチェンジの事例を話すと、「それはこう使える」「ここと組めばいい」などと新しいアイデアが次々に提案された。実際に見てきた人や、影響力のある人の話や評価を聞くことは、実感を持って新しい知識を咀嚼（そしゃく）するためには非常に役に立つ。話は「インターネット党をつくって、われわれの代表を国会に送り込もう」というところまで発展する。

「これって、やっぱり他の会社の人と会って話し合う場所があるといいよね」

「ビット（電子的な情報量の最小単位）な付き合いだけじゃ駄目だ。気心の知れた業界人たちと、ある程度閉鎖された関係の中で自由にアイデアを交換できると、そこから何かビジネスが始まりそうだよ」

「ビットに対して言うなら、アトム（原子）だな」

「じゃあ、〝ビットな奴らの（アトムな）飲み会〟ということで、これを続けていこうよ」

と提案したのは、「週刊ネットエイジ」にペンネームで書いていた西野伸一郎（アマゾン・ドットコム国際担当ディレクター）である。当時はNTTから片足抜けて、ネットエイジや、アメリカ最大手のショッピングサイトであるアマゾン・ドットコムの仕事を手伝っていた。

学生時代はミュージシャンだった西野は、ジョン・レノンの「パワー・トゥー・ザ・ピープル」を引き合いに出す。ネットが広がっていくとどうなるか。消費の主権は必然的に、情報や資源を独占している企業から、民衆にシフトするのだ。

ネットに関わっているベンチャーが一番意識しておかなければならない点はそこだ。ネットの世界はどこまでも開かれているので、情報や利益を独占しておくことは決してできない。逆に、開かれているからこそ大きなパワーが集まってくるのである。

日本の金融機関では、私用メールを制限したり、検閲を行っているところが少なくない。それでは本当に重要な情報を手に入れることはできない。ネット社会のルールに従っていないからだ。自分が情報を発信しなければ、情報を得ることはできない。カネは投資しなければ運用益を生み出さないし、人脈も抱えておくだけでは減っていくだけで増えないのとまったく同じである。人脈は紹介しなければ増えないし、カネも退蔵(たいぞう)していては目減りしてしまう。

要は力のない者の集合でも、全員がオープンにそれを出し合う場があれば、皆が利益を手にすることができるというのが、ネット社会の力学なのである。

換言すれば、非力なものほど集まって力を出し合えば強者を倒すことができるのだ。

ネットイヤーの小池のオフィスには、オランダの絵本作家が描いた『スイミー』という本が飾ってある。スイミーは小魚だ。仲間の小魚は大魚を恐れて狭いところに押し込められ、大海に出ることができない。スイミーはみんなを説得し連合して身を寄せ合い、大魚の形を小魚でつくって本物の大魚を撃退し、広い海原に出ることができるようになるというストーリーだ。

ネットはみんなを説得して他人と情報を共有するコストを大きく下げるので、不当な利益を独占している強者に弱者が対抗するためには有効な手段である。だがしかし、電子メールでは伝えきれない情報もある。意見のキャッチボールを繰り返しながら、情報の価値を高めて、単なる情報やアイデアをコンセプトにまで昇華させるようなことは、大勢が参加する電子メールではなかなか難しいし、できたとしても時間がかかってしまう。

神田が話した「リンクエクスチェンジ」のようなビジネスの種に対して、どのような応用が考えられるか意見を出し合い、実際に儲かる仕組みにまで高める、つまりコラボレーションする場があれば、きっとネットを使って多くの人が幸せになれる社会をつくることができるはずだという発想が、「アトムの付き合い」をビットバレーの住人たちが欲した理由の根底にあった。

この飲み会で、「ビターバレー構想」を話題にしたのは松山太河である。そこで話していた、「アクセス向上委員会」という老舗サイトを運営していた橋本大也、インターネットサーベイ・メーリングリストという、調査統計・マーケティングに関する実務的なメーリングリストを運営していた萩原雅之（その後、サイトの視聴率調査を行うネットレイティングス社長）がこれを聞いていて、「そのコンセプトは素晴らしい」と賛同した。

サーベイ・メーリングリストにはネットビジネスの情報を求める三〇〇〇近い参加者があり、松山は二次会が終わった金曜深夜の三時三〇頃、この飲み会が大変有意義だったとサーベイ・メーリングリストに発信している。

その週末の間に、「ビットバレー」というスレッド（題名）のメールがこのメーリングリスト上を多数行き来した。その内容は、「こんなベンチャーが渋谷近辺にある」「うちも渋谷に近い、除け者にするな」という前向きな内容ばかりだった。

八日の月曜日に、「これ以上ここでビターバレーについて議論するとサーベイ・メーリングリストを乗っ取ってしまうかも」と気を利かせた松山は、「ビターバレー」のメーリングリストを開設した。その後は、ビターバレーについての議論は、こちらで行われることになるが、最終的にはサーベイ・メーリングリスト参加者のうちの五〇〇人程度がこのビターバレー・メーリングリストにも登録したようだ。

「アクセス向上委員会」の橋本、ＫＮＮの神田は、彼らが運営しているサイトを通して、ネット初期の業界ネットワークの中心人物であった。

彼らはオフ会を開いて顔を合わせることで緩い繋がりを持っていた。そのネットワークが、ビターバレーという発火点によって顕在化しつつあったのだ。全員が同じ情報を共有できるメーリングリストはその媒介を果たす。ビターバレーのメーリングリストが開設されたことの持つ意味は大きかった。

ビターバレー宣言!

三月一一日、ネットビジネスのノウハウを掲載する数少ない媒体として関係者に支持されていたメールマガジン、「週刊ネットエイジ」三〇号のネタに困っていた西川は、小池の了承を得て「ビターバレー構想」を転載し、それに続けて「ビターバレー宣言!」を起草。メーリングリストへの参加呼びかけ文をつけて発信した。

本文は、「週刊ネットエイジの読者のみなさん、本号はきわめて重要な配信となります。なぜならここから日本のインターネット界にひとつのムーブメントを起こすことになるかもしれないからです」と書き始められている。

続いて、渋谷区内から六本木にかけて点在しているネット企業の名が並び（そのうち既にインターキュー、楽天、サイバーエージェント、オン・ザ・エッヂなどが株式公開を果たしている）、また呼びかけによってビターバレー・メーリングリストに既に有力な五〇人の参加者があることが紹介されている。大きなうねりになることを予感した、高揚感に溢れた文体である。

「はたして、この構想、日本のシリコンバレーになれますかどうか。ご期待・ご支援ください！」と宣言は閉じられている。

この宣言によって、「渋谷を日本のシリコンバレーに」というメッセージが、四〇〇〇台のパソコンに届き、それを読んだ四〇〇〇人の胸に届いたはずだ。

理念が社会を動かすというのは、わが国にはなかなかそぐわないことのようではある。ある宣言文が人の心に響いて自発的に行動を起こさせ、社会的な動きとして広がったことが、本邦の歴史上どれだけあっただろうか。長い時間をかけて醸成された幕末期の倒幕の機運との類似を指摘する人は少なくないのだが。

三月一九日夜九時、「ビットな飲み会」には五〇人程度が集まった。事前登録制だったのだが、「おっ、こんなに凄い人が」と意外に思うような業界の有名人が聞きつけて当日ゴリ押し参加したりして、濃密な意見交換をしたようだ。

「ビターバレーのメーリングリストの申し込みは即座に四〇〇人ほど集まった。これはどうやらうまくいきそうだ」という感触を得て、「ではビターバレー・アソシエーションの運営主体をどうすればいいか」というテーマにぶつかった。小池、西川といった中心的人物が加わったスタッフのメーリングリスト上で議論が続く。最初のビットバレーのメーリングリストはネットエイジのサーバーで運営していたのだ。


そこで西野は〝生態系〟という概念を持ち出してきた。

「生態系は神がつくったものだ」

と、いきなり大きな話である。シリコンバレーはインテルがやっているものではなくて自然に企業が集まってできたものだ。後から参加する人に「ああ、あのネットエイジやネットイヤーがやっているやつね」という印象をもたれてしまったらうまくいかないだろう。

「われわれがやるべきはコミュニティ・インフラの提供であって、僕たちがあまり出すぎちゃいけない。場をつくって、そこにベンチャーの種が蒔かれて生えてきて、VCという太陽に照らされ、いろんな肥料ももらって自然と育っていくんだよ。だから起業家以外の人も集まってほしいし、公的なところがやっているというイメージがあった方がいいんじゃないの」

かなり理想主義的な発想である。元々の小池のアイデアではNYNMAというNPOを参考にしていたので、「それではNPO志向のある中立的なETIC.に運営を頼もう」ということで話がまとまった。

「NPOが運営することでビットバレーはヒエラルキーがまったくないという、それまで日本になかった場になりました。特定企業がやっているイメージがなかったので、その後ビットバレーはあれだけ加速度を増すことができたのでは」

と宮城は述懐する。

並行して、ビターバレーという洒落が利いた名称についても中心メンバーが参加するメーリングリスト上で議論が繰り広げられた。

そもそも、このビターバレーという名前の由来は定かではない。ネットエイジに昔パソコンが五台あり、シリコンバレーの地名をそれぞれつけていたのだが、それらをまとめたグループ名としてビターバレーと呼んでいたのが起源ではないかという説がある。

シリコンバレーにいる人たちからは、「ビターバレーではネガティブ（後ろ向き）な印象が強すぎる」という意見が相次いだ。そこで名称を改めて募集したところ、「ビッターズバレー」「クールバレー」などの案が出たが、ネットベンチャーの集合であることや語感のよさもあって、メーリングリスト上でもビットバレーの人気が高く、これが採用されることになった。

四月上旬、ＢＶＡの役割設定と活動内容について話し合おうということで、主催者たちはインフォスタワーのインターキュー内会議室に集合した。顔を揃えたのは、小池、西川、西野、松山、宮城、富士通総研の研究員、そしてインターキュー社長の熊谷正寿を加えた十数人。

「企業から助成金をとるのはどうか」とか「ビットバレーＴシャツをつくろう」などという案も出たが却下される。シリコンバレーやシリコンアレーのケースを聞きな

がら、結局ＢＶＡの役割は「小さな政府」を意識しつつ場を提供すること、土台をつくることという方向に意見が集約され、

月一回のビットな飲み会を行う

毎週金曜日に気軽に立ち寄れるビットフライデーという飲み会を行う

メーリングリストを運営する

などが決められた。

この辺りのコンセプトと役割設定の巧みさが、ビットバレーが社会現象とまで言われるようになった最大の要因だろう。彼らは知恵を持ち寄り、メール上とフェイス・トゥ・フェイスの意見交換によって、きわめて正しい結論に到達することができたのである。

この後、ＢＶＡの運営はETIC.に委ねられ、小池、西川はご意見番として舞台の背景に一歩退くことになる。

また同時期に並行して、いろいろなイベントが草の根的に立ち上がりつつあった。西野と松山はＶＣの本音の意見をきく「ビットキャピタルの会」なども運営していた。

VCの若手担当者を招いて、「VCはネットベンチャーを出資対象としてどう考えているのか」と尋ねると、ベンチャーキャピタリストたちは、「俺は凄く出資したいと思うんだけど、上司がネットについて理解できないので、お金は出ませんよ」という情けない答えが返ってきた。まだまだネットベンチャーに対する世間の認識は、薄いというより無視に近かった。

その一方で、西川がソフトバンクにネットディーラーズを億を超える金額で売却したことが日経新聞で報道され、「実際にビジネスが高額で売れるんだ。ネットベンチャーには価値があるんだ」という驚きが伝わった。まるで大きな木にとまって羽を休めていた椋鳥（むくどり）の群れが、一時に群れだって騒ぎ始めたように、渋谷を中心にして急に自己主張を始めたネットベンチャーたちの声が内輪から広がりつつあった。

ビットスタイル

四月二二日木曜日、月例会になった最初の「ビットな飲み会（後のビットスタイル）」が、渋谷の東急文化村地下一階のカフェ「ドゥ・マゴ」で開催された。

「ドゥ・マゴ」はパリにあるカフェで、サルトルがボーヴォワールを口説くのに、「現象学を使えば、ここにコップがあることをちゃんと説明することができるんだよ」などとやっていた店と言えば、学生時代に読んだ哲学書を思い出してピンと来る向きも多いのではないか。

そのドゥ・マゴの提携店であるしゃれた店を、ネクタイを締めた若者たちが占拠した。その数一〇〇人以上。年齢は三〇歳を中心にして、プラスマイナス一〇歳くらいに分布していた。そしてこの場に顔を出した人の中に、後のビットバレーの名士として著名人となる人が多数いたのである。

機会に飢えていたのであろう、地方からわざわざ出向いてきた人も少なくなかった。一〇〇人程度であれば、ざっとみれば知り合いの顔も見つけられるし、「なるべく多くの人と名刺交換しよう。中には面白い人もいるかもしれない」という気にもなる。

この店は東急文化村の中庭にも椅子やテーブルを出していたのだが、この日はあいにく雨模様で中庭が使えなかった。そこで参加者は屋内に固まることになり、ドゥ・マゴの店内は立錐の余地もない。そして人に揉まれながら名刺を交換している参加者も主催者自身も、こんなに大勢の人が来たという事実に一番驚いていた。

「ビットバレー」という言葉になんとなくつられて、何年も顔を合わせていなかったような同業者が、口コミで参加してくる。「渋谷」という言葉によって、アンテナを張っている先端人たちの、「自分たちが参加すべきイベントだ。乗り遅れちゃいけない」という反応を引き出すことができたのである。

結果として「ビットバレー」という言葉は、「ネットの仲間は全員集まれーっ」を意味する言葉になった。たいした参加者意識もなく来た者でも会場の熱気によって、自分たちの力を初めて認識することができた。

パーティー会場というのは若干狭くて主催者が「いやあ、人が来すぎちゃいました」と詫びて回っている状態の方が参加者も満足するし、不思議に「また来よう」と思うものだ。人もカネも情報も、本来はさびしがり屋なので、仲間のいる所にどんどん集まりたがる。この後のビットスタイルで、会場が参加者を収容して余裕があった試しはなかった。

第一回のビットな飲み会は、アマゾンの西野と電脳隊社長の田中祐介がスピーチをして散会した。

第二回はパルコのレストランに二〇〇人弱を集めた。第三回は山手線をまたいでROOMSに移り二〇〇人。いずれも申し込み制で、予め参加予定者リストが配信されるので、そのリストに並んだ業界有名人の名前を見て開催当日になってから「すみません忘れてました」と申し込んでくる不届き者が相次いだ。

この間、金曜日にはビットフライデーも数回開催されたが、人数が集まりすぎて、一部のメンバーは度々店から追い出されるはめになる。

五月三一日には「ビットバレー・マガジン」という週刊の電子メールマガジンの発行がスタート。この冒頭に松山太河は「インターネット＝ネットビジネスではない」という一文を寄せている。インターネットは商売の種だけに使うものではなく、低いコストで多くの情報やサービスを伝えることでボランティアにも使えると説く内容で、NPO的文化を持つビットバレーの気風をよく表している。彼はショーペンハウエルの次の箴言(しんげん)をもって擱筆(かくひつ)している。

「人間は、自分の頭脳や心を養うためよりも何千倍も多く、富を得るために心を使っている。しかし、私達の幸福の為に役立つものは、疑いもなく人間が外に持っているものよりも、内に持っているものなのだ」

ビットスタイルは既に、アメリカのニューズウィークやＮＨＫ、日経新聞に取り上げられていたが、これはマスコミの若手でネット関係に関心が高い人も、メーリングリストなどを介してビットスタイルの存在を知っており、それが報道に繋がったわけだ。ＢＶＡでは一度もメディア向けのプロモーションをしなかったが、マスコミは喜んでビットスタイルを取り上げた。

運営者側の姿勢としては、メディアにかかわらず誰に対しても、「ぜひお越しください」と言っているわけではない。「場はつくったので、来るなら来て、後は勝手にやってください」という態度だ。

なぜこんな強気な立場を事務局がとれるかというと、彼らには「自分たちは儲けが目的でやっているわけではない。社会に対して何かの価値を提供したいからやっているだけだ」と開き直っていたからである。

一〇年前のヤンエグだと、ディスコに人を集めて、出し物もすべて自分たちで用意して、参加者はそれに魅かれて集まり、受け手としてその場に参加させてもらうというスタンスであったのだが、ビットスタイルでは事務局が用意しているものは何人かのスピーチと、ボランティアの人がつくってくれたビットバレーのロゴマークのプロジェクターによる投射といった演出のみである。

ビットスタイルの中身は、参加者本人が各々つくっていくということだろう。ヤンエグ以前の世代では、これはなかなか難しかった。「個人」という概念が希薄だったからだ。

日本人はどこかしら、自分が属する組織と自分のパーソナリティを一体化させてしまっているので、パーティーの席で話していても「わが社では……」などと会社を代表するような表現を使っていて、かつそれに違和感をまったく持っていない人が多い。

これでは限界的な部分での意見交換はできない。そもそもそういう人は本音を言うつもりもなければ情報を開示するつもりもない。これをフリーライダー（ただ乗り）と言う。このタイプの人が多いと、パーティーをやって人を集めてもお互い得られるものがないので長続きしない。

「ビットバレーの実態はね、志を持っている人たちの相互扶助なんですよ。お互いを助け合うというのが趣旨です。だからそのための最低限のインフラ（会場とメーリングリスト）は整備するけど、その後は勝手にやってくださいということです」

と西川は語る。これは理想的な形態だが、サラリーマンでは意識的についていけない人の方が多い。ところがネットベンチャーは、独立不羈(どくりつふき)なので、人前で裸になることをいとわない。ネットのルールでは、情報を出した方が得ということを知っているからだ。自分の事業計画を語らなければ出資も受けられないし、アライアンスもない。むしろ、こうした場を必要とする人々なのである。

ビットスタイルはホテルの宴会場を最後まで使わなかった。「他の異業種交流とは一味違った、ネット関連のセンスある若者の集まりである」というイメージを認知させる戦略的意図があったからだ。そのため事務局は毎回「人が多すぎる」という苦情に悩まされ、会場探しに苦労することになった。事務局はまた、ビットスタイルの運営者の存在をあまりはっきりと打ち出そうとはしなかった。正体不明にして自然発生的なコミュニティであるイメージを演出したかったようである。

ビットスタイルはなぜウケた

ビットスタイルが成功した要因を整理してみると、ビットスタイルというリアル

（現実）の場と、メーリングリスト、メールマガジンというサイバー（ネット上）の繋がりの相乗効果があったことがわかる。これはネットマーケティングの鉄則に則している。

まず一九九五年以来、様々なホームページやメールマガジンができ（ニフティなどのパソコン通信はそれ以前からあり、ここでネット上での意見交換の経験を積みルールを身につけた人が多かった）、その世界ではネット関係者は意識的に繋がっていたし、オフ会などで顔を合わせることもあり、緩い人脈は既に出来上がっていた。ネットベンチャーも非力ながらもそれぞれ立ち上がっており、それぞれがウェブサイト制作の単純な仕事以外に進出して生き残りのための礎を築きつつあったし、ETIC.がそうした企業と学生の媒介になっていた。

アメリカのネットビジネスの最新事例を紹介した「週刊ネットエイジ」は、ネットベンチャーの関心を集めていたので、ここで「ビットバレー宣言」が掲出されることはベンチャーやメディアの行動を喚起することに大きく与（あずか）っていた。

「ビットバレー宣言」には、渋谷という地域を看板にして、ネットベンチャー全体の底上げをするという公的な意義が明示され、私益の匂いがしなかった。渋谷への集積により情報共有と競争が起こり、結果として全体のレベルが上がるということだ。

またETIC.を運営主体としたことで、公的なイメージが高まり、これも人を集める要因になった。「ビットバレー」というネーミングも関係者の関心を集めるには適切であった。

もう一つ、宣言ではこの組織はオープンな相互支援組織を目指すと明記されている。東京以外の人でも入会は自由。ベンチャーと関わりを持ちたい学生、弁護士、会計士、VCが自由に参加して、Win-Winの関係をつくろうという呼びかけである。

当初は会計士などはいなかったので、単なる一人相撲の宣言のようでもあるが、半年後にはちゃんと弁護士や会計士が姿を現した。「相互支援」ということは、参加者にあくまで自律的なコミットメントを求めることになる。

ネットと口コミの広がりに支えられて、ビットな飲み会やビットフライデーには人が集まってきた。一〇〇人、二〇〇人のパーティーの運営は個人の力でもできないことではない。だがそれを継続するためには、求心性の高い共通の関心がなければならない。

参加者の中にはかなりしっかりした考えを持ってベンチャー企業を経営している優秀な経営者と、松山太河のように「ネットは社会を変える」と強調するネット宣教師が含まれていて、彼らの思考や行動のスタイルが、知識として参加者に共有されていった。

場を同じくしてつくられた共通認識は、毎日大量に投稿されるメーリングリストによって増幅される。松山が管理するメーリングリストでは、ビジネスモデルの叩き合いや法務、財務についてのかなりレベルの高い情報交換が行われていた。専門家も積極的に自分の知識を公開していた。

「とてつもなく大きな可能性を持っているインターネットにどう相対すればいいのか」というのは、ネットベンチャーにとっても、その他の人にとっても共通した問題意識であったに違いない。その情報欲求を満たしてくれる場としてビットバレーは機能したのであろう。しかもその答えは与えられるものではなく、参加者自身が出会いの中から引き出していかなければならない。

それはテストの解答のように明快な範囲を持って規定されているものではなくて、本人の意識や立場によって、仕事に役立つ知識が得られる場合もあれば、思い切って現在の職を投げうち起業転職するまでの広がりがあるわけだ。ネットに自分がどう関与していくかについて、ビットバレーは幅広い選択肢を見出すことのできる場であったのだと思う。確かにこんなに面白い場はそう他にはないかもしれない。

夏頃からビットバレーには、彼らの予想を遥かに超えた加速感がつき始める。

六月一四日、日経新聞夕刊トップに、ソフトバンクがアメリカのナスダックと組んで、ナスダック・ジャパンという新しい株式市場を創設することが報じられた。

アメリカでは株高に支えられた好景気が数年続いており、保有資産のリスク分散上も新しい投資先を求めていた。ゼロ金利政策のおかげで国内に有望な投資先のない日本の投資家もカネの行き先を探していた。

ところが主にベンチャーや中堅企業が株式を公開する場であった店頭市場は、黒字企業であること、二期以上決算をしていること、株主数など公開基準のハードルが高くて、ネットベンチャーにはかなり敷居が高い。

しかしアメリカの株高はハイテクベンチャーが牽引していることから、市場には「次はネット株」という期待感があった。それと「ナスダックは赤字企業でも株式公

開できる」という認識は世間的にも広がっていたので、ナスダックを直輸入すれば市場からの支持を得られるに違いないと、場の読みに長けた孫正義は踏んだのであろう。

彼の狙いは見事に当たった。ナスダックの登場で投資機会が増えると考えた投資家はこれを歓迎したし、思わぬ黒船の登場に泡を食った東証は、一一月に赤字企業でも公開できる新市場、マザーズをナスダック・ジャパンに先んじて創設した。この市場は世界で最も上場基準の緩い市場と言われている。

そしてこれを機に、ネットベンチャーに投資家の熱い目が注がれ始めた。

ベンチャーキャピタルの眼差し

八月四日、この回からビットな飲み会は「ビットスタイル」に名を改め、毎月第一木曜日に行うことに、また申し込み制をやめてフリーエントリーになった。この頃にはビットバレー・メーリングリストの参加者は二〇〇〇人を超えており、原宿に近い神宮前スタジオには従来の倍の四〇〇人が集まった。

この時はハイパーネットの板倉雄一郎、慶応義塾大学助教授の國領(こくりょう)二郎、カルチュア・コンビニエンス・クラブ社長の増田宗昭がスピーチした。板倉は自著『社長失格』（日経ＢＰ）を販売するチャンスとみて大量に会場に持ち込んだが、ほとんど売れなかったという。この本は彼の轍（わだち）を踏むまいというネットベンチャー経営者のバイブルとして、既に広く読まれていたからである。

板倉がビットバレーで自分の倒産体験を語っていたちょうどその時、海の向こうのニューヨークでは日本初の商用インターネットプロバイダーであるＩＩＪがナスダックに株式公開を果たしていた。初日終値の時価総額は二五〇〇億円に達した。板倉が追いかけて届かなかった夢は、ニュービジネス大賞を板倉に譲った鈴木幸一が掴んだのである。

因みにハイパーネットのメインバンクだった住友銀行の國重が社長を務めるＤＬＪディレクトＳＦＧ証券は、住友銀行がＩＩＪの資金繰りを助けた縁で、マネックス証券と共にＩＩＪのビルに入居している。

八月二七日、ビットバレー企業群から初の店頭公開企業が誕生した。熊谷正寿のインターキューだ。

同社の公募増資分の株価は四二〇〇円であり、一〇〇万株を売り出したので四二億円の調達に成功したのだが、公開日についた初値は五倍の二万一〇〇〇円であった。インターキューの時価総額は二〇〇億円を軽く超えた計算になる。熊谷の持ち株比率は一八パーセントだが、持ち株会社が五六パーセントの株を持っており、彼は莫大な資産を築いたことになる。

一九九八年一二月期の売上高は二〇億円弱で純資産は一五億円弱。その会社に二〇〇億円超の値段がついたのは、ネット産業に対する期待の反映であろう。その直前に公開したソフトバンク・テクノロジー、フューチャーシステムコンサルティングも高い評価を得ており、公開時期もよかった。

この成功は、「ネットベンチャーはカネになる」という投資家の認識をおおいに高めることになった。なお、Qネット社長でインターキューでは副社長を務めた玉置真理は熊谷と袂を分かち、携帯電話に対してゲームコンテンツを配信する会社、ファミリービズの社長に就任している。同社の役員にはQネットにいて、日広の社長でもある加藤順彦が名を連ねる。西山裕之は引き続きインターキューに残り、同社の子会社である「まぐクリック」の社長になった。

秋になると、ＶＣがネットベンチャーに対して大型の出資を行い始めた。九月三日、光通信がオン・ザ・エッヂの額面五万円の株を一株三〇〇万円の高値で買い、計四億五〇〇〇万円を出資する。

またＶＣは続々とネットベンチャーに対する大型の投資ファンドの設立を発表。ソフトバンク系ＶＣは二二〇〇億円と一五〇〇億円。光通信系ＶＣは一三三〇億円。京セラとゴールドマン・サックスは三〇〇億円。武富士は早稲田大学と提携して七〇〇億円。その他エレクトロニクスメーカーや商社など異業種も、相次いでＩＴベンチャー向け大型ファンドの設立を発表している。

各ファンドは出資者を募り、有望なベンチャー企業に投資して株式を公開させ、株の値上がり益を出資者に分配する。それはこれまでのＶＣでもやってきたことではあるが、以前とは違う傾向も出てきた。

日本に一三〇社ほどあるＶＣは、スタートしてすぐの会社の事業性を見抜いてできるだけ初期に株を取得する（つまり取得価格は額面に近い）ことはなかった。ごく初期に投資した場合でも投資額は少なく、経営者を送り込むようなことはまずない。たいていは対象企業がある程度大きくなり、経営者の手腕や事業の優位性がある程度見えたところで出資していたのである。これはアメリカのＶＣでは軽蔑される方法なのだが、日本のＶＣはたいがい金融機関の子会社なので、横並び体質の中では問題とされなかった。

外国資本も入ってきた。ネットベンチャーには国内の企業、個人のみならず欧米資本、華僑資本とあらゆるところからカネが流れ込んだ。

堀義人は、一九九九年七月に初期投資専門のＶＣを設立する。一九九七年秋、六〇〇億円のファンドを持つ世界最大規模のＶＣであるエイパックス・パトリコフの経営者、アラン・パトリコフから堀にアジアにおける投資についての相談があり、堀は慎重に調査した後提携、エイパックス・グロービス・パートナーズを設立した。投資規模は二〇〇億円。

他の外資系ＶＣもドル札をカバンいっぱい詰め込んで日本に飛来してきたが、成田までやってきて足踏みしている状態にある。アメリカのベンチャーの水準からすると、商品とマネジメントチームがしっかりしているいいベンチャーが少ないのだ。投資したいのはやまやまなのだが……。

九月と一〇月のビットスタイルは、渋谷円山町のラブホテル街の真ん中にあるドクタージーカンズの三フロアを借りて行われた。参加者はいよいよ一〇〇〇人を超えた。ある若手ベンチャー経営者は、向こうからこの場にそぐわない脂ぎったオヤジがつかつかと近づいてくるのに目を止めた。オヤジの息がまともに顔に吐きかけられたので、彼はそれだけで辟易（へきえき）したが、オヤジの第一声にはもっと驚かされた。

「おたく、第三者割当増資、いつですか？」

世にも稀なご挨拶に気圧されて、後ずさりしながら、

「はあ、そろそろ考えてますけど」

と応えると、

「じゃあウチにも出資させてください」

が二言目である。

「あのう、失礼ですが」

と尋ねると、相手は光通信の関係者であった。

「いやあ、今月末までに数億円使わないといけないんですよ」

との話に、経営者はその場を逃げ出すしかなかったという。

一〇月、一一月はカネの方がネットベンチャーの経営者を追いかけていた。当初はVCに来てほしくてビットキャピタルをわざわざやっていたのに、この頃になると「ビットスタイル参加者の三割近くはVC関係者ではないか」と言われるようになった。板倉の時代がもしこうであったら、ハイパーネットはネット界の盟主になっていたろう。しかし彼はこの面でも早すぎた経営者だった。

特に光通信とソフトバンク系列のVCの攻勢は凄まじいものがあり、同じ日に同じ部署の人間から電話がかかってくることも珍しくはなかった。たいした中身のないビジネスでも、評価ノウハウがなくてカネだけ余っているVCがたくさんあるので、とにかくネットベンチャーをやっているというだけで、二億、三億というカネを手にすることができるようになってしまったのである。

「週刊ダイヤモンド」の一九九九年一〇月一六日号では「インターネット大爆発」と題した一〇〇ページ近い大特集の中でビットバレーの様子を業界交遊図つきで細かく報じ、ビットバレーの動きはいよいよ社会的に認知されるようになってきた。こうした報道があった当日には、VCからの電話が掲載されたベンチャーに殺到した。

日本大企業の敗北

まったく不思議な話だ。二〇〇〇年第一四半期で見ても、店頭市場のヤフー、楽天は黒字だが、マザーズで黒字を計上しているのはオン・ザ・エッヂとバリュークリックジャパンのみ。クレイフィッシュは一五億円の売上高に対して一二億円の赤字、サイバーエージェントは五億円の売上高に対して二億円の赤字、リキッドオーディオ・ジャパンは、三・六億円の赤字である。公開企業が儲かっていないのなら、非公開企業は推して知るべし。ほとんど黒字企業は存在しないのである。

ところがなぜ一九九九年のＩＴ革命第一ラウンドで、たいして儲かってもいないネットベンチャーの評価が高かったのだろうか。

大企業にとってみればビットバレーのネットベンチャーは脅威であった。なぜなら大企業が事業化を思いつきもしないようなビジネスを次々と立ち上げてきていたからである。

彼らはネットを利用することによって今までのビジネス資源では実現不可能であったビジネスモデルを現実化し、これまでの商習慣を根本から破壊してしまう可能性を持っていた。

商取引の中には、実はもっと安い値段で売っているのに、顧客がそれを知らないばかりにバカ高い値段で買わされているというケースが非常に多い。これを情報の非対称性というが、この非対称性が大企業にもたらしている超過利潤がネットビジネスによって大企業からもぎとられ、新しい主権者である消費者の手に渡るのではないかという期待がある。その価値がネットベンチャーの利益となり、また高株価に反映されていると考えられる。

ネットベンチャーは、「持たざるもの」であり、過去のしがらみもなく、初期投資も少なくてすむのでネットビジネスをやる以外に道はないからやっているだけだ。ところが大企業には、現実的に回っているビジネスがある。しかも、業界のしがらみにがんじがらめになって硬直化した発展性に乏しい仕組みである。その中にからめ取られている大企業は、昔よりも固定費が上昇しているので収益もさして上がらず、仕方がないので過去の遺産を切り売りして食い繋いでいる。

加えて頑（かたくな）に従来の商売や組織文化に執着しているので、インターネットを利用したビジネスがいかにコストが安くて可能性に満ちたものであるかを組織的に評価することができない。

「組織的」というのは、若手がどんなにネットビジネスの優位性を上司に献策しても、上司はGOサインを出すことができないということである。だいたいの場合は、「知らないものは敵とみなして排除する」という村社会の組織文化に則して、その企業自体がネットからさらに遠ざかってしまっていた。

その間隙を縫ってネットベンチャーが飛び出してきたものだから大企業側は驚いた。第一ラウンドではベンチャー側が完全に大企業をノックアウトし、提携でも条件を出したもの勝ち、言い値でOKという状況となった。

しかしである。考えてみれば、大企業が本気になってかかれば、ネットベンチャーなど吹けば飛ぶような存在である。

まず技術的にはすべてオープンにされているので、ネットには独自で高度なものは何もない。組み合わせの妙だけが問題である。ノウハウの蓄積も未熟である。資本力に関しては、毎年千億円単位の投資をやっているエレクトロニクスメーカーから見れば、楽天の公開時の四九五億円調達も問題ではない。社内のインフラも充実している。そして人材は、ほぼ大企業が独占している。「ネットベンチャーなど恐るるに足らず」ということになってもおかしくはないはずだ。

ところが、そうはならないのである。

大企業が社内ベンチャーをつくったとしよう。ビジネスのアイデアを出した言い出しっぺが経営者になるのが当然だろう。しかし大企業は個人が突出することを極端に嫌うし、個人にビジネスのノウハウがたまることはもっと嫌がる。

カネはどうか。ベンチャー企業では、経営者は自分が出した出資金を失うリスクを取ってガムシャラに仕事に取り組むが、成功さえすれば大金持ち。ベンチャーとは、人生を賭けた博打なのだ。ところが大企業の社内ベンチャーでは一〇〇パーセント企業側が出資し、社長本人も出向扱いで、名刺の肩書きだけが「社長」になっているケースも少なくない。彼にはリスクもないが、得られるものも多くはない。

これを「人をバカにした話だ」と思うか、「やはりセーフティーネットがないと人は動かないよね」と捉えるか。価値観の問題だが、少なくともそのような甘っちょろいセーフティーネットを用意している限り、土性骨（どしょうぼね）のすわったビットバレーの経営者たちを打ち負かすのは難しいかもしれない。

起業家にはセーフティーネットはない。その代わり彼らは、自分が思ったとおり一〇〇パーセントなんでも好きなことをやってもよいフリーハンドを持っているのだ。

ビットバレーの変質

一一月と一二月のビットスタイルは会場を代官山に移した。会場の熱気には異様なものがあった。一一月にスピーチした楽天社長の三木谷浩史は、椅子か箱の上に乗ってしゃべっていたのだが、スピーチが終わった瞬間にこの有名人と名刺を交換したい参加者と、この機を逃さずインタビューを取ろうとする取材のカメラ、マイクが一時に押しかけ、揉みくちゃにされる有り様だった。

一二月二日には東京都知事の石原慎太郎が、都の産業政策会議の席上で三度にわたって「ビットバレーに行ってみたい」と発言。「お忍び訪問」ということで、裏門からやってきて報道関係者のスペースでパイプの紫煙をくゆらせつつ、目を細めて若者たちの名刺交換騒ぎを見物した。

「昔のダンスホールとどう違うんだ。誰が来ているのかわからないなあ」

と、ひとりごちるように記者に語った石原は青春時代、セコム会長の飯田亮（まこと）などと遊び回り、その経験を背景に描いた『太陽の季節』で昭和三〇年に芥川賞を受賞している。太陽族という言葉が既成概念を打ち壊す行動傾向の若者たちを意味したように、石原自身がある時代をつくった主役だった。その記憶と重ね合わせたのかもしれない。帰りの車まで同道したビットバレー事務局の宮城に石原は、

「こういうことをやっていると、周りからいろいろ批判されるだろう。風当たりも強くなるだろうし、こんなのはファッションにすぎんと言われるかもしれない。でも気にするな。ファッションの中から一握りのジーニアス（天才）が生まれるんだ。この中から本物が出てくるんだ」

と言い残して車中の人となった。


ビットバレーは停頓（ていとん）する日本経済の救世主であるかのように持ち上げられるようになってしまった。しかし二〇〇〇年の年明けを挟んで、宮城、松山らビットバレーの

運営者たちの間では今後のビットバレーをどうするかについての激論が交わされていた。

事務局には、参加者一〇〇〇人を超えたビットスタイルに対して「ああいうのはやめてくれ」という投書が相次いでいた。

主に初期からビットな飲み会に参加していた古株からである。人が多すぎて誰が来ているかわからない。あまりに人が多いので、メーリングリスト上で目を付けた人に会う時には、あらかじめ電子メールを送って携帯電話の番号を伝え合い、自分の背格好や服装を伝えた上で、会場の中で携帯電話をかけ合ってやっとお目当ての人物に会うことができるという有り様である。

有名人士を求めて血走った目をしながら名刺を振りかざしているおかしな参加者もいる。単なるイベント感覚で参加する者も増えた。今や「三高」男性よりネットベンチャー経営者の方が格好いい。出会いを求めてパーティー感覚でやってくる若い女性も少なくなかった。

参加者の意識レベルの乖離が広がってきたのである。ベンチャー経営者は独立心が旺盛なので、「こんな連中には交わりたくない」と考え、ビットバレーから距離をとり始めるようになった。当初はオープンな組織を標榜して「千客万来」と言っても、ネットに対する高い意識を持った人しか来なかった。だからある興味関心を共有する強い求心性を持ったコミュニティが成立したわけだ。

ところがネットベンチャーに対する社会的関心が高まるにつれて、必ずしもビットバレーというコミュニティの本来の目的に関心を持たないVCや金融機関、大企業からの参加者が増えてくる。

彼らの関心は自分たちの利益である。それでもビットバレーの文化であるフラットなコミュニティの中での相互支援というルールを外さずにやってくれれば問題は少なかったのであろうが、大企業のサラリーマンはメーリングリストに一本投稿するにつけても、事務局宛に「こんな意見を投稿しようと思うのですが、よいでしょうか」と了解を求めてくる始末。ビットスタイルでも、メーリングリストでも、その中に入って市民権を得れば、どんな情報でも自由に発信していいという単純なルールが理解できないのだ。

こんなメールを送られても、一日に何百通ものメールを受け取るBVA事務局が対応できるはずがない。種を明かせば、事務局といってもETIC.が世話になっている会計士の事務所に間借りしているだけで、給料なし、コストなし、机もなければ常駐しているわけでもない。必要な時だけパソコンを持って集まるわけで、まったくのボランティア、実体のない組織なのだ。

われわれの文化は他者との関係づくりがアングロ・サクソンに比べると下手な文化なので、日本型組織は相手との関係を安定させるためには支配＝従属関係という図式に当てはめることになっている。サル山の社会構造に近い。

大企業の論理では、「ビットバレーの支配者は事務局だから、自分たちにメリットのある情報を発信するには事務局に筋を通しておけばよいだろう」。こういう理屈である。その結果として大企業では、人間関係すら会社同士の付き合いと考えている。

だが、ビットバレーのようなコミュニティで得られるのはあくまで「人と人との関係」なのだ。それが将来ビジネスに発展する可能性はあるにせよ、その場ではただの知り合いである。一個人として相手から何を引き出すことができるかは、本人の力量に委ねられている。

こうした「一人一人が独立した個人の資格で参加する上下関係のない場」という概念は、大企業の文化とは馴染まぬものだ。ところがその馴染まぬ文化を持った人々が、上司の命令でビットバレーに殺到してきたのである。

「会員登録すれば僕もビットバレーの一員」と考えるアイデンティティー依存型のぶら下がり会員も含めて（こうした生産性が乏しい人種は学校にも企業にも少なくない）、「ビットバレー」という名前の周囲に人が群れ、ひしめき合った。ビットバレー宣言以来七カ月目のことである。

「これはヒートアップしすぎだ。名前だけ先行して、大事なことに手がつけられずに終わってしまうかもしれない。一度クールダウンさせよう」

二〇〇〇年の年明け早々、事務局は次回をもって、ビットスタイルを中止する決断を下さざるをえなかった。松山の「中止」という表現を、宮城は「休止」と修正した。

ネットバブル

この間、ネットベンチャーに対する関心は、市場では熱狂にまで高まりつつあった。

一九九九年一二月二四日、東証にベンチャー向け新市場「マザーズ」が誕生。取引所市場なので「公開」ではなく「上場」となるのだが、赤字企業でも上場時の時価総額が五億円以上あれば上場できるという、非常にハードルを低くした新市場で、ネットベンチャーの多くはマザーズ上場を射程距離に入れることになる。

マザーズ上場第一号のインターネット総合研究所の六月期売上高は七億円。経常利益七〇〇〇万円。公募価格は一一七〇〇万円であったが、上場日の二四日は株価が寄りつかず、翌日、翌々日営業日も買い気配のままで値がつかず、二八日になってやっと、額面五万円の株に五三〇〇万円という初値がついた。

時価総額は約七〇〇〇億円。この株価は当時のＮＫＫと住友金属工業の時価総額の合計よりはるかに大きい。いかにインターネット市場と同じ年七〇パーセントの成長を目指すといっても、この企業は両鉄鋼メーカーを凌駕する価値を持つ企業なのだろうか。筆者は詳らかにするところではないが、こう指摘する声はある。

インターネット総研の株式総数は約一万三〇〇〇株。浮動株比率は八パーセントである。この少数の株を、ネット人気に目をつけた投資家が奪い合い、会社の内容を必ずしも反映していない高値を呼んだというのである。上場当日は売り物はほとんどなく、買いの方は成り行き注文が多かった。とにかく玉が少ないのである。しかし人々はネット株を求めていた。

同社と同時に上場したリキッドオーディオ・ジャパンは、インターネット上で音楽配信を行う、つまりレコード店を中抜きにしてCDを直接パソコンに取り込むためのシステムを開発している会社だ。六月期決算が三億円の赤字企業であるにもかかわらず、三〇〇万円の公募価格に対してついた初値が六一〇万円。

二〇〇〇年一月末に帝国ホテルで行われたリキッドオーディオ・ジャパンの上場記念パーティーでは、小室哲哉やつんく、SPEED、藤原紀香、モーニング娘。といった当代芸能界の人気者が顔を揃え、いつものつまらない一般企業の上場記念パーティーを予想して赴いた証券会社員たちの目をみはらせた。

しかしその後、この会社の大株主の背後に暴力団関係者の存在を指摘する報道が相次いだ。裏社会はおっとりした大企業に比べれば格段に事業センスがいい。カネの匂いがしてくればどんな所にも入り込んでくる。

公開基準が低くなり、内容の薄い会社でも高値がつくのであればネットベンチャーは合法的に大金を得る手段にすぎない。こうした裏社会の動きを警戒した東証は、警視庁の要請を受けて、暴力団関係者が経営や資金に関与していたり、経営者が暴力団関係者と親交がある場合は「上場不適格」として上場申請を却下する項目を審査基準につけ加え、警察との連携を強化した。

また、一部の仲のいい公開企業オーナーの投資家グループが、私募ファンドをつくってお互いの株を買い支え合い、株価を吊り上げているのではないかと指摘する記事も関係者の目を引いた（日経ビジネス二〇〇〇年二月七日号「特集ネット株が危ない！　歪み生むベンチャー投資」）。

市場はいよいよネット株ブームの様相を呈してきた。二〇〇〇年一月にはソフトバンク子会社のヤフーの株が一億円を突破。テレビニュースで大きく報じられ、世間の耳目を集める。ヤフーは同年二月二二日には一億六七九〇万円の高値まで到達した。恐るべき株価。ソフトバンクは二月一五日に一九万八〇〇〇円、光通信も同日二四万一〇〇〇円、インターキューは二四日に九万八〇〇〇円を記録した。一年前には誰も見向きもしなかったネットベンチャーが、一気に時代の花形にまで押し上げられたのである。

二〇〇〇年二月二日夜、六本木のディスコ「ヴェルファーレ」地下三階のフロアは、二〇〇〇人を超える人で埋めつくされていた。天井の高い大空間の底にひしめき合う人の群れに移り気なスポットライトが幾条も投げかけられている。

最後のビットスタイル。この社会現象を伝えるために集まった報道陣だけで一〇〇人。名刺交換する気も失わせる大人数だが、群衆の熱気とパワーは自己増幅して皆に高揚感を与えていた。

ゲストスピーカーとしてDeNA社長の南場智子、マネックス証券社長の松本大、オン・ザ・エッヂ社長の堀江貴文などが次々と登壇。

続いてスイスのスキーリゾート、ダボスで行われていた世界経済フォーラムから自家用ジェット機を仕立てて帰国したというソフトバンクの孫正義がマイクを握った。「三〇〇〇万円かけてスイスから飛んできました」と話した直後、会場から大きな拍手が湧き上がった。十分なトリックプレーである。

情報革命を成功させようとの呼びかけからナスダックへ話題を移した孫は、続いて六月一九日にスタートするナスダック・ジャパン・プランニング社長の佐伯達之を持ち上げた。ビジネス界のインターネット教祖は、ビットバレーに一番遅れてやってきて、一番おいしいところをもっていったわけだ。

最後にＢＶＡ事務局の松山と宮城が壇に上り、ビットスタイルの休止を伝えた。ビットスタイルは東京ドームを目指さなかった。一年間に渡ったビットバレーのオフ会はこれで終了したのである。


急速に湧き上がる入道雲のように人々の眼前に現出したネット株ブームであったが、その調整局面も思いの外早くやってきた。二月中旬から下旬に相次いで高値をつけたネット関連株価だが、徐々に下落のスピードに勢いがつき始める。

ビットバレー企業の公開は三月一〇日にクレイフィッシュ（公募価格一三二〇万円、初値二五〇〇万円）、三月二四日にサイバーエージェント（初値は公募価格と同じ一五〇〇万円）と続いた。

クレイフィッシュ社長の松島庸は二六歳。先にアメリカのナスダックで公開して人気を煽ってからマザーズに上場するというあざとさと、テレビニュースで放送された記者会見での受け答えの幼さが一般の人の印象に残った。「なんだ、社長といってもお子様じゃないか」。これは本人には酷な評ではあるが。

三月一〇日発売の「文藝春秋」、三月一三日発売の「日経ビジネス」は光通信の重田康光の強引なビジネス手法を批判する記事を掲載した。

重田は孫正義と並ぶネット業界の首魁(しゅかい)とみなされていたので、この記事に対する社会的反響は大きかった。さらに重田はソフトバンクの社外取締役を務めていたのだが、野村證券出身で金融部門を統括していたソフトバンク副社長の北尾吉孝が「重田のビジネスはソフトバンクの戦略を真似ている」と批判したことから二人の不仲が表面化、重田は役員会に姿を見せなくなった。

ベンチャー投資ではソフトバンクと光通信の系列ＶＣが投資先を巡って火花を散らすことが多かったので仕方ないことだったのかもしれない。が、このケンカのツケは両者にとってあまりにも大きかった。重田は結局、四月二六日付でソフトバンク社外取締役を退任することになる。

市場では重田個人が株価操作疑惑で当局の捜査を受けているのではないか、逮捕されたのではないか、いや、死亡したのではないかという噂まで流れたが、彼は三月一五日まで姿を現そうとしなかった。

さらに一五日の会見では「業績は順調に推移している」とコメントしたが、三月三〇日に突然「二月中間期は一三〇億円の営業赤字になる」と発表。完全に市場の信頼を失ってしまう。

光通信とソフトバンクの株はもつれ合うよう下落し、ソフトバンクは四月二〇日に四万三三〇〇円（三分の一株式分割前、修正株価ベース一万四四三三円。さらに八月四日には七八二〇円まで下げた）、光通信は二四万円をつけていた株が、七月七日には三六〇〇円をつける。関連会社の倒産が相次ぎ、値下がりに歯止めがかからない状態が続いた。

これはあまりに極端だが、他のネット関連株も軒並み公募価格を割る状態に陥った。インターキューは五月下旬に一万円を切った。ネットブームの寵児たちは、いきなり冷徹な株式市場の洗礼を受けたのである。

IPO

二〇〇〇年四月六日、ウェブサイト制作運営会社オン・ザ・エッジ社長の堀江貴文は、期待と不安のない混ぜになった朝を迎えていた。

この日、彼の事業は年末にスタートした東証の新市場マザーズに株式を上場するのである。企業が市場で株式の新規募集することをＩＰＯ（Initial Public Offering）という。同社は既に公募増資として一株六〇〇万円で一〇〇〇株を売っていた。調達額は六〇億円である。この二七歳の青年は八〇〇〇株弱を持っているので、この時点で五〇〇億円弱の資産家になっていたことになる。

だが、投資家の需要状況を反映したブックビルディング方式で公募価格が決まったのは三月二七日。それからアメリカのナスダックは急落、特に三月初旬にナスダックに上場したクレイフィッシュの株価は高値の四分の一まで下げており、それを受けてマザーズ銘柄はぐっと値を下げてきている。クレイフィッシュは五割以上下落。光通信、ソフトバンクも大幅に下落している。

特に気にかかるのは光通信である。堀江は一九九九年秋、光通信から四億五〇〇〇万円の出資を受けていた。「この好環境がいつ変わるかもしれないし、受けられる時に受けておこう」と出資を仰いだ光通信は同社の一四パーセントの株主になっていたのだが、ここにきての光通信株の急落で、いわゆる「ひかりもの」と見なされるようになってしまったのだ。まったく最悪のタイミングでの上場であった。

午前八時、堀江は家賃二五万円の自宅マンション前に駐められた大和証券差し回しのハイヤーに乗り込んだ。ボサボサの長髪。Tシャツにアウターを羽織る。下はジーパン。首回りが太いのでYシャツネクタイはしない。「自分が一番働きやすい服が制服だ」と言い張っている。以前友人の結婚式に出るためにYシャツを探したが合うサイズがない。店員が「これ、舞の海さん用にとってあるやつだったら合うと思うんですけど」と取り置き分を出してきたという。

八時半、背広姿の総務担当者二人を従えたジーパンの青年は、東京証券取引所の重厚な建物に吸い込まれていった。バブル直前に建てられた石造りの権威主義的ビルである。当時の日本では権威が秩序を守ると信じられていた。しかし、ポルシェを乗り回している堀江はそんなことには頓着しない。

九時、取引開始。オン・ザ・エッヂ株は売り気配で始まった。

「やっぱりなあ」

株価は経営者の採点表だ。株価の上下は経営の巧拙に対する評価であり、自社の株式に幾らの値がつくか気にしない経営者は経営者とは言えない。これまでマザーズに公開した株の初値はすべて公募価格を上回ってきた。しかし今初めてその前例が打ち破られようとしていた。

一〇時、東証のシステム売買室を見学。場立ちがなくなってから、この部屋がテレビでお馴染みになってしまった。古めのパソコンがずらりと並んでいる。

「いま値がついて上がっていってくれてたら気持ちがいいだろうなあ」

堀江はモニターを確認したが、やはり売り気配のままだった。ここでＮＨＫとテレビ朝日のインタビューを受ける。

その後東証ビルの上層階にある今時、珍しく豪華な内装の認証ルームに移動。バブル期につくられたどこかのゴルフコースのクラブハウスが兜町の空中に浮かんでいるようなものだ。商売の神様であるマーキュリーを刻んだ楯をもらい記念撮影。

一一時、東証副理事長と五〜六人で歓談。株価が気になるのでｉモードでしばしば確認。やはり値がつかない。

正午、近くの大和証券のビルに移動。エクイティ部の机上は売買をモニターする端末が山積みになっていて、なかなか格好よい。アナリストとおしゃべり。その後、株式事務を代行する部署で輪転機を見学して昼食。「まだ株価つかないねえ」。

後場が始まっても状況は同じだった。結局、四五〇万円の売り気配のままで終了。公募価格より上がって当たり前の初値が初日はつかなかった。傲岸不遜(ごうがんふそん)で鳴らす堀江にとっても、さすがにこれは痛撃である。

三時一五分、兜クラブ。「ただいまから本日上場したオン・ザ・エッヂの堀江貴文社長の記者会見を行います」の放送があり、安スーツに身をつつんだ記者連が三々五々狭い会見室に入ってきた。テレビ朝日のカメラの照明のせいか、西日のせいか、やや暑い。堀江はまったく緊張の色を見せていない。もっともこの男は世の中をなめ切っているところがあるので、どんな状況でもストレスは感じないだろう。

堀江はぎこちなくパイプ椅子から立ち上がって「よろしくお願いします」と挨拶した。表情をまったく変えずに、上半身をやや机にもたせかけて淡々と、自社の技術力の優位性と、ネット市場の有望性を述べ、それゆえここ一～二年で市場優位を確保する資金調達のため株式を公開したと説明する。

記者は目論見書に目を走らせていてまともに堀江の話を聞いているようには見えないが、ポイントを押さえた質問を繰り出してくる。経営危機が伝えられる光通信との取引関係については、もちろん最初に訊ねられた。もし光通信に営業依存しているとなると大きなマイナス材料だ。堀江はやはり大株主で株価が下がっているグッドウィルも含めて、取引関係がほとんどないことを強調した。

技術供与先であるサイバーエージェントとの関係を突かれると、「技術供与のような取引は他社とも展開している」とかわす。そんなひっかけ質問より「公募価格の二五パーセント安というのはマザーズでは一番低い水準では」とのストレートな問いの方がこたえたらしく、「んー、まあ」と初めて言葉に詰まった。

「そのまま受け取るしかありません。われわれにできるのは増収増益だけです。われわれはネット業界の中でも地味な存在ですから、わかる人にはわかるんですけど外部にアピールが足りないかもしれません。みなさんのウェブ・システムを受注してコツコツつくるのが商売ですから。でも、今後もネット市場は伸びるし、シェアも広げていきたいと思っています。それでも株価が反応しなければ、また考えたいと思います」

堀江は約一時間、二〇人の記者を相手にした会見を乗り切った。もっとも彼は「出たがり」なので半ば楽しんでいたのかもしれないが。

四時半、いったん会社に帰って出直し、経済情報専門放送であるブルームバーグテレビの番組に出演する。そこから帰社すると、各幹事証券会社から豪華な蘭の鉢植が二〇個近く届いている。懸崖(けんがい)づくりの鉢が受付を埋めつくす様は壮観で、やや慰められる。社員からも寄せ書きが来ている。ここで気合を入れ直して、午前三時までかかって電報の山を見、殺到するメールに目を通す。少々落ち込みつつ、家に帰ってシャワーを浴び、ビールを飲んで寝た。

翌七日、起きぬけにｉモードに手を伸ばし株価を見る。四四〇万円で取引が成立している。ホッと一息である。

ところがこの日、最終段階でワラントを譲った光キャピタルが運用担当者の判断で持ち株の三分の二を売ってしまったと聞いて堀江は激怒する。

「あの株は光キャピタル設立の御祝儀で割り当てたんじゃないか。こんな時に売るのか。何を考えてるんだ、いったい」

ＶＣからの出資は両刃の剣なのだろうか。堀江は光通信からの出資受け入れについてこう振り返る。

「光通信は当社の第三者割当第一号です。他人からカネを出してもらうという意味では気持ちがぐっと引き締められたし、彼らの厳しい部分、しっかりした体制、しぶちんなところはかなり勉強になったし、刺激になりました。でも、今は〝光依存体質〟なんじゃないかと外部に見られているようです。悪影響が出てきてしまった」

四月上旬、ファイナンシャル・タイムズは「オン・ザ・エッヂは売り上げの八割を光通信に依存している」と報道した。おそらく公開を延期したネクステルと間違えられたのだろう。堀江は正式に抗議したそうだ。

この後も、同社の株価は光通信の下落に合わせてじりじりと下げ続け、二カ月後には一五〇〇万円を切ってしまう。しかし証券会社が好意的なレポートを出したことで株価はV字型に回復し、七月には一時上場後の初値まで持ち直した。

こうしてまた一つ、上場企業社長の苦悩の日々が始まったわけだ。

光通信はほとんどのネットベンチャーに接触し、数十社に投資している。同社があまりに多くのネットベンチャーに投資したことが、結果としてネットベンチャー全体の再浮上を阻害する大きな要因になっているようだ。ベンチャー側が増資を希望しても、「えっ、おたく光さん入ってるの、じゃあちょっと……」と、他のVCの腰が引けてしまうからだ。

ブーム時には増資の株価の相場は光通信が押し上げていたので、彼らが去った後は、光通信に関係のないベンチャーの増資時の株価の相場も冷え込みつつある。

投資家は「ネット株、ネット株」と念じつつ市場に殺到した。だが公開できるところまでたどり着いているネットベンチャーはまだ少なかった。しかも公募株数は一社当たり一〇〇〇株しかない。そこで値段が企業価値を無視して吊り上がってしまったのである。

しかし、熱狂は冷めた。

六月にはナスダック・ジャパンがスタートし、さらに多くのネットベンチャーが株式市場に名乗りを上げた。上場企業数が増えて、投資家が個々の企業の善し悪しを冷静に判断して投資すれば、株価は企業価値を反映する水準に近づいていくはずである。

ネットには大きな可能性があるが、その可能性と個別企業の今後の伸長はあくまで別問題と考えなければならない。また、上場企業側は流通株数の確保と適切な情報公開を義務と考えなければならない。実力を隠して高株価を維持しようと思っても、未来永劫市場を欺き続けるなど決してできることではない。

十数人のコミュニティから始まったビットバレーだったが、彼らは火のつけ方がうまかった。インターネットの普及という乾いた薪もいっぱい積んであった。薪の山はパチンと弾けて、世間の耳目はビットバレーに集まった。だが、次にくべる薪がなかった。

ビットバレーの会員は約六〇〇〇人に膨れ上がっていた。四五〇〇人が利用しているメーリングリストは、三月一二日にいったん閉鎖し、そのまま「カフェ・メーリングリスト」に移行、四月二〇日にはこのメーリングリストの運用も停止し、ＢＶＡが提供する「ネット業界の交流メールリスト」も姿を消してしまった。

事務局の宮城は言う。

「メーリングリスト＝ビットバレーという誤解がありましたからね。会員数を限定することもできたんですが。今は分科会のメーリングリストがビットバレーのホームページに載っています。以前から勝手にやっている人のリストを載せているだけなんですけどね。

月一回強力な求心力のある定例会があるとみんな安心しちゃうんですが、なくなってみるとはっと我に返って、自分たちで新しくグループをつくろうという動きも出始めましたね」

淡々としたものである。「ビットバレーは拝金主義者の集まり」という批判は、彼にだけは当てはまらない。宮城はＮＰＯであるETIC.から収入を得ており、ＢＶＡからの収入はない。欲も存続に対するこだわりもない。あるのは「社会に対してイノベーションを呼びかけ、発信していかねば」という強烈な使命感だけだ。

「もしビットバレーで金儲けをしようと考えて始めていたら、その分何かサービスを提供しなきゃいけないし、人数が急激に増えてきたので凄いプレッシャーになったでしょうね。

今までは自由にやってきたのですが、全国にビットバレーの動きが広がっているし、行政からも協力を求められている。寄付の申し出もあります。大きな期待が寄せられていて、主体的に動かなければならない時期が来ているんだと思いますね。

今後ビットバレーはＮＰＯの名前ではなく、シリコンバレーのような地域名称になるといいなと思っています。その時、ＢＶＡが果たせる役割はいろいろあるはず。

ビットバレーという言葉の役割は、もともと渋谷周辺にあったネットベンチャーの潜在的集積を、目に見えるようにしたことです。僕は元々はネットではなくて起業家を支援するところから入ってきましたから、ビットバレーの盛り上がりによって学生たちに起業に対しての気づきの場を与え、大企業の中で自分の可能性を見出せない人や、飛び出したくても飛び出せない人が企業から飛び出せるようになった。

二〇代、三〇代の人に選択肢としてベンチャー起業を気づかせ、それによって今ベンチャーをやっている人たちを応援できたというのが大きかったですね。この一年でベンチャー全体を底上げし、その層を広げることができたと思います」

人材はネットベンチャーへ

では、実際に人は動き始めたのか。動いたのである。カネが動くと人は動く。だがカネより早かったのは就職難に直面した学生たちだ。

一九九九年の春先には、「ベンチャー企業回りをしています」と話す大学生たちが現れた。ネットベンチャー企業の新卒採用を狙っていたようである。その頃はまだ、企業の方が受け入れる余裕も心の準備もできていなかったのだが。

次に、一九九九年の秋頃から外資系コンサルティング会社の若手がネットベンチャーに移籍し始めた。一〇年前に日本企業を蹴ってこうした会社に就職した者たちは、そもそもリスク志向があるので、ストックオプション（株式の付与）による利益を求めてネットベンチャーに移ることにあまり抵抗感を持たなかったようだ。

彼らは経済全体を見渡す鋭い視点を持っているので、「これからはネットだ」という確信に基づいて意識的に飛び込んでいく。マッキンゼー、ボストンコンサルティング、アンダーセンコンサルティング、A.T.カーニーなど代表的コンサルティング会社の若手が、ソフトバンクや光通信などのベンチャー企業に入っていった。ボストンコンサルティングの名物社長だった堀紘一は、ベンチャー企業支援のドリームインキュベータを起業した。

社会人教育のためのポータルサイトを運営するアイ・キュー・スリー社長の坂手康志は、マッキンゼーからアンダーセンコンサルティングに移りパートナーの地位にあったが、二〇〇〇年一月末にアイ・キュー・スリーに移籍した。

スピード勝負なので、同時並行で社内体制増強のために、年末から一月にかけてバイス・プレジデントクラスに一流の人材をヘッドハント。財務担当副社長はプライス・ウォーターハウスから、営業は三菱商事から、サイト管理者は電通関連会社から、技術者はＥＤＳ（世界最大規模の情報システム会社）からチームごと六人引き抜いた。開発部隊はインドのバンガロール（ソフト関連企業が多いハイテク集積地域）にアウトソースしてコストの三分の二を節約。法務関係は英語の契約書類を扱える弁護士を社員として雇い、さらに知的所有権専門の弁護士とパートタイムで契約している。社員は二〇〇〇年五月のサービス開始までの半年に三人から八七人に増えた。

これだけのことをやって、その横でその実績を見せながら外国投資銀行や外国人大口投資家から三二億円を資金調達し、大量のテレビコマーシャルに投入する。社長業には超人的な行動力が要求されるが、坂手は「私にはリスクはない。今やらなければ損だ」と語る。彼のようなコンサルタント出身者の事例は枚挙にいとまがない。

続いてコンサルティング会社から外資系企業に転職していた人たちにこの〝病〟が

伝染していく。

きっかけとしては、個人的に狙い打ちされることもあれば、ネットベンチャーに移ったコンサルティング会社の元同僚と外資系の仲間内で飲み会をやっている時に、なんとなく「オレ今こんなことやってるんだ。興味ある？　あんな仕事つまらないじゃん。最初は夜だけでいいから手伝いに来てみない？」という勧誘を受けて、「ちょっと覗いてみようかな」というところからこの世界にどっぷり浸かっていくのがパターンのようだ。

しばらくして「こいつは向いている」と判断されると、会社側から「うちに移って来ないか。キミにオペレーションを任せるからさ」と声がかかってくる。これは殺し文句だ。なぜなら外資系企業でオペレーションの責任者をやっているのは四〇代の人たちがほとんどで、しかも少数の人たちが日本中の外資系企業を転籍して仕事を回し合っているきらいがある。若手としては自分の権限で大きな仕事をしてみたいと思うのは常だが、外資系の世界も日本企業と同じでなかなかそういう場は巡って来ない。

「ならば」ということで、エイヤッとネットベンチャーに飛び移るのである。

同じ外資系企業を辞めた人が入っているメーリングリストも転職の機会を提供する。

自然に「辞めてうちに来ない？」という話の展開になっていくようだ。

あるいは、上司がヘッドハントされてチームごとベンチャーに移籍するというパターンもある。


では日本企業からの転職、独立についてはどうだろうか。この業界への最大の人材供給源はリクルートである。リクルートは学生と企業を繋ぐことからスタートしたベンチャー企業であるが、現在もベンチャー的文化をしっかり残している。平均年齢も若い。しかもネットへのかかわりは早かった。

村井純のWIDEプロジェクトを資金的に支えたのはリクルートであり、メディアデザインセンターというR＆D（研究開発）部門の中でネットの可能性を常に追求してきた。

その成果の一つがリクナビを有する総合ポータルサイト「イサイズ」である。トランスコスモスという会社にはリクルートから一〇人以上も転職している。どこのネットベンチャーでも、株式公開が狙えるほど大きくなると、必ずリクルート出身者がいると思って間違いないだろう。

どの企業でもそうだが、新入社員の父親はリストラ世代である。父親の後ろ姿を見ていて「ああはなりたくない」と思っている新入社員が、会社の現実を知るまでにそうは時間はかからない。

そうなってくると大企業でサラリーマンをやっていることにさしたる意味は感じられないので、もっと自分の好きな分野で思いっきり働ける会社に移るか、あるいは仲間を集めて起業しようとする。それが参入障壁が低く成長余力があるネットベンチャーであるというのは不思議なことではない。むしろネットベンチャーでなければ不思議なほどだ。

しかしリクルートは、世間では日本の伝統的な組織風土とはちょっと距離を置いた異質な企業とみなされている。大企業が懐深く抱え込んでいる優秀な人材が、ネット界に流出する兆しはあるのか。

マザーズやナスダックの整備でベンチャーのゴールは近くはなった（ゴールの先は中堅企業としての競争が続くが、チャンスも広がる）。銀行貸し出し以外の資金も集めやすくなった。株式公開に成功したベンチャー経営者は、自分の経験や手持ちの資金を投資してベンチャーを支援する立場になってくれる。

環境は整いつつある。しかもネットビジネスのスピードは早い。経営者となる人材を供給できるかどうかが問題だ。

ネットイヤーグループの小池はこう語る。

「大企業からどのように人を引っ張り出してくるかが鍵なんですね。アメリカで起業している連中は、大学を出てから大手企業に一度就職して、それからビジネススクールにMBAを取りに行き、その後ベンチャー企業を立ち上げた経験のある人が、さらに練りに練ったアイデアでネットベンチャーを起こしているという形。つまり彼らは経営のプロなのですが、それすらVCから見ると頼りない。

だから日本のネットベンチャーのように、学校を出ただけで財務諸表も読めないような人がインターネットを知っているだけで〝社長でござい〟というのは、アメリカではあり得ないことなんです。ビジネスプランを見て〝どうしてこんなに売上高が伸びるのか〟と聞くと、ただ〝頑張ります〟という根拠のない答えが返ってくる。ところがそういう経営者にも喜んで億単位の出資をするVCがあるんですからね。こうした日本の状況には危機感を抱かざるを得ない。別に愛国者というわけではないんですがね。

僕がアメリカで学んだのは、〝Be Natural〟ということ。アメリカ人は自分が思った通りに行動して、会社も自然につくっちゃう。ところが日本人は〝会社には一生勤め続けなければいけない〟とか、〝結婚したら一生添い遂げなければいけない〟とか、嫌なことでも押さえつけられて、赤ちょうちんで文句ばかり言っている。

とにかくみんな平等じゃなきゃいけなくて、その村社会の秩序から出るにはヤクザの組から抜けるような覚悟がいるわけです。〝指一本置いていけ〟って世界ですよ。

アメリカに行くとそういう洗脳が解けて、〝これ、なんかおかしくないか〟と思い始めます。

〝出る杭は打たれる〟なら、僕は打ち切れないくらいどんどん杭を出してやろうと思うんですよ」

ビットバレー宣言の背景には、そうしたアメリカ的自由の精神が流れている。

大企業で働くリスク

大企業の社員では、まず派遣留学や駐在でアメリカに行き、現地のビジネス文化に触れた人に、ネットベンチャーへの転職の流れができたようだ。「生態系」概念をビットバレーに導入したアマゾン・ドットコム国際担当ディレクターの西野はその一人である。

「日本の大企業の中で自分がやりたい仕事にありつくラッキーな人はごく一部です。二〇代半ばの社員だと、何かをやりたい気持ちだけはあるんだけど、何をやったらいいのかわからないという人がほとんどでしょう。

でもね、本当は一番リスクがあるのは大企業にいることですよ。それを振り切って会社の外に出るべきなんです。幸いビットスタイルが注目されて、人の移動が徐々に始まったのはいいことだと思いますね」

アメリカでは金融機関からネットベンチャーに転進するケースは決して珍しくないが、日本では稀である。

そんな中、一橋大学から興銀、ハーバードMBAという人もうらやむエリートコースを捨てて一九九七年にベンチャー界に飛び込んだ三木谷の楽天が、二〇〇〇年四月一九日、ネット株総崩れの環境下で店頭公開し、初値こそ公募価格を下回ったものの、その後も株価は順調に推移している。

それまで公開に漕ぎ着けたベンチャーのオーナーの中には、エスタブリッシュメントの大企業から転出したというケースはなかった。その意味では彼の成功はこれまでのベンチャーのゴールとはまったく違う意味合いがある。

大企業で抑圧されていた人材も、三木谷が数百億円の資産家になったのを見れば、そこに留まることのバカバカしさに気がつくだろう。彼の古巣の興銀は、三木谷が辞した当時は戦後の産業復興をリードした誇り高き銀行の中の銀行であったのだが、その後、合併集約されてみずほ銀行として存在の独自性を失う方向にある。合併効果を上げるため合併後は当然リストラが行われる。西野の「大企業にいることが一番リスクがある」という言葉は誇張でも何でもない。

「これは構造改革です。大企業の殻を打ち破って人材が流動するエネルギーは、ずっと貯まりつつあった。それが一九九九年の春に一定の閾値(いきち)を超えて、人材がドッと外に溢れ出した。このムーブメントは定着するし、ベスト・アンド・ブライテスト（最も優秀な人材）は大企業に残らないでしょう」

住友商事を抜け出て起業したグロービスの堀義人は断言する。

ビジネススクールであるグロービスでは、一九九九年後半に「インターネット・ビジネス・マネジメント講座」という講座を設けた。

このコースは、きちんとした経営陣を育ててネットベンチャーに送り込むことを目的としている。そのため同社では初めて選抜試験を行い、企業派遣は認めない。受講生は大企業のサラリーマンで、ＭＢＡ取得者も含まれる。そして第一期の受講者五〇人のうち一八人がネットベンチャーに転進を決めたという。

グロービス・マネジメント・バンクが人材を企業に紹介する業務を行っている。グロービスは、大企業という人材ダムに深く持ち込まれた楔（くさび）である。ダムの決壊は現実化しつつある。しかし堀は条件をつける。

「確かに大企業から外に出ても平気な状況になりつつあります。それで〝べらぼうに走っていけばいいいんだろう〟と思っている人が少なくない。でもそうじゃないんです。

賢くて、ちゃんと物事や世の中の動きがわかっていて、経営のセンスがあってビジネスのフレームワークがあって、一緒に働いてみたいと思わせる人間的魅力のある人しか生き残ることができないということは覚悟しておいてもらわないと」

あのバカにやらせてみよう

起業にはリスクが付き物であることは当然だ。ベンチャーの世界に飛び込むものはそれを承知で自分の可能性に賭ける。

そして自分の能力と時間をすべてつぎ込んで商売を立ち上げようと奮闘するが、成功することの方が実際は少ないのである。現に利益を出せるところまでいっているネットベンチャーはまだまだごく一部である。

どんなにうまく行っていても、途中で何が起こるかわからないのがビジネスだ。

Qネットの真田哲弥の場合は商売が乗っかっているインフラ上で規制がかけられた。ハイパーネットの板倉は銀行融資が突如引き揚げられた。ネットでも特許侵害で訴えられるかもしれない。新技術の登場や新サービスが客を根こそぎ奪うかもしれない。

地震でサーバーが壊れてすべてのデータが失われるかもしれない。

そうしたリスクを取る勇気をもったベンチャー起業家たちを、私は冷笑的に眺める気にはどうしてもなれない。

たとえ大きな失敗をしたとしても、彼らは新たな価値をつくることに挑戦したのである。利便を受益するのは消費者である。ならばそうした人間や新ビジネスへのトライの回数を増やすことは社会の前進にとってプラスなのではないだろうか。

しかし日本では、一度起業に失敗した人間は社会的落伍者として否定される。板倉のように失敗体験自体が認知されている存在は八起会などごく少数である。


ビットバレーはネットベンチャーの存在と、それが誰にとっても可能な選択肢であることを世に知らしめた。だがそもそもは緩い結合があったところに、強力な求心力で全員を集めてしまったために、ネットベンチャー経営者はほぼ全員が知り合いということになってしまった。これに対して「シリコンバレーには複数のコミュニティが存在し、ベンチャー経営者の人数も多く、その層も格段に厚い。その中でビジネスモデルや技術レベルを磨き合っているから発想が豊かだしスピードが早い」という指摘がある。

アマゾン・ドットコムの西野はこう答える。

「確かにビットバレーの層が薄いのは事実です。人数が少なければ仕方がない。でも人数が増えればコミュニティも複雑になるはずです。一九九五年のベンチャーブームの時は株による直接投資がなかったから、銀行がよく考えずにベンチャーに融資して崩壊してしまった（ハイパーネットの他にシナジー幾何学、ドームといったマルチメディア関連のベンチャーが倒産した）。

でも今は、人もカネも入って来るようになった。ベンチャーを取り巻く環境は根本的に変わったんです。だから人やカネを何回転もさせて、この新しい構造を強固なものにしていくことが重要だと思うんです。

シリコンバレーではね、たとえ一度会社を潰しても、経営ができる人材はなかなかいないから、また雇われるんですよ。日本のネットベンチャーでも必ず失敗する人が出てくるでしょう。だけどその人は失敗の経験を積んでるんだから、もう一度チャンスが与えられるようになるといいと思うんです。再挑戦は、〝渋谷インターネット株式会社〟の中の部署の異動にすぎないという形が望ましいのではないでしょうか」

人が「そんなことは無理だ、できっこない」と思うようなことに食らいついて挑戦するベンチャーの気概こそ、かけがえのないものなのだ。挑戦する意志を持つ限り、チャンスを与えることは出資者にとっての利得の可能性があるだけでなく、社会的にも意義のあることなのではないだろうか。

平たく言うと「あのバカにやらせてみよう」ということだ。ある意味バカでなければベンチャーなんかできないのだから。

そしてここに一人、三度叩きのめされながら不屈の意志を持って、なお立ち上がろうとする男がいた。Qネットの真田哲弥である。

社会構造が大きく変わる前夜、〝バカ〟の歴史は続く

ETIC.創業者

宮城治男氏

早稲田大学在学中に学生起業家の全国ネットワーク「ETIC. 学生アントレプレナー連絡会議」を創設。二〇〇〇年にNPO法人化、代表理事に就任。その後、「ETIC. ソーシャルベンチャーセンター」を設立し社会起業家育成の支援を開始。続いて地域の人材育成支援プロジェクトも始める。二〇一一年には世界経済フォーラム「ヤング・グローバル・リーダーズ」に選出。二〇二一年、ETIC. 代表理事を退任。

ネットベンチャーで活躍し始めた若者たち

当時、私の中にはネットベンチャーやスタートアップの立ち上がりを支えていくエコシステムを日本でもつくりたい、という思いがありました。シリコンバレーのコミュニティに「スマートバレー公社」というNPOが存在して、遠心力的発展の起点に

なっていた。そういう存在が日本のIT産業やインターネット産業を盛り上げるためにも必要で、誰かがそれをやらなければいけないと。

私は一九九三年から「学生アントレプレナー連絡会議（ETIC.）」という非営利組織を立ち上げ、学生を中心とする若者に「起業家精神（アントレプレナーシップ）」を広げていくことを目標に掲げていました。

自分で自分の人生をつくる、仕事をつくり出していくという能動的な生き方を日本の若者と共有したいという思いが原点にあり、どう広めていくかを考えた時、勃興し始めたインターネットベンチャーとの付き合いは必然と濃くなっていきました。

当時の日本では、若い世代が「起業」という生き方の選択肢を知る機会も学ぶ場もなく、ましてやビジネススクールもほとんどありません。日本人の気質的に、起業家を育てるには実践が一番いい学びの場になるという確信があり、創業期のベンチャー企業にインターンとして学生を送るプログラムを事業化したのです。

ベンチャー企業にとっては、通常の新卒募集では絶対に来ないような優秀な若者が集まるということもあって、ETIC.は非常に重宝される存在になっていきました。

ベンチャーでのインターン募集を自分でみつけ、自ら手を挙げる時点でかなり志が高く、仕事ができる学生が多い。若くてがむしゃらに働いて、優秀なわけです。しかもＩＴ業界であれば、ネイティブとしてツールに慣れている若者の方が大人よりも先を行けた。新たに立ち上がり始めたネットベンチャーと学生の相性は特によく、インターン生がむしろダイナミックな成長の原動力になっていくマッチングが生まれるようになった。インターンに行った若者たちがベンチャーに参画することで新たな起業家予備軍になる、というダイナミズムが生まれる絵も見えていました。

おのずとネットベンチャーとの関わりがETIC.の柱になり、当時のネットベンチャーにとって、ETIC.の活動やインターンシップ事業が「人事部」のような役目を果たしていた。ビットバレーの提唱者であるネットイヤーグループの小池聡さんと出会ったのは、ちょうどそんな頃です。

ビットバレーに関わった理由

「ニュービジネスメッセ'99」という展示イベントで、ETIC.は学生起業家のブースを出しました。インターンシップ事業でお付き合いしていたベンチャー何社かの事業を発信して、クライアントや投資家、取材を募る機会をつくるブースだったのですが、お金をかけるわけでもなく、それぞれの事業のパネルをちょっと出して私が立っているだけという感じ。そこに小池さんが通りかかって話をした。それが、小池さんとの初対面だったと思います。

「日本でもやっとネットベンチャーが盛り上がり始めてきましたよね」みたいなところから始まり、「ベンチャーが渋谷に集まっている」という話になりました。

彼らのオフィスは既に渋谷周辺に集まり始めていました。たとえばETIC.のブースにいたホライズンは渋谷で、電脳隊は恵比寿。ネットエイジも渋谷です。

彼らは丸の内とか銀座にオフィスを設ける資金的な余力はないし、そうした場所に魅力をあまり感じない世代。カルチャーが近くて戦力となる若者も巻き込みやすいと、自然と渋谷周辺に集まっていた。当時の通産省や自治体は、うちの地域をシリコンバレーにと、時に多額の資金を投じて企業誘致を仕かけようとしていましたが、ほとんど鳴かず飛ばずで。日本で〝シリコンバレー的〟と言える場所があるとすれば渋谷だと思っていました。そんなことを、ブースでお話しした記憶があります。

ほどなくして、小池さんから「ビットバレー構想」のお話を聞いた時、「これは

ETIC.が目指すことの加速にも繋がる、やるべきだ」と素直に腑に落ちました。

若い学生にベンチャーへの参画や起業の可能性を広く伝えられるという意味で、ビットバレーという装置はとても重要な機会になる。発信していく役割は小池さんや西川潔さんがいるし、私は既に時代の流れを感じられる立ち位置にいたので、このムーブメントが加速することは、その時からある程度想像はできました。

そこで私は松山太河さんとともに、NPOとしての「ビットバレー・アソシエーション（BVA）」の事務局として、ある意味での〝裏方〟として、この流れが自律的な力で広がるよう、遠心力の中心を守る役割を担っていこうと決めました。


特定非営利活動促進法（NPO法）が施行されたのは一九九八年で、ETIC.がNPO法人格を取ったのは二〇〇〇年。ですが、ETIC.は一九九三年の立ち上げ当初から非営利の立ち位置でやってきました。

というのも、私の中では社会の意識を進化させるという意図が常にある。そう考えた時、みずからはニュートラルな非営利組織となり、いろいろな方々に関わってもらってみんなが当事者になっていく方が、遠心力のパワーが増すし面白い。NPOという存在だからこそ持ち得る、社会を巻き込んで変えていくインパクトというものを重視していたんです。ビットバレーへの関わり方についても同じです。

自分が事業のプレーヤーになったり、特定の組織に肩入れしたりすると中立性が失われる。特定の会社に加担しながら遠心力の真ん中にいることは、できなくはないけれど、成立させるには凄く労力がかかります。

そこはNPOとして手放していたので、BVAの舵取りはそんなに難しくはなかったと思っています。一緒にやっていた太河さんとは、それぞれの想いや役割の分担をお互いがよく理解していて、阿吽（あうん）の呼吸でやらせてもらえたこともありがたかったです。

ただし、ビットバレーに関わっていた他のみなさんは、まさにムーブメントをテコに、それぞれの仕事や会社も成功させていったと思うんですけれど、私はまだETIC.が軌道に乗っていなかったこともあり、実際にBVAの仕事は片手間にならざるを得ませんでした。既に一二〇パーセントくらい仕事を抱えていたことに加えての役割だったので、体力的な所が一番きつかったです。

当時、唯一の有給スタッフとして頑張ってくれていた松浦怜子さんにも苦労をかけて申し訳なかったのですが、資金を回して安定した事業基盤を確立するまではいかせられなかったですね。個人的にＢＶＡの運営費を立て替えていて返してもらってないくらいなので。今も貸しがある状態です（笑）。

社会起業家支援へ舵を切らせた若者の変質

自分が一〇〇パーセントの時間を使ってこの役割に打ち込んでいたら、もうちょっとうまくやれたなという思いもありました。ビットバレーの爆発力を何とか制御し、ビットバレーを社会の進化へのエンジンにしていくシナリオもあり得たとは思います。資金基盤も整えてＢＶＡを継続的な組織にできた可能性もあったでしょう。

ただ、そこに執着しないニュートラルな立ち位置を貫いて、限られた時間の中で割り切ってできることだけをやる、ということに特に葛藤はなかったです。できないものはしょうがないというか。

それに、ビットバレーが先鞭をつけたネットベンチャーやスタートアップのエコシステムは自然と回り始めたわけです。起業に挑戦する風土ができ、立派なビジネスとして認知され、それを支える役割もビジネスになった。そういう循環がベンチャーの領域ででき始めた。転がりだせば、われわれＮＰＯの役割は相対的に下がる。後は玉石混交のビジネス、マーケットメカニズムの世界で発展していった方がいい。

でも一方で、社会課題を事業で解決する社会起業家の領域は、今もそうですけれど、エコシステムが出来上がっているとは言えません。そういう領域はやっぱり公的機関なりＮＰＯなりが支えたり、経営したりしていかないといけない。ETIC. としても二〇〇〇年から社会起業家育成のための支援事業のプランニングを始め、急速にそちらへとシフトしていったわけです。

そもそも、若者が変質していて、そういう生き方を求めているのに、選択肢やモデルがない。だからこそ、私としてはより社会起業家支援の役割を果たすべきだと感じていました。

私の目からすると、若者はその頃から既に変質しつつあって、価値観も変わってきていた。実はETIC. のインターンシップ事業は、非営利組織にも人材を送り始めていました。といっても、当時はまだＮＰＯ法人の制度が始まるかどうかの時代で、聞いたことがないような小さなところも多く、給料もままならない。

なんですけど、学生には立ち上げ期のネットベンチャーと同じくらい人気があった。ビジネスで成功しようとする起業に限らず、社会起業家的な生き方を選びたいという優秀な学生が当時から存在していたんです。

こうした若者の進化を感じると同時に、一攫千金でアメリカンドリームみたいな成功をしたいという若者は、そんなに多くないこともわかってきました。そういう若者は存在するし、道がなかったのは確か。だからこそ、そこはやるべきだと思ったし、ビットバレーの存在意義もあったんだけれども、むしろ社会や地域をよくしていきたい、そこに役立ちたいという社会起業家的なマインドの方が、広く日本の若者の中に眠っているなという感触がありました。

資本主義的な世界を勝ち抜いて、ただ金銭的、物質的な大成功を勝ち取るのに人生を賭けるという生き方は、そもそも日本人にそんなに合っていない。自分に合っていないルールでゲームをさせられて、それでアメリカやシリコンバレーに追いつけ、追い越せというのはむちゃな話でしょう。

二一世紀の資本主義の世界で、日本はそういう戦いで大いに苦戦を強いられているわけですけれども、そっちの世界で頂点を目指すよりも、社会起業家的なマインドの方が日本人には広く受け入れられると感じていました。

それに、社会起業家的な働き方の方がずっと対象の裾野が広い。ストライクゾーンが大きい。研究者やアーティスト、メディアやものづくり、様々な立ち位置から社会起業家的アプローチには挑み得るわけです。

そういった潜在的な意志を持つ若者たちが、社会起業家としてNPOや会社を立ち上げることも含めて、仕事として携わる選択肢があるかというと当時はなかった。若者の意志をどうアシストできるか、報われる機会をどうつくっていくかを考えた時に、自然と社会起業家支援の事業が立ち上がっていきました。

資本主義や貨幣システムも変わっていく

今でも選択肢は十分ではない中で、当時、その方向に舵を切るのは早すぎるのではと、ETIC. の仲間からも言われました。

ですが、多少早すぎるぐらいが一番少ない労力でレバレッジが効いてインパクトを生み出せる。ビットバレーに関しても、乱暴に言えばそもそも起こるべきムーブメントであって、仕かけた側の着眼やコンセプトが的確で、中心となった人たちがその適切な立ち位置を心得るだけの賢明さがあった、ということだと思うんです。つまり、力ずくでなく、それ自体が命をもったかのようにおのずから展開していったんです。

潜在的に社会が必要としているけれども、まだそれが顕在化していないような領域を形にしていったり、その壁を破っていったりする社会起業家的な仕かけ方は、道なき道を行く困難さはあるし、儲かりもしない。でもゼロサムゲームになる恐れのあるビジネス的競争の世界と違って、ちゃんとやっていれば成果は出る。努力は報われるというか、やっただけのことはちゃんとインパクトになるし、それが当初の目論見に届かなかったとしても、道を拓く挑戦には十分に価値がある。そして、それを契機として周りが自分事として手伝ったりインパクトを広げていってくれたりもする。あきらめずにやり抜けば、高い確率で第一人者として影響力を持つことも可能です。

ETIC.が社会起業、ソーシャルベンチャーという概念を打ち出して以降、やっぱりそれだけの反応と手応えがありました。若者だけでなく、社会の側も大きく変わった。

二〇二一年五月、二八年にわたって務めたETIC. の代表を退任しましたが、当時得た私の確信というのは、間違っていなかったと思っています。

私が辞めたのは、ヒエラルキーを前提としたこれまでの組織が今の若者たちに合わなくなってきている、そもそも新しい社会をつくろうという志で若者が来ているのに組織が古いままでフィットしていないと思ったからです。

一人一人が自律的に起業家精神をもって働けるような組織に進化させたいと変革を試みていたのですが、よく考えたら創業からずっとトップで、起業家精神を得るために最もオイシイところを握り続けていた自分が手放さなければ、組織の変革は完成しないよな、と気づいて退きました。

そんなことは想定してなかったのですが、組織を離れることになり、期せずして自由な時間が訪れたので、今はいろいろと探究しているところです。

改めて世の中を俯瞰して眺める中で、社会課題の解決に貢献したり、社会的にいいことを実行したりする社会起業家やソーシャルグッドな組織・企業が、いよいよ社会のスタンダードになる時代が訪れるという確信を深めています。

われわれは社会起業家が課題を解決して社会を進化させる、という概念を打ち出しましたが、これからは資本主義や貨幣システムも含め、私たちが前提としてきた社会のあり方、人の価値観そのものが変わるとも思っています。

つまり、これまで大事にしてきた社会構造が大きく変わる。今はその〝前夜〟にいると、私はひしひしと感じています。社会をよくするとか人の役に立つとか、そういうことを通じて自分の本当の幸せやウェルビーイングを実現していく上で、その価値を測る物差しも変わる。お金というものも大きく相対化していくだろう、と。その流れを、若者を定点観測していて感じるんです。

ETIC.を始めたのは、携帯電話もインターネットもまだ普及していないような時代。当時はまだ、若者が会社をつくるというのは日本だと凄く遠いところにあったし、お金を集めて大きなことをやるなんていうこともあり得なかった。社会に出て何十年も苦労して、役員や社長になって初めて何かやれそうだという時には、もう歳を取っちゃって引退みたいな世界だったわけです。

それが今では、高校生のたった一つのつぶやきが何億人の行動を変えるようなことが普通に起きる時代になった。一人の若者が世界に与える影響の大きさが、この三〇年の間にどれだけ変わったか。一人の力なんて大したことないよ、社会はどうせ変わらない、という拗ねたことがもう言えなくなってきているわけです。

日本は少子高齢化ですが、地球全体ではZ世代といわれる若者とその次の世代の子供たちで人口の半分になろうとしている。世界は若者の時代で、昔と違って世界中がオンラインで繋がっている。われわれのようなおじさん世代からすれば、宇宙人に見えることもある彼ら・彼女らの常識が、一気に世界の常識になっていく。

そんな中で、『ネット起業！　あのバカにやらせてみよう』の延長で言えば、〝バカ〟がやることの中身は変わってくるし、過去の〝バカ〟たちも、これからは儲かりもしないことや社会的によいとされることをやり始めるはずなんです。

既にビル・ゲイツは転向を遂げました。シリコンバレーの若き成功者たちの一部も、資本主義の先を見ようとしている。若くして資産家になった彼らは、現行の貨幣システムも俯瞰して、新しい社会のあり方を模索し始めています。

最近、彼らを日本にお招きしたり、個人的に対話する機会が増えているんですが、彼らは調和を大切にする日本社会や組織のあり方について、とても注目しています。

実際、日本でも、社会をよくしていくことに正面から向き合うような事業に転換する〝元バカ〟の経営者も出てきています。

地方創生や新しい学校づくりに挑む人も目立つようになってますよね。その方が格好がよかったりもするし、そういうことが新しい当たり前になっていく。

だからこそ、ここで〝バカ〟の歴史を振り返っておくことは、凄く意味がある。やろうと思えば、みんなが〝バカ〟になって挑める時代。〝バカ〟にならないなら人生って何が面白かったっけ、という時代がすぐそこに来ている。それも、〝バカ〟の中身は自分で自由に選べるわけです。

未来は世界中にいるたくさんの新しい〝バカ〟によってつくり出されていく。現在はその前夜なんだと私は思えてなりません。

だから、〝バカ〟の歴史は続いていく。本書で描かれていた世界は、これから本格的に始まる新しい〝バカ〟のための、「前史」だと捉えています。より根本的な変化は想像以上に早い時間軸で訪れます。この三〇年間、若者の定点観測をしてきた私は、今の若者たちの先にそういう未来をみています。

（取材、構成／井上理）

敗者復活戦としてのｉモード

世界が注目したNTTドコモのｉモード。
その番組提供で成功したサイバードは、
1980年代に手痛い失敗を重ねた
男たちが集まったベンチャーだった。
あの真田哲弥も最後の敗者復活戦に挑んだ!

iモード発売

ビットバレー宣言文を前にして、小池聡や宮城治男が「日本のシリコンバレーをつくろう」と銀座で熱く語り合った記念すべき一夜が明けた一九九九年二月二二日月曜日。

この朝、ネット史上を截然（せつぜん）と画するであろう新たな展開の幕が切って落とされた。初めて本格的に携帯電話にインターネットを載せたＮＴＴドコモ（以下、ドコモ）の新サービス、「ｉモード」の運用開始である。

このサービスは、それまでパソコンからしか接続できなかったインターネットを携帯電話ユーザーに開放した点で画期的だった。だがそれは、後の華々しい成功から考えると、あまりに慎ましやかで忍びやかなスタートだった。

当時五七パーセント程度のトップシェアであったドコモだが、ＩＤＯの新機種cdmaOne の方が高性能であるというイメージがユーザーに伝わって急速に追い上げられていた。

一九九九年一月にドコモとのＣＭ契約が切れた織田裕二はＩＤＯのコマーシャルに

鞍替えし、途中で通話が切れた携帯電話を手に「おかしいよ、これ」と言って、新製品のcdmaOneに買い換えるビジネスマンを演じていた。この年の五月の加入者増加分で見ると、ドコモの三〇万台に対して他陣営は四二万台。ドコモは瀬戸際に追い詰められていたのである。

早稲田大学への入学が伝えられたばかりのタレント広末涼子を使った全面広告が新聞各紙に掲載されたこの朝九時から、富士通製のｉモード端末が店頭で売り出された。ユーザーは登録すると翌日からドコモのサーバーを経由してインターネットに接続し、ｉモード用にコンテンツを流している企業からの情報提供を受けることができる。つまり一般ユーザーが接続できるようになったのは翌日の火曜日からである。ｉモードには独自のポータルであるメニューリストがあり、そこには既に六七社の企業がサービスを提供していた。

銀行ではさくら、住友、三和、大垣共立の各行が振込サービスを行っていたし、ニュース配信や電話帳を利用することもできる。料理レシピやゲームも提供されていた。これらの情報は無料で提供されるものもあり、有料のものもあった。有料のコンテン

ツについては、ドコモが九パーセントの手数料を取って情報料回収代行を行う。

そこにはベンチャー企業の姿もあった。サイバードは全国のサーフポイントの波についての情報を一日三回配信する「波伝説」でメニューリストの一画を占めていた。このサービスは一カ月で三〇〇円が課金される。またバンダイのニュープロパティー開発部はクイズゲーム「ドコでも遊べガス」（やはり月額三〇〇円）で参入していた。

この事業部はそもそも一九九六年三月にバンダイが鳴り物入りで始めた家庭用ゲーム機兼インターネット端末「ピピンアットマーク」の敗戦処理部隊だったのだが、サーバーが余っていたのでその有効活用をしたわけである。処理がうまく終われば解散するはずだった。

部長の林俊樹はこの日もピピン用のCD-ROMメーカーを回って汗をかきかきCD-ROMの販売を継続するよう説得に努めていた。

ドコモのｉモード開発責任者、ゲートウェイビジネス部長の榎啓一には、この日の記憶はほとんどないという。

「一月二五日に原宿でやったプレス向け発表会のことはよく覚えているんだけどね。

マスコミが五〇〇人も集まって超満員でね。企画室長だった松永真理さんの演出ですよ。あの人は仕かけがうまい。

まず大星公二会長の挨拶があって、真ん中は私と松永、担当部長の夏野剛の順で話して、最後に広末涼子が登場するんだけど、マスコミはみんな彼女が目当てなんだな。その晩のテレビニュースでは全局出たし、翌日のスポーツ紙は全部一面扱いだった。

その時、雑誌の記者に『どのくらい売るつもりか』と訊かれたので、ヤマカンで〝三年で一〇〇〇万台、初年度三〇〇万台〟と答えちゃった。だからまあ、端末の販売台数は気になっていましたがね。というのも、ユーザー数を増やすのは、コンテンツ・プロバイダー（情報提供事業者）に対するわれわれの最大の義務なんですよ」

この時は、iモードが一年間で五〇〇万台も売れ、ビル・ゲイツの帝国に深刻な脅威を与えるほどの衝撃になるだろうとは誰も予想だにしていなかった。

だがiモードは日本から世界へ向けた文化発信となった。一年後、一日当たり五万台のiモード端末が売れ、一〇〇〇万台は一年半で達成。ドコモは香港の大手通信会社ハチソン、オランダのKPNと資本提携、さらにAOL、ソニー・コンピュータエンタテインメントとも相次いで提携し、巨大なリスクを取った世界市場の争奪戦に、

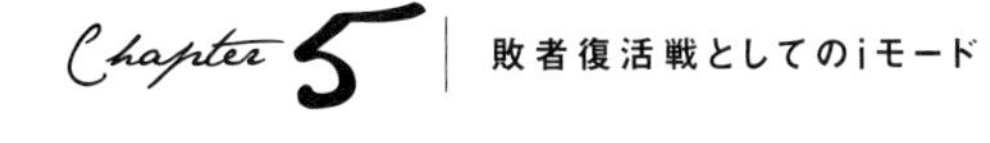

iモードを手に乗り出した。

インターネットと電話を融合することによって、携帯情報端末の限りない可能性を開いたこのサービスのコンセプトはいかにして開発されたのか。そしてネットベンチャーにどのようなチャンスを提供したのだろうか。

インターネットは知恵の架け橋

本書のプロローグで夜明けの高速を疾走していた堀主知ロバートは、携帯電話にゲームなどのコンテンツを提供するベンチャー企業、サイバードを興した。南紀白浜の名門旅館、川久の血筋を引く、根っからの起業家であり商売人。二〇代の頃の彼は、周囲から見ればおそらく狂気と紙一重の起業意欲で突っ走っていた。どうしても自分でビジネスをやりたかったのだ。

ベンチャー起業家はなぜ会社をつくるのか。私の見るところ、彼らがビジネスをやる最大の動機は、「自分の正しさを証明するため」であろう。起業は彼らにとっての自己表現の方法なのである。起業家は、普通の人から見ると奇抜とも思える発想力をもっている。堀の場合はそのため、高校時代に周囲と摩擦を起こすことも少なくなかった。普通人とうまく噛み合わないのである。

二三歳の時、関西学院大学卒業後に留学していたロンドン大学から、起業のため留学を切り上げて帰国。彼が最初に手がけようとしたのが任天堂のソフトをアメリカに売る商売だ。

起業には金主が要る。でも親に資金を頼むのはどうしても嫌だった。なぜなら彼の親はビジネスの面白さを堀に教えておきながら、一方で世の中がままならないものであるというジレンマも教育していた。学生時代は門限五時という抑圧の中で、彼は「では俺も一人前に商売ができることを証明してやろう」という意地とないまぜになった起業の動機を膨らませていた。

そこで堀は「会社四季報」を手にして、一ページ目の最初の会社から代表番号に電話をかけ始めた。受付嬢に「社長さんをお願いします。関西の堀ですが」と名乗る。片っ端から電話をして、四季報の会社が尽きるまでには話を聞いて出資してくれる経営者もいるだろうという、とんでもない算段である。

しかし百社電話すれば、どの社長でも一人二人は関西に堀という知人がいるもので、二〜三社は社長本人に話が繋がった。

社長が電話口に出たら「すいません」とまず詫びを入れる。

「実は僕、どうしてもビジネスがやりたくて資金を出してくれる人が必要なんです」

たいていはガチャンと電話を切られて終わるのだが、数社の社長は堀を社長室に招いて話を聞いてくれたそうだ。熱意を込めて「利益は折半させていただきたい」と話す堀の姿を見て、涙を浮かべながら「応援してやろう」と言ってくれた社長もいたそうである。純粋に商売をやりたがっている青年の姿を見て共感を示すのは、自分も起業家として同じ思いを持っていたからだろう。

起業に理由はない。自分を表現する舞台をつくるため「俺はこれをやりたいんだ。やってみたいんだ」と損得を考えずに行動するのが筋金入りのベンチャー経営者なのである。

なんとか金主は見つけたが人が集まらずビジネスの立ち上げに失敗。失意の堀は東京に出て原宿でおもちゃ屋を開き繁盛店にするが、今度はスポンサーが倒産。若さに任せた当たって砕けろの挑戦にはあっけなく決着がついた。

一九九〇年、二五歳の時に川久の改築につき祖父を手伝う。最高の建築素材を求めて世界中に足を延ばした。その中でシャンデリアはヴェニスのガラス工房に依頼したのだが、イタリア人の通弊で待てど暮らせど注文が出来上がらない。電話で督促しても居留守を使われてしまう。かといってヴェニスまで催促に行く時間の余裕はない。使える道具はファクシミリしかない。堀はどうしたか。

　彼は英文の督促状を書いて五枚プリントアウトし、それを一枚ずつ貼り付けて長く繋げ、ファクシミリでヴェニスの工房に送り始めた。相手が受信したところで既に送信されて出てきた部分の頭と、まだ送られてない部分のお尻をセロハンテープで貼り合わせる。督促状はぐるぐると循環しているので、先方では延々と同じ督促状がファクシミリから吐き出されてくるという按配（あんばい）だ。さすがに音を上げた工房から電話がかかってきた。

「すぐに仕事にかかるから勘弁してくれえ」

　一年半後、再建された川久は建築的に高い評価を受ける。一九九二年、ロンドンのハイドパークで乗馬を楽しんでいた時に知り合ったドイツ人がやっている、運動生理学を使った競走馬の栄養管理メソッドの輸入を事業化、ＪＲＡの競走馬の餌を管理す

るエクイストロ日本を設立する。この会社のノウハウの提供を受けた馬は一九九九年に一〇勝している。

一九九四年、堀はインターネットに出会う。〝ピー、ガー〟と間抜けな音をたててモデムでインターネットに接続するパソコンを苦心して設置した堀は思った。

「うわあ、これやん、俺が求めていたものは。パソコンが繋がればソフトをいちいち手入力する必要がないし、世界中のいろんな情報を取りに行くことができる。他人と知恵が共有できる。こんな凄いことができてくれてありがとう」

ネットが他者の知恵との架け橋であることを堀は見抜いていた。

そこで堀は猛烈にネットの知識を吸収した。

彼が手引きを受けたのは、京都に日本で最初のインターネット・カフェを開いたファースト・サイバースペース・コーポレーションの川端保正だった。川久の仕事で繋がりがあった建築家の高松伸の秘書が川端の友人だった。彼らと、以前からの遊び仲間だったオムロン社長の立石義雄の次男、立石琢磨らを川久に招き、ネットの勉強会をやったり、母校の理学部の教授のパソコンを触らせてもらったり、海外から関連図書を取り寄せたりして、堀は次第に次のビジネスをネット周辺にフォーカスしていった。母親のやっている建築コンサルティング会社を手伝いながら、彼は打って出る機会を窺っていたのだ。

頭の中がネットでいっぱいだった堀は、やはり大学時代から遊び仲間だった岩井陽介と苦楽園辺りのレストランで食事した時に思わず打ち明けてみた。後に、サウナに行ってまでもビジネスモデルを検討しあうパートナーになる岩井である。

「インターネットって知ってるか。こんなんらしいで」

「うわっ、ごっついなあ。そんなんできるん。そんなおもろいとは思わんかったわ」

「じゃあ、一緒にやってみん?」

と、話はたわいもないところから始まるものである。彼らは組んでサイトビジネスを始めることに合意したが、それが花開くまでには、これから五年間もの長い苦難の道程が待っていた。

岩井陽介という男もやはり、関西学院大学時代は企画サークルを自分でつくり、西

武百貨店などの販促の仕事を請け負ったりしていた。また当時関西学生界を仕切り、後にQネットを起業する真田哲弥の下で、学生向けクレジットカードの企画づくりに参加していたこともある。特典を付けたカードを学生に持たせて潜在顧客の囲い込みと青田買いをちゃっかりやろうという企画である。

その後、堀主知とBICという学生企業を運営する。ゴルフのトーナメントへの学生動員や、サークル雑誌をつくるのが仕事だった。

うまくいっていたので事業は後輩に譲って一九八八年、リクルートコスモスに入社。内定数日後に発覚したリクルート事件の真っ只中、岩井は広報室に配属され、マスコミ各社からかかってくる電話はすべて新入社員の岩井が受け、上司にメモを回す羽目になった。その後サブリース部門に異動、同僚に大阪有線の御曹司で、三田倶楽部に出入りしていた宇野康秀がいた。

そして二年後、岩井はBICの前身だったパレットクラブの創立者、佐々木雅彦に誘われて、佐々木が携わっていたヒロ松下のレースのマネジメント会社に移籍し、関西に戻って堀との旧交を復活させていた。ヒロ松下というのは松下幸之助の孫で、本田宗一郎の息子本田博俊がつくった無限エンジンを搭載して、当時はアメリカでインディカーレースに参戦していた。

では、インターネットを使って何をやるか。堀と岩井は知恵を絞り合った。

「やっぱり女の子と知り合えなあかんやろ。eメールが流行(はや)ってるから、文通できるんがええやん。こちらでeメールアドレスをあげられるようにしよう」

「知らん人からメールが来たら女の子怖がるやろ。相手のこと知らんと」

「だったらとにかく写真が欲しい。それと個人のプロフィールも充実させよう。住んどるエリア、年齢、職業、趣味を書き込んでもらうと」

「それを検索する機能を付けたら、自分の知り合いたいタイプが探せてええな。自分のホームページが持てて、異性とも出会える」

「名前はと。情報がどんどん広がっていくというネットの発想がおもろいやん。楽園を広げていくいうことで、〝パラダイス・ウェブ〟いうんはどう?」

彼らは資本金一五〇〇万円でパラダイス・ウェブを設立。知人のつてを頼ってオラクルにサーバー制作を発注し、サーバー代で資本金はほとんど底をついた。半年後の一九九六年夏、出会い系サイト「パラダイス・ウェブ」がスタートする。最初の五〇人はサクラで登録した。学生の人材派遣をやっていたくらいだから、美人を集めるなんてお手のものである。

口コミだけですぐに二〇〇〇人の登録者を獲得、一日に一〇万ページビューという類似サイトを凌駕する成功を収めた。

だが、まったく喜ぶわけにはいかなかった。課金する方法を思いつかなかったのである。当時はサイトへの課金のシステムが存在しなかったのだ。

「じゃあバナー広告をいれよう」と広告を一本五万円で募るが、売り方がわからず掲載希望者はゼロ。これでは干上がってしまう。並行してやっていたネットカフェのフランチャイズ事業に期待を繋ぐ。こちらの方は普通の喫茶店の一角にパソコンを置いてネットカフェにすることができるというアイデアで、「パソコンと設置運営費を含めて一六五万円でできますよ」という彼らの呼びかけが一九九六年五月に日経産業新聞の一面に出たのだが、結局一件の申し込みも来なかった。

それでも懲りずに、今度は「マリッジ・ネット」というのを考案した。

結婚したカップルは自分たちの写真を他人に送りたがる。ではホームページをつくって結婚式の様子や新婚旅行の写真を掲載するサービスを行おうというのである。それをまた虫のいいことに、結婚式とセットにして結婚式場に売らせようと、関西最大手の結婚式場紹介業者に営業を頼んだ。「写真一〇万円、ビデオ一〇万円」の見積りに「ホームページ一〇万円」を加えさせる腹である。

ところが紹介業者も自分たちが理解していないネットのサービスなど売ることはできない。ついに匙を投げられて「結婚予定のカップルが式場を選びに来るブライダル・フェアにブースを出して、自分たちで売ったらどうか。出店料はタダでいいから」と言われてしまう。

堀と岩井はネクタイを締めて、ブライダル・フェアの会場に座って営業してみた。一〇回ブライダル・フェアに参加して成約は一件もなし。既に三回目くらいには「かなわんなあ」と事業自体に嫌気が差してしまった。結婚する前のカップルは式場やケーキ、ドレスのことで頭がいっぱいになっていて、式の後のことなどに頭が回らないのである。おまけに本業では堀も岩井もちゃんとしたビジネスをやっているのに、幸せなカップルをボーッと眺めながら手持ち無沙汰に座っている自分が情けない限り。

二人して顔を見合わせて「これ、やめよ」ということになった。

インターネットを携帯に

「パラダイス・ウェブではアクセスが殺到しているのにカネは入ってこない。なおかつサーバーを増設せなあかん。自分らが価値を提供することに対する、正当かつ直接的な対価が得られないというのはまったくおかしい。ネットには可能性はある。課金システムが必要や。しかしどうやったら課金できるんやろうか」

大阪、ミナミにある堀の母親の会社の会議室。自分の本業を終えてから落ち合って打ち合わせをしていた堀と岩井は、暗い表情で頭を抱えていた。

「じゃあ、電話会社がネットの料金を請求してくれたらどやろか」

苦し紛れに岩井がつぶやいた。

「そんな都合のええ話ないで」

「いや、携帯電話でインターネットができたらどうなる」

岩井は一九九五年頃、既にダスキンのおばちゃん用の携帯端末の開発を松下通信工業に持ちかけていたのである。業務用のPHS端末を使えばできるはずだ。

他方、一九九六年一一月にバンダイから携帯ゲーム「たまごっち」が発表され爆発的ヒットを飛ばしていた。岩井は、「このゲームをネットワークに繋いで友達とやりとりできるようにすればもっと売れるはずだな」と考えていた。

この二つの考えが重なり合った瞬間に閃いた。

「それなら業務用PHSにゲームを載せればいいんだ。ゲームをダウンロードするためには、インターネットに接続できるようにすればいい」

堀の顔が明るく輝いた。

「そやな、それやったら電話会社もネットに課金する理屈がつくで。電話会社の請求書に〝パラダイス・ウェブ五〇〇円〟と請求してもらえたら一番ええ」

「ほならいっぺん、電話会社に言うてみよか」

それから二人の電話会社通いが始まった。関西の携帯電話キャリアにはすべて当たった。関西の支社で興味を持ってもらい東京に繋いでもらおうという作戦である。

プロローグに書いたように、夜一〇時に本業を終えてから徹夜で企画書をつくって、

翌日朝、電話会社に出向いて担当者に説明するという日々が続く。

堀が携帯電話の操作面をなでながら、担当者に説明する。

「携帯電話のここでですね、ゲームができたらオモロイと思いませんか」

「そのゲームに飽きたらどうするんですか。三カ月で携帯を買い換えなあきませんね」

「いえ、そんなことはありません、このボタン押したらね、新しいゲームがこの携帯に飛んで来るんですよ。ダウンロードというんですけどね。その時に課金していただきたいんですよ」

「……？　何の話やねん」

「あのう、インターネットって使っておられますか」

「ああ、聞いたことはあるよ」

「……」

キャリア（電話会社）の担当者にネットについての理解がないのである。無理のないことかもしれない。だが二人の根気強い説得で、「そんなのできるわけない」と言っていたキャリアも徐々に腰を上げる気配がしてきた。

岩井は企画書を書きまくった。営業する度に好感触が得られ、キャリアも「そうなるかもしれない」と思うようになる。本気で携帯電話にインターネットを載せようと考えた二人の若者が山を動かしつつあったのだ。

松下通信工業は端末を一〇万円でつくると提示し、キャリア側は「三万円なら」と言っていた金額も歩み寄り始めた。あるキャリアは占いを音声通信でやって、その結果がインターネットで端末に届くという堀の企画提案に対して「やります」という返事までしてくれた。

ソフトについては立石琢磨がいるオムロン・コミュニケーション・クリエイツでつくってもらえる話になっていた。堀と岩井には「これは絶対にいける」という確信が固まっていた。

ところが一九九八年が明けると、コストが引き合わないといった理由で、それまで進んでいた話がすべて立ち消えになってしまう。堀と岩井は「携帯にインターネットを」のコンセプトを抱えたまま梯子(はしご)を外されてぽつねんと取り残されてしまった。

時代を先取りする者は社会から疎外されるものである。

iモード開発指令

一九九七年一月、ドコモ法人営業部長の榎啓一は、社長の大星公二から「携帯電話を使った非音声通信のビジネスを研究せよ」と下命された。既にポケットボード（メール専用端末）やノートパソコンを使ったネット接続はあったので、「次は端末単体でやれということだな」と榎は受け取った。

そして「このビジネスは面白いし、いけるに違いない」と直感した。論理的帰結ではなく、中高生の長女長男がポケットベルやテレビゲームで遊んでいるところや、小さなゲーム機を嬉々としていじっているところを見て、彼らの世代なら携帯にネットを載せてもついてくるという確信を持っていたからである。

とにかくチームをつくらなければならない。まず社内公募で「わけのわからないニュービジネスをやってもいい」という若者を五人ほど集めた。それからマッキンゼーの知恵を借りる（オンラインオークションを手がけるDeNA社長の南場智子がいたチームである。同社はリクルートのポータルサイト「イサイズ」の立ち上げのための助言も行っていた)。

マッキンゼーは、「このビジネスの成功の鍵はどのようなコンテンツをつくるかにかかっている」と言う。では、その開発を誰がやるか。

ドコモはインフラ商売の体質なので、間違いなく電話を繋げるという地味な仕事が淡々とできる人間は多いが、その上に載せる情報をどうコントロールするかについて知っている人間などいない。では、それも社外に求めるしかない。

榎は賭けに出ることにした。賭けても構わないと思った。

どうせ自分もコンテンツのことなどわからない。二〇年間技術屋一筋だったのだから。そもそも、この仕事について榎に白羽の矢が立ったのは、電電公社の空気を吸ってきた者としては変わっていると思われているからだし、変に打たれ強いと周りに思われているからだろう。それなら自分の考え方を根底から引っくり返してくれた人の意見に従う方が筋が通っている。

榎が連絡したのは、熊本にある印刷会社、印刷協業組合サンカラー代表理事の橋本雅史だった。橋本は、三五歳だった榎が熊本電気通信局にいた時に二代目経営者の集まりの代表として密度の濃い付き合いをした、というよりベンチャー魂を叩き込まれた師なのである。

当時は電電公社が民営のＮＴＴに衣替えした頃で、各地の威勢のいい経営者たちが、「これで電電公社と取引ができるぞ」と窓口に殺到していた。「電電ファミリー」という言葉がしぶとく残っているように、電電公社は特定の企業としか決して取引しようとしなかったのである。看板が書き替わったからといってその軛が簡単に外されるなどという甘っちょろい考えを商売に長けた経営者連中が持つはずもないが、「ここはこいつをオルグすれば、あわよくば商売に結びつくかも」というよいターゲットになったようだ。榎は三年間の赴任期間中、毎日呼び出されては橋本に説教を食らった。

「あんたらＮＴＴはつまらないね。入社試験を通ったら、何歳で結婚、何歳で課長、どこに社宅があって、天下り先はどことということまで決まっとる。墓建てるとこまで決まっとるでしょう。俺ら中小企業は明日をも知れん。だから毎日が面白いんだよ」

この調子である。榎は自然独占、定型仕事のＮＴＴの中にあって、橋本に会って初めて外の世界を知ったのだ。

橋本は卓越したマーケティングセンスを持っていた。印刷会社は頼まれた仕事で印刷機を回しておればよいという時代に、彼は積極的に前工程に打って出た。デザイナーを採用し、「優秀な社員を採用するなら入社案内をつくった方がいいですよ」と提案営業して歩く。同業他社がその方向に気づいて同じようなことを始めたと見ると、今度は後工程に目を向ける。「入社案内をつくったら、発送リストをいただければウチで発送作業をやらせていただきますよ」。

これで二〇年間、好不況に関係なく増収増益を続けているのである。日本初の地域ポケベル会社、九州ネットワークシステムは、この橋本が企画することになる。

榎の考え方は、橋本との付き合いが深くなるにつれて自然に変わっていった。

「売ってナンボ、客が喜んでナンボなんだ。技術者がつくってできたモノを客の好みに関係なく売るというプロダクト・アウトの発想じゃあ駄目なんだ」

これは民間では当たり前の考え方だが、NTTの中はさぞ歩きにくかったに違いない。とはいえ天の配剤、ネットに接続できる携帯端末開発の天命は彼に降り、本人はそれをいいことに橋本に人選のお伺いを立てようとしていた。外部からの人材登用の内諾は大星から得ていた。

「誰かネットのコンテンツのわかる人はいないもんですかねえ」

橋本が指名したのは雑誌編集者。編集経験二二年、リクルートの女性転職雑誌「とらばーゆ」編集長を務め、当時は「ワークス」編集長だった松永真理。

明るい性格と企画力で、短大講師やテレビ出演、政府の審議会委員もこなす、四〇歳をやや回った名物編集者である。松永は地方政治家出身の二人の代議士、細川護熙、岩國哲人の共著書『鄙(ひな)の論理』を読んで、熊本の若手経営者の話を取材するために熊本を訪れ、その機会に橋本と知り合っていたのである。

一九九七年三月、上京した橋本は飯倉のイタリアンレストラン「キャンティ」で、松永を榎に紹介した。「橋本さんの紹介だから才能のある人なんだろう」というイメージが、松永の話を聞くにつれて榎の中で、「この人の言ってることが当たっているかも」とサッと変化していった。

「この人に来てもらおう」

松永真理と夏野剛

一九九七年六月、ハイパーネット副社長として絶望的な会社再建に尽力していた夏野剛の携帯電話が鳴った。この月、韓国でも無料プロバイダーのハイパーシステムが稼働し、他の国とのライセンス契約の引き合いも来始めていたが、各銀行からの融資返済要求もますます募り、板倉は社長の座を降りて会長となっていた。

「夏野君、私マリ。今度転職することになったんです」

「へーっ、何やるんですか」

「よくわからないけど、携帯電話でネットをやるらしいの」

「へー、僕がやってることと似てるかもしれませんねえ」

「ちょっと手伝ってくれないかしら」

夏野はリクルートでアルバイトをしていた時に松永と知り合い、その後、社会人勉強会の東京円卓クラブの講師として彼女を招いたりしていた。そうした付き合いを通して、何かと松永のブレーン的に動くことがあった。松永には講演や審議会委員などのお呼びがかかることが多かったが、そうした時に夏野らにアイデアを求めることが、

これまでにもしばしばあったのだ。

だからこの相談も唐突なものでも何でもない。松永は夏野を引っ張ってきて榎に会わせた。夏野はハイパーネットのネット事業のプランを立案していたので、インフラ系ネットビジネスについても十分理解している。

榎は夏野を見て、「こいつはいい、インターネットのビジネスモデルがわかってる。彼にも来てもらおう」と思った。一方の夏野は話を聞いて、「これはまだネットのビジネスモデルになってないな」と受け取っていた。

榎に協力を要請された夏野は、

「いやあ、ハイパーネットとしてお付き合いをさせていただく方向もありますよ」

と応えた。ハイパーネットを辞めるつもりなどなかった彼は、同社の仕事としてドコモのコンサルティングの仕事を受ける方向性を示したわけだが、榎は、

「いや、ハイパーネットということでなく、いろいろ教えていただけませんか」

と申し入れる。

「んー、個人ベースでアドバイスさせていただくということならいいですよ」

夏野は七月からドコモに移った松永やマッキンゼーのコンサルタントたちに混じっ

て、夏頃からディスカッションに参加し始めた。彼が東京ガスからハイパーネットに移った時とまったく同じパターンである。

夏野は振り返る。

「インターネットというのは、一番効率的な技術が必ず勝つというインフラではないんです。技術の優秀性より、より多くの人が使っているサービスの方が勝つ。だからユーザーが〝使いたくなる〟ものでなければならない。

これは技術志向のある従来の通信事業者にはいまひとつわかりにくいものですよ。ドコモはインフラ屋なのでコンテンツをつくることができない。

どうすればいいコンテンツを集められるかが問題でした。僕は〝複雑系〟の理論がかなり好きで、コンテンツ・プロバイダー（情報提供者）が最適な役割を果たすことで、iモードが最適なインフラになるだろうと思っていました。

鍵は、彼らがいいコンテンツを提供したくなるプラットフォームをいかに整備するかです。彼らにもわれわれにもメリットがあるWin-Winモデルをどう構築するか、そこのところの方法論を突き詰めて、事業計画書に落とし込む仕事でした」

ｉモードのコンセプトはスタートの時点から、利用者と、パートナーであるコンテンツ・プロバイダーの利益を考えていたということだ。その中で情報料の回収代行のアイデアも出てきた。

榎は言う。

「われわれはコンテンツを買いたくない。それより優秀なコンテンツをユーザーに買ってもらうようにして、コンテンツ・プロバイダー同士で競ってもらった方が、ユーザーにとってもわれわれにとっても、優秀なコンテンツ・プロバイダーにとってもいいという考えが、この夏のミーティングの頃からありました」

マッキンゼーは「ドコモがコンテンツ・プロバイダーから情報を買い取る」というモデルを示していたが、これは退けられた。やがて「ｉモードを本格的にやりたいのでドコモに来てほしい」と言われた夏野は、ハイパーネットの副社長辞任を決断、九月からドコモのゲートウェイビジネス部に移籍した。

「今でも申し訳ないと思っていますよ。先に逃げたような感じだし」

しかし、この時点でハイパーネットの再建が可能だったという意見を持つ関係者には、私は会うことができなかった。

夏野はポータルを強く意識していた。ポータルとして情報内容のポートフォリオをどうつくるか、全体で価値が出るメニューリストをつくることがドコモの役割だと認識していたのである。三〇万部の雑誌をつくるのと一〇〇〇万人が使うインフラをつくるのはまったく次元が違う。インフラの場合は、提供側が理解できないような人種にも使ってもらわなければならないのだから。

そこで夏野は一九九七年の一一月には、iモードで提供する情報を金融決済やチケット予約などの「取引系」、ニュースや天気予報などの「情報系」、電話帳や店情報などの「データベース系」、ゲームや占いなどの「エンターテイメント系」という四つのカテゴリーに分けたコンテンツ・ポートフォリオを作成した。これにメールとメニューリスト以外のインターネット・サイトと音声通信を加えたものが、iモードの提供するサービスである。

こうカテゴリーを分けると、たいがいの人は天気予報やニュースなどの情報系のコンテンツを中心に考え始める。理解しやすいからである。だが夏野は取引系に徹底的にこだわった。

「もしiモードによって実際の商取引を効率化できれば、iモードはeコマースのイ

ンフラになるじゃないですか。僕はiモードを社会インフラにしたかった。

ネット上の情報発信は情報の新しさが勝負ですが、もしリアルの商取引が効率化できれば、新しい価値を創造するということになりますよね。iモードの画面は小さいけど、取引系の場合はそこの見かけをよくするよりもデータベースが機能するという奥深さが勝負になってくる。

新しいサービスを始める時は、同じ泥船の上に何人乗せられるか、〝iモードが失敗したら大変だ〟と思ってくれる参加者をどれだけ増やせるかが勝負です。いいプレーヤーにいっぱい乗ってもらえば、泥船も金の船に変わるんですよ」

夏野のチームは、ネット上で最強のサービスを行っている情報提供者を、各カテゴリー別にリストアップした。たとえば当時、ネット取引に非常に力を入れていた都市銀行は住友銀行と三和銀行だった。証券系ならどこか。ニュースをよく提供しているサイトを持っているメディアはどこか。書店であれば在庫数や配達のサービスはどこがいいのか。クッキング・レシピでよくできているサイトはどこか。

またカテゴリーをバランスよく配置することも重要だった。エンターテイメント系の裏にお堅いバンキングがあるからiモードなのだ。メニュー全体として価値を出したいと考えていたのである。

だが、エンターテイメント系については、ハイパーネット時代に知っていたカラオケ配信会社くらいしか思い浮かばなかった。カラオケ会社にとっては、新曲をメニューからダウンロードしてもらえば既存のビジネスにとっての価値が出るのだが。


榎チームでは各々が自分のスタンスをはっきりさせて議論を練り上げていった。ディスカッションの繰り返しの中から、iモードの持つ価値として現実化する「知」が創出されていったのである。

榎は事業全体を総括する役割。自分では「社内を説得する役だった」と言う。NTT的体質の中では松永、夏野という外様二人を社内に引き込んで編み出したまったく新しいコンセプトを実際の形にしていくのに、かなり社内の風当たりが強かったことだろう。

この二人だけでなく、一〇人以上の中途採用者がiモードに携わっていた。「榎が巧みにスピーカーとなり防波堤とならなければ、このプロジェクトがここまでうまく行っただろうか」と評価されている。

「基本的には雑誌の編集と同じで、メニューを面白い構成にするということ。ネタは彼ら（松永、夏野）が見つけてくれましたよ」

編集畑の松永は、徹底してユーザーの立場に立った。携帯電話を持って生活するとどのようなシーンがあるか。そこではどのようなサービスが求められるか。議論の中で出てきた〝コンシェルジュ〟という言葉がキーワードになった。欧米のホテルで客の要望を聞いてチケットの手配などをやってくれる係員のことである。そうした細々（こまごま）とした生活シーンを手助けするサービスを考えていったわけだ。

夏野はパートナーであるコンテンツ・プロバイダーの立場に立つ。いかに彼らとWin-Winパートナーシップを築くかが課題だ。

「私、こんなサービスじゃ使いたくないわ」

と松永。それに対して夏野が、

「でもねマリさん、この会社にとってここまでのサービスをやるのが精いっぱいなんですよ。これ以上は無理ですよ」

「そんな技術的なことは私は知らない。もっと凄いサービスじゃないと」

そこで夏野は技術担当部長に向かい、

「うちの方でここまでやってやれば、プロバイダーはこのサービスをやることができるんですけどね」

「うーん、そんなことできないなあ、このセンじゃどうですか」

「プロバイダーはそれじゃあ満足しませんよ」

小さなブラウザー上で一行に表示する文字数も問題になった。技術的には六文字が妥当という方向で話が進んでいた。しかし松永は八文字にこだわった。

iモードをぜひ成功させたいと願う担当者たちがそれぞれ自分の立場に沿ってカンカンガクガク激論を交わし、できること、できないことの着地点を見つけていったようだ。

「iモード」の名称については夏野らとの議論の中で、松永が「ヨーロッパのどの町にもある案内所の〝i〟マークを使いたいと思うのよ。世界中どこでも〝i〟のマークの所に行けば何か役に立つ情報があることをみんな知ってるじゃない。マークは、そうね、〝i〟を丸で囲むのがいいんじゃないかしら」。

「マリさん、それじゃあインフォシーク（検索エンジン）のマークと同じですよ」

「あら、駄目なの？」
などという感じでｉモードが浮上してきた。

もう一つ重要な問題があった。インターネットに繋いでページをブラウザーに表示するための記述言語をどうするかという問題である。

パソコンではHTMLというタグ言語が使われている。ところがマイクロソフトの閲覧ソフトであるインターネット・エクスプローラーのプログラムの情報量は二〇ＭＢもあってとても携帯電話のメモリーの中に入らない。画面が小さくて入力方法も限られている携帯端末のための記述言語としては、フォン・ドットコムがHDMLを開発、既に欧米で採用されていた。

では、これを採用するか。しかし問題がある。コンテンツ・プロバイダーが既にネットに流しているHTMLの情報をｉモードで提供するには、HDMLでは大幅に書き換える手間が必要だ。

榎と夏野は売り込みに来日したフォン・ドットコムのＣＥＯアラン・ロシュマンにも会った。同社のサーバーはブラックボックスで、中身をドコモ側でいじることができないと言う。

「しかしユーザーカスタマイズや課金の仕組みはどうしても必要ですが」

「そういうシステムはすべて用意されている」

「用意されているって、こっちで書き換えることができるんですか」

「いや、すべてアメリカでいじる」

「それじゃあ難しいな」

というのが榎の結論だった。夏野も、いくらAT&Tで採用されているといっても、今ベストなものが六カ月後にそうであるとは限らないのに、最も重要なサーバーを第三者に依存することはできないと考えていた。それはインフラを提供するドコモにとっては死活問題である。ではどうするか。

一方でアクセス（Access）という、家電製品やゲーム機への閲覧ソフトで実績のあるベンチャー企業が、「普通にパソコンで使われているHTMLをベースにした携帯電話用の記述言語の開発が可能だ」として、横須賀にあるドコモ研究開発本部内の移動機開発部で実験を繰り返していた。彼らが原案をつくったコンパクトHTMLという記述言語はHTMLベースなので、現在ネット上で情報サービスをやっている企業が比較的簡単にコンテンツを移すことができるという利点がある。またサイトをパソコン上でつくっている個人も馴染んでいるので参加しやすい。

コンテンツの充実を考えればこの方式は有利だが、しかし、果たして小さなベンチャー企業にこんな重要な技術を委ねてもよいのだろうか……。

再起

Qネットが潰れた後立ち上げた会社を三つとも潰した真田哲弥は、自分の生きるべき途を探してさまよっていた。

彼が発するオーラに導かれた仲間たちが、青春のすべてをなげうって動いたあの頃の輝きは失せ、真田はいまや俗塵にまみれてくすんだ日常を送っていた。しかし起業家精神だけはちろちろと灰の中で時々炎を上げる熾（おき）のように心の中で静かに燃えていたのである。

彼の耳にもインターネットなるものの存在は入ってきていた。アメリカからはヤフーを筆頭にネットベンチャーの華々しい成功が伝えられていた。ベッコアメなど、和製ネットベンチャーも勃興しつつあった。

真田は、通信関連となれば自分の領域だと思っている。指をくわえてみているようでは、ネットベンチャーの先駆けの沽券に関わる。雑誌をパラパラめくってみるが、これだけではよくわからない。

しかしこれは何らかのビジネスに繋がるはずだ。いや、何かやらないとまずいんじゃないのか。そこでパソコンを買ってきてモデムでインターネットに繋げてみる。本を読みながら自分でホームページをつくってみる。部屋の中でパソコンを前にし、真田は腕組みしながら考えた。

「パソコン側のことがわかっても、ホームページのファイルが置いてあるサーバーのことがわからないので、どうにもビジネスのイメージが掴めない。どうやらサーバー側のことがわからないとネットビジネスには入れないらしいぞ。しかも世の中でこれだけ先行している会社があるんだから、同じことをやっても勝てっこない。じゃあ何をやったらいいのか。ビジネスとして難しいのかどうか、さっぱりわからんな。

技術を勉強しなければネットビジネスの本丸には行けない。虎穴に入らずんば虎子

を得ずだ。この迷路からなんとか脱出するためにも、一度ちゃんとしたサラリーマンをやって、ネットについて勉強してみるのもいいだろう」

と、殊勝なことを考えた。毎月決まった給料がもらえて生活設計をすることができるというのも、今まで毎月資金繰りに追われていた身としては魅力だった。

さて、どこに入ったものか。真田は技術系の就職情報誌を買ってきてつらつら眺め始めた。

「サービス寄りではなく技術系の会社で、既にライバル企業が多いパソコン系の会社ではないところと……。おっ、ここなんかいいかもしれないな、情報家電みたいなまだ普及してない分野で世の中の一歩先をやってるようだ。ここの面接に行ってみよう」

真田がネクタイを締めて面接に向かったのは、総武線水道橋駅近くにあるアクセスの本社であった。


アクセスは一九八四年、社長の荒川亨が創業。

当初はアスキーのようにソフトをつくってパソコンメーカーに売り込んでいた会社だったが、ＦＡ機器や携帯情報端末への組み込みソフトに徐々に特化してきた。ブラウザーソフトについては、ほとんどのメーカーがパソコン向け市場に食いついていったので、競合メーカーは世界でも数少なかった。

特に一九九四年にインターネットテレビのために副社長の鎌田富久らが開発した閲覧ソフト「ネットフロント」が成功を収め、事実上の業界標準になっていた。インターネットテレビ用に閲覧ソフトを開発することになったのだが、鎌田はブラウザーの他に基本ソフト、通信プロトコル制御、メールソフトなどをモジュール化して開発。この後様々な端末やハードの注文が来た時に、モジュールを手直しして対応できるようにしたのである。この技術力が各メーカーに評価され、ドコモにも食い込むことができたのだ。

面接でその荒川、鎌田の前に座った真田は、正直にQネットというベンチャーを立ち上げて潰したことを話していた。

「僕は企画やマーケティングには自信があるし、営業もできると思います。でも開発はできないし、技術がわからないんですけど、できますか」

「ええ、大丈夫ですよ。真田君は営業として技術者をマネージすればいいんですから。大丈夫、大丈夫」

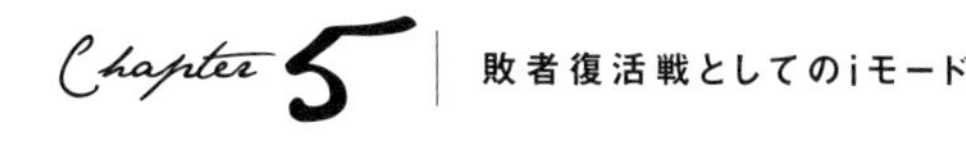

と社長の荒川。

「つまりね、先方のメーカーさんの技術者から注文を聞いて、納期を聞いて、それでこちらの開発部隊のスケジュールを決めてその通りに開発させればいいんですよ。簡単でしょ」

真田の方としては、最初からこの会社に求めるものははっきりしていた。

ネット関係の技術的知識
ネット業界に人脈をつくること
優秀なエンジニアと知り合いになること
要するにアクセスへの就職を、ネット業界に飛び込んで起業するためのポータルと考えていたのである。その真田の腹を見透かしてかどうか、副社長の鎌田が尋ねた。

「真田さんはいずれは独立して起業するつもりですか」

真田はあまりにも自然に答えていた。

「はい、そう思います」

一九九七年七月、真田はそれまでのベンチャー起業家の看板を下ろして、アクセス社員となっていた。堂々と独立を宣言して入社した真田も立派だったが、その彼を採用したアクセスの仕事ぶりも天晴れだった。

一〇〇人近い会社で営業の社員はたった四人。真田はまず、ネット接続機能を持たせる予定のある家庭用ゲーム機の閲覧ソフト、メールソフトの営業に、先輩に同行する形で参加した。

メーカー側の担当者と先輩の打ち合わせは、真田にとってはまったく宇宙人同士の会話を聞くがごとくであった。理解できる単語の方が少なくて、終わった後に、「何か質問は」と訊かれたが、溜め息しか出てこなかった。

営業マンは最初に、先方の技術者にアクセスのソフトの内容を説明し、彼らの質問に具体的に即答できなければならない。先方の企画担当者が出てきた時は「こんなことができないか」という技術をまったく無視した要望にもうまく話を合わせる技が必要だ。注文をアクセスに持ち帰って、今度は自社の技術陣と相談して納期を決めるのだが、必ず開発は遅れるので最終的には言い訳をする役割となる。

それを一人二〇件から三〇件並行して抱えて走り回るのだ。だが真田のことだから専門用語に目を白黒させていたのは最初のうちだけで、すぐに水を得た魚のようにネット界を泳ぎ始めた。仕事はハードで毎日午前様だったが、知らないことを吸収できるのでエキサイティングで面白かった。

真田をとりまく環境は一変した。何より営業先がＩＴの先端企業である。これまで付き合ってきた帳簿を手書きでつけていた人たちとはレベルが違う。彼らは三年後に世に出る商品の基礎研究について真田に相談しているのである。これは面白くてたまらない。

また、そうしたメーカーの社員たちと赤ちょうちんに行って、初めて「ああ、普通の人はこういう物の考え方をしてるんだ」と学ぶことが多かった。これまで真田の周囲にいたのは、ある種のアウトサイダーだった。彼はここで初めて、堅実にエリートコースを歩いてきた人たちの物の見方や考え方に触れたわけである。

ソフト界の王者マイクロソフトともコンペでぶつかることが多かったが、これを打ち負かすのは実に痛快である。やがて目が慣れてくるにつれて、起業の虫も顔を出す。

ネット関連の新ビジネスの種が見えてきた。鎌田がブラウザーソフトをモジュールにして開発したように、注文されたものをその通りにつくるだけでなく、それを縦に伸ばしたり横に伸ばしたり、商社的に動いたりライセンス商売をしたりとひねりを加えれば、この商売の周りには金の卵がゴロゴロ転がっていると、商機に敏い真田は思った。彼は社内で派生ビジネスの提案を様々行ったが、あまり相手にはしてはもらえなかったようだ。

入社して日を置かずして、真田はドコモの新携帯電話（iモード）に搭載する閲覧ソフトの担当を命ぜられ、先輩と共にしょっちゅう横須賀サイエンスパークのドコモの研究所に足を運ぶことになる。

アクセスは「HTMLベースで五〇K程度のメモリーで動作する仕様をつくることができる」と売り込んでいた。「じゃあもしうまく動いたら採用する可能性があるよ」ということで、携帯電話端末をつくっている大手エレクトロニクスメーカー三社と共同で、パソコン上に小さなサイズの窓を模擬的につくり、そこで問題なくソフトが動くかどうかの実験をすることになった。真田は見積りを書いてテストを受注し、開発陣に投げてソフトをつくらせた。

当然コンペはあったのだが、他社はパソコンの閲覧ソフトの機能をなるだけ削ってメモリーサイズを小さくする手法をとる。それに対してアクセスは、そもそもメモリーサイズの小さな家電機器などに組み込んで動くソフトを書いていたので、圧倒的な優位性があった。これを「コンパクトHTML」として、一九九八年二月にインターネットの標準化団体であるW３Cにエレクトロニクスメーカー五社と一緒に提案、認定された。

テストは成功し、何度かドコモとやり取りをするうち、一九九七年末頃に「新携帯電話用のブラウザーの仕様としてコンパクトHTML（ドコモ仕様）を採用する」と知らされた（ドコモは独自のドコモ仕様を使用）。真田は「へーっ、決まりなんだ」と思った。

ｉモードの仕様が決定すると、次の商売ができる。

アクセスとしては「うちが開発したｉモード端末搭載用の閲覧ソフトを採用していただけませんか」と端末メーカーに営業するのである。真田も奔走し、アクセスは各社から閲覧ソフトの注文を取ることができた。

といっても、見積りを出して予算を取ってもらって……というような悠長な商売ではない。「売れる見込みがあれば予算が立つということなら、見込みが立つように設計開発しますよ」と言って強引に売り込むのが営業の腕なのである。

だから一個当たりのｉモード携帯電話に組み込む閲覧ソフトがいったい幾らで売れるのかなどわからないうちに、もう話がスタートしてアクセスの開発陣はフル稼働している状況であった。

再会

嵐のような日々の中で一九九八年が明け、二月、真田はひさびさの休日に、芝公園を歩いていた。リョーマの社員でＱネットの役員を務め、その後リクルートに入社し、ゲーム業界を研究してゲームの雑誌「じゅげむ」の創刊に携わった高橋信太郎の結婚式が、東京プリンスホテルで行われるというのでめかし込んでやってきたわけだ。

ホテルの宴会場に着いてみると四〇〇人を超える人が集まっている。派手好きで人脈も多い高橋が、友人を総動員したのである。

しばらくの間このような集まりに顔を出すことの絶えてなかった真田としては、久し振りの晴れの場だ。沈没していた彼がやっとこういう場に出られるようになったというのは、すっかり前向きに生き始めた証左である。

会場は着席型ではなく立食で、あっちこっちに人の塊ができてヤアヤアと旧交を温め合っている。「誰がおるんやろう」。よく見ると、学生時代からの懐かしい顔ばかり。よくもまあこれだけ集めたものである。

この場に、「携帯電話にインターネットを載せよう」というキャリア（電話会社）との交渉に行き詰まっている堀主知を、「たまには東京に出て気分を変えよう」と岩井陽介が引っ張って上京してきていた。岩井が学生時代以来初めて会う真田を見つけて懐かしげにしゃべっているのを見て、堀は「こいつ、誰やねん」と思った。

「この顔はむっちゃよう知ってる顔やねん。誰やったっけ……」。真田とは学校で会うことはなく、もっぱらミナミのディスコで顔を合わせていただけだった堀は、岩井よりも真田との間に距離があった。しばらく二人の会話を聞いていた堀は、

「ああ、真田さんやん、むっちゃ久し振りですね。今、何やってらっしゃるんですか。僕らは携帯電話のビジネスを考えてるんです」

真田は浪人しているので堀より年上だ。年長者に丁寧な堀の言葉につられて、真田

は「ああ、それなら僕は……」と言わなくてよいことを話してしまった。

話を聞いて堀と岩井は驚いた。既に前年一一月からJ-フォンが携帯電話を使った電子メール（ショートメッセージ）のサービスを始めていたが、どうやら東京のキャリアは本気で携帯でのネット接続を考えているらしい。しかも真田は技術的な知識を完璧に身につけているようだ。

堀は一方的に、「こんなサービスはできるだろうか」と質問し、真田は差し障りのない範囲で答えたのだが、真田は真田で、彼らが携帯電話でのネットビジネスを考えついて、キャリアを動かそうと悪戦苦闘していたことを聞いて驚きを禁じ得なかった。

堀と岩井は、「自分たちの努力はいったい何だったのだろうか」と思いつつ新幹線で帰阪した。

帰途、堀は思った。

「真田さんさえいてくれれば……」

数日後、真田はiモード端末に載せる閲覧ソフトの価格最終交渉のために某エレクトロニクスメーカーを訪ねていた。交渉は五〇〇円の提示額から始まり、一〇〇円を

切る切らないというところまで値切られてしまう。

携帯電話閲覧ソフトやコンテンツ提供にビジネスチャンスを描いていた彼は思った。

「ちょっと待てよ、これじゃ商売にならんやないか。他の携帯端末なら五〇〇円以上するものが数十万台は出るはずの携帯電話だと話が全然違う。

幾ら売れてもグロス収入が違わないのだ。これはひょっとして、組み込みソフトの価格は、メーカーがソフトを自社開発したらかかるコストを売れる台数分で割った金額に限りなく収斂していくということなのではないだろうか。それでは開発費以上に儲かることはないことになる。

これがソフト屋というものか、一台で二年間は使う携帯電話の閲覧ソフトをつくっても一回こっきりの商売にしかならない。それならそのソフト上に情報を送ることで毎月百円ユーザーからもらうことができるコンテンツ・プロバイダーの方がよほどいいじゃないか。売り切り商品は儲けにならん。これはどうも、サービス側のことも研究した方がよさそうだぞ」

翌週、真田はドコモの研究所に紹介を頼んで、ドコモのゲートウェイビジネス部を訪ねた。「コンテンツ担当チームと一度ディスカッションさせていただきたい」と申し入れたのである。

彼は横須賀の研究所にしか通っていなかったので、ついぞ本社に足を向けたことはなかった。真田はこの時点では独立起業などということは考えもせずに、単に勉強させてもらうつもりでゲートウェイビジネス部の門を叩いたのである。

応接室で待っていると、ぞろぞろとチームの面々が四〜五人入室してきた。端の人から深々と頭を下げて挨拶し名刺交換をしていく。

「アクセスの真田でございます。ははあ、よろしくお願い申し上げます」

丁寧に、慇懃に。これこそ大企業の流儀である。

やがて最後の人と挨拶し、お互いの名刺を指先でつまんだところで、二人とも弾かれたように顔を上げて正面にいる相手の顔をまじまじと見つめたまま固まった。

「お、お前なんでここにおんねん」

「お前こそ……」

七〜八年前に東京円卓クラブで激論を交わしていた好敵手、夏野剛であった。年末に潰れたハイパーネットにいたはずの夏野が、自分にあまりに近いドコモにいたことに真田は意表を突かれたが、夏野は夏野で、Qネットが潰れて以後ほとんど雲隠れしたように消息を聞かなかった真田が突然目の前に姿を現したことに心から驚いていた。

「ちょっと待ってね。マリさん呼んでくるから」

夏野が席を外して松永を呼んできた。

「ほら、マリさん、あのQネットの真田ですよ」

「ああ、あの時の真田君。久しぶりねえ、何してたの」

それからしばらくは、昔話に花が咲いた。この場で真田はｉモードによるコンテンツビジネスの可能性を確信することができたのである。Q^2ビジネスでの経験を考えると、ｉモードへの情報提供は十分商売になるはずだ。真田は事業計画を練り始めた。


一方、関西に帰った堀も携帯コンテンツビジネスの事業案を固めつつあった。企画についてはこれまで三年間、岩井と考え抜いたプランが貯まっている。事業収支計画も数限りなくつくってきた。必要なのは金主だ。しかも信用のある大企業で、かつ特定のキャリアと取引関係があってはならない。まず、立石琢磨に相談する。

立石は「それはめちゃおもろいん違いますか」と答えた。堀は「オムロンさん本体に出資話を持ちかけたいんやけど」とおずおずと尋ねる。「それは僕は立場が微妙なので、担当部署を紹介しますから相談してもらえますか」。

携帯電話でインターネットというのはまだ夢物語の時代の話である。しかし堀はこの時のために磨き上げてきたかのような説得術でオムロンを説き伏せ、ついに出資を得ることに成功する。堀にはオムロンのような大企業の後ろ楯がなければ、弱小ベンチャーがキャリアと取引するのは難しいとの深慮遠謀があったのだ。

後はアクセスにいる真田を引き込めばよい。堀の側の起業準備の進展状況は逐一電子メールで彼に知らせてあった。

ダイヤルQ²の教訓を経て

ところが真田は真田で、独自に起業を考えていた。起業家は独立心の固まりである。そうでなければ会社のどこかに居場所を見つけて、サラリーマンになることができるはずだ。

彼はアクセスの仕事の中で幾つもの周辺ビジネスのアイデアを思いついていた。どのビジネスでいつ独立すべきかが課題であった。アイデアの中でたいして儲からなさそうなものを除いていくと最後に二つ残った。両方ともネットを通したコンテンツビジネスなのだが、対象は一つはｉモード、もう一つはデジタルテレビである。

テレビにインターネットが繋がれば、ｉモード以上の巨大ビジネスになるかもしれないが課金が難しいだろう。ということは、数は出るけどカネが取れない今のサイトビジネスの状態と同じである。

もしドコモが情報料の回収代行をやってくれれば、ｉモードは必ず一大ビジネスに大化けすると真田は確信していた。ところが既存のネット業界人はそうは思っていなかった。その頃までに有料情報を提供していたネットはすべて敗退していたからである。「コンテンツはカネを取れない」。それが世間の常識だった。

だがＱネットの発案者である真田は知っていた。支払い方法が簡単で安心できるものであるのならユーザーはカネを払うのである。その意味でキャリアによる課金はベストな方法で、ダイヤルＱ[2]ではユーザーはあまり意識をせずに情報料を支払っていた。これはＱネットの時と同じで、インターネットの技術を使ってはいるがこれはネットではない。では何なのか。

「ｉモード」なのである。

つまりｉモードという新しい習慣に対してカネを払うのだ。これがｉモードの本質である。

それが証拠に、ｉモードのメニュー表には一言も「これはインターネットです」とは書いていない。インターネットと思われたら失敗なのだ。これこそｉモードと他のキャリアが提供するサービスとの根本的な差だ。


真田は「ｉモードは収金代行をするらしい」という情報を掴んだ時点で、コンテンツ・プロバイダーとして独立起業することを決めた。

ｉモードはダイヤルQ^2サービスの欠陥を補う優れた点を備えている。

Q^2が世の中から抹殺された直接の理由は、電話加入者と利用者が違っていたことにある。子供が使ったQ^2サービスへの高額請求に腹を立てた親がＮＴＴに料金請求無効を訴え、大阪地裁・高裁でＮＴＴが敗訴したのだ。だが、携帯電話の場合は固定電話と違って契約者と使用者が一致するし、パスワードを入力するので他人は使用できないから、この問題はクリアできる。それからQ^2には誰でも番組提供を行うことができた。これに関してドコモはコンテンツの公募はせず、番組内容を吟味するらしい。

もう一つ、Q^2は一分幾らという高額のサービスだったので、請求額が高額になる傾向があった。これも月額固定制で一番組三〇〇円程度ならまったく問題はない。

こうしたQ^2の欠陥をｉモードはカバーしている。今なら参入者も少ないのでチャンスだ。収入は最低でもQ^2程度は行くだろう。

もう一つの利点は、Q^2では接続数に応じたサーバーと回線を確保する必要があったし、ポータルを目指したQネットは全国にQネットセンターを配置する必要があった。しかしインターネットにはその必要がない。世界中同じアクセスコストだし、どんなにアクセスが集中しても繋がるのが遅くなるだけだ。


起業の意志は固かったが、真田は今回は自分がトップになろうとは考えていなかった。少なくとも「自分はカネをいじらない」と決めていたのは、Qネットの失敗で学んだからだった。つまり彼は自分の得手不得手を見極め、トップの肩書きに未練はあったもののQネットの二の舞をより恐れたわけである。

当時は銀行借り入れで資金を手当てする必要があったことも理由の一つだ。銀行は

Qネットを潰した真田にはカネを貸すまい。そこで事業のアイデアや戦略は自分で立案するが、誰か仲間に代表取締役をやってもらう必要がある。

ところが以前からの仲間で手が空いている者はいない。玉置真理や西山裕之はインターキューで株式公開に向けて邁進していた。加藤順彦は自分で立ち上げた広告会社、日広のネット広告の受注が好調であった。

元Qネットの社員は真田の影響下にあったせいか、会社をやっていたり役員として経営に参加していた者が多かったのである。今さら「辞めて俺と会社やらへん」と誘っても乗ってこない。

出資者については「ネット商売で真田が行けると言ってるのならカネを出してやろう」という人もあり、こちらはなんとかなりそうな雰囲気だったが、いかんせん人がいない。アクセスでの仕事は繁忙を極め土日も休めなかった。人探しなどする時間はない。

そうこうするうちに、毎週やり取りしている堀との電子メールの内容が熱を帯びてきた。どうやら彼の方は着々と会社設立の準備を進めているらしい。ついには堀から電話がかかってきて「一緒にやりましょう」と誘われてしまう。

「パラダイス・ウェブはやめてこちらに賭けるつもりですから」

「でも僕の方も事業計画進めているからなあ」

やんわりかわしたものの、真田も手が詰まっていたのである。堀からは「こっちはオムロンが乗ると言っている」と進捗を知らせるメールが入ってくる。

「上京するから会いましょう」と連絡がくる。

岩井という優秀な企画マンと、オムロンという一流の出資者を揃えて持ってくるという。

「今さら蹴られんわな。どっちみち社長は用意せなあかんし、どうやら彼は昔ディスコで見かけた時のぬるま湯の中で育ったボンボンという印象とは随分違うようだ。堀は商売については生まれついての鋭いセンスがあるようやし、一九九八年の川久の倒産を経験してリスクへの恐怖心をしっかり持っているからありがたい。ここに自分が入ったらこの会社はきっとうまくいくに違いない」

真田は徐々に堀と組むことに傾いていった。

「わかりました。それでやりましょう」

堀の粘り勝ちだった。

サイバード設立

真田は一九九八年夏、アクセスに辞表を出した。

「僕は携帯電話コンテンツの会社をつくります。僕の方でコンテンツ事業をやるので、そのうちアクセスの閲覧ソフトと合わせて継続的に収益が上がるように考えますよ」

起業家は、サラリーマンとしての引き際も見事な円満退社で締め括った。真田はリョーマやQネットの頃の感覚を完全に取り戻しつつあった。雌伏（しふく）七年、真田はやっと本来の自分を回復しつつあると感じていた。

一九九八年九月、サイバードが設立された。資本金九〇〇〇万円。堀は直前になって伊藤忠商事の出資を仰ぐことに成功した。持ち株比率は堀社長、真田副社長、岩井専務取締役で五〇パーセント超、オムロンと立石琢磨、伊藤忠商事で五〇パーセント弱だった。

銀行決済コンテンツ

ドコモ榎チームは、一九九八年末に予定するｉモードのサービス開始に向けて着々と準備を進めていた。魅力的なメニューリストをつくり、情報提供者と共栄関係を築くためには、コンテンツ・ポートフォリオに従って泥船の漕ぎ手を見つけなければならない。

夏野はその中でも取引系にこだわり、銀行をメニューに加えたいと主張する。榎はもちろん銀行が話に乗ってくれればありがたいものの、無線のセキュリティを気にする保守的な銀行が乗ってくるという確信は持てなかった。

夏野は住友銀行の本店支配人であった國重惇史を訪ね、ハイパーネットでかけた迷惑を詫びてｉモードの情報提供者になってくれるように頭を下げた。

國重は夏野の話を聞いて、担当役員に話を繋ぐことを約束した。この際「他にどんなコンテンツがあると便利だと思われますか」との質問に、國重は「うーん、競馬の結果情報なんかあると便利だと思うけど」と答えている。

二週間後、住友銀行副頭取の堀田健介がドコモ社長の大星を訪ね、住友銀行がｉモードの情報提供者第一号になることが決定した。話を聞いた榎は「ラッキー」と思った。銀行が乗るのであればiモードのセキュリティ面が認められたということである。これで証券など他の金融機関や大企業からの情報提供がぐっと受け入れやすくなった。住友銀行の参加は大きな一歩だった。メニューが揃い始めたのである。みんなが泥船を懸命に漕げば、泥船は金船に変わる。

ところが、「取引」「情報」「データベース」「エンターテイメント」という四つのカテゴリーをきちんと満たすためには、最強企業との提携というアプローチ方法が通用しない分野があった。「エンターテイメント系」である。

バンダイの参入

一九九八年七月のある日、バンダイ開発本部ニュープロパティー開発部長の林俊樹が、ドコモ社内の知人の紹介でiモード開発責任者の榎を訪ねてきた。林はバンダイが開発中の通信機能を持った携帯ゲーム機「ワンダースワン」の通信機能が高性能なので、これは使えるのではないかと考えて榎に売り込みに来たのだ。

ワンダースワンの試作機を手に取った榎は一言、「これ、違うんだよね」と洩らした。

「はあ？」

「いや、こういうのをやってるのは隣の部署なんですよ。それはそれで紹介しますけどね。僕の方ではブラウザーの動く携帯電話をやってるんですよ。そのコンテンツをつくってもらえるとありがたいんだけど」

「はあ、持ち帰って検討します」

なんとも冴えない会話であるが、ここからｉモードの加入者の二割が契約するという大ヒットが生まれたのだから世の中なんでもトライしてみるものである。

ところで、そもそもバンダイの社長室長でありオーナーの山科誠の側近であった林が新商品を売り込みに来るのには、それなりの経緯があった。

バンダイは五〇年の伝統を持つ玩具業界のナンバーワン企業である。そのバンダイが「ピピンアットマーク」で家庭用ゲーム機市場に参入したのは一九九六年三月。CD-ROMで、ガンダム、アンパンマン、機関車トーマスなど、同社が権利を持つキャラクターを中心としたゲームを楽しめるものだが、その他の機能として、ゲーム機では初めて、インターネットへの接続機能を兼備していた。「キーボードが苦手な人でもインターネットができる」という点は注目されたようである。発売にあたって同社は別会社を興して事業を移管、仕様を公開してソフトメーカーを募った。全国紙に見開き広告を打っての、社運を賭した一大プロジェクトだったのである。

だが結果は散々で、二年後には事業撤退を発表。合計で四万二〇〇〇台しか売れず、万単位の不良在庫を抱えたようだ。

このためバンダイは一九九八年三月に二七〇億円という巨額の特別損失を計上する。販売不振の原因は、ゲームもネット接続機能も中途半端であったからだと言われている。確かにネット接続に関してはキーボードがなければ、慣れている者には使い勝手が悪かった。

ところが捨てる神あれば拾う神あり、というよりこれがバンダイの底力なのだろう、一九九六年一一月に発表されたポケットゲーム機「たまごっち」は歴史的な大ヒットになり、収益をぐっと押し上げた。

そうした複雑な状況の中で一九九七年一月二三日、山科誠社長は電撃的に「セガ・エンタープライゼスと一〇月一日に合併する」と発表する。なんと家庭用ゲーム機市場のライバルとくっついて「セガバンダイ」になるというのだ。

この構想はごく少数の役員しか知らなかったのだが、あまりの社風の違いを危惧して若手社員はほとんど反対に回り、五月には部課長からも合併反対の嘆願書が提出された。

山科の側近中の側近であった林も、合併発表の三日後には反対派の先頭に立っていたというから、社内は混乱を極めていたのだろう。反対派は創業者である相談役の山科直治を懸命に説得し、社長の父親の姿勢が変わったことから反合併派が有利になる。

結局、五月二七日に両社は合併断念を発表した。

「でも山科さんは大きな人ですから、正面から合併に反対するし、そんなことなら辞めるとまで言った僕を使い続けようとしたんですよ。今でも信頼関係は変わっていません。でも僕の方が精神的にもたなくて、〝異動させてください〟と頼んだんですよ」

六月、役員の大幅な人事異動が行われ、山科は会長に退いた。林は広報部長に移った。彼はてきぱきと歯切れよく語るのでメディア受けもよかったのだろう。好意記事獲得率を上げていった。

そして一九九八年一月、ピピンアットマークの幕引きの日がやってきた。販売元がなくなったCD-ROMソフトが大量に返品される可能性がある。しかしピピンはマッキントッシュの規格でつくられているので、ソフトをそのまま売り続けることもできるのだ。手を拱いてそのまま返品されると赤字額が二二億円膨らむことになる。誰が「ソフトを返品せず、継続して売ってもらえる」よう説得して歩く在庫処理の任にあたるか。誰でもこんな損な役回りは御免だ。引き受け手などいない。

他の人事は人事異動日のかなり前に内示されるのだが、一〇日前になって林は突然社長から呼び出しを食った。

「今日決まったんだけど、ピピンの件、やってもらえないかなあ」

林は「俺もサラリーマン、ガタガタ言っても仕方ない」と考え、「決まりですか?」とだけ尋ねた。「そうだ」と社長。

「わかりました。やります」と言って引き下がった林だったが、さすがに二～三日は悩まずにはいられなかった。だがこう考えることにした。開発から管理畑に回った林

は、これまでなかなか事業系に関与できなかったが、この辛い処理をやり通せば、事業系でも活躍できるようになるだろう。とすればこれはチャンスだ。

「本人ができるとさえ思っていれば、必ずできる」

林は広報と兼務で撤退事業の処理を開始した。その事業部の名称がニュープロパティー開発部というのも変だが、ネット事業としては全国に十数カ所のアクセスポイントが稼働していた。古いサーバーも四〇台以上所有している。またブラウザー付きPHSの開発部隊など、二〇人ほどの人間を引き取っていた。

ともすれば暗くなりがちな部員を元気づけるため、林は自分の机の周囲の壁に標語を書いて貼り出した。

「利益の出ない仕事は仕事じゃない」

赤字が見込まれる商品の開発をあきらめさせるためである。しかし世の中にどれだけ利益の出ない仕事を続けていて平気な人が多いことか。

「安定事業基盤を探そう。創ろう」

というのもあった。撤退部門なのになぜ、と思うが、上層部にも「嫌な仕事を押しつけている」という意識があるので、「ちょっとこんな新しい仕事をやってみたいと思うのですが」という案件を持ち出すと、役員も「うん、新規投資が要らないのならどんどんやってよ」ということになる。林はそれを逆手に取ろうとしたのである。と言えば聞こえがよいが、そうでもしないと精神的に辛くてやっていられない仕事だった。それと並んでこんな標語も貼ってあった。

「マルチメディア事業でナスダックに上場しよう」

ここまでくるとさすがに空元気の域である。

しかし林はこれらの標語を背負ってCD-ROMの在庫を抱えるメーカー回りを続けた。その空き時間には新事業のアイデアを出して小当たりしていたのである。そしてドコモに行き当たったというわけだ。

ドコモで榎の話を聞いて、林は一九八九年頃、社内論文で「ゲーム端末をネットで繋いでゲームを売るようにすると面白い」と提案したことを思い出した。当時はあまりに通信速度が遅かったので、「何言ってんだ」と相手にされなかったが、ｉモードを使えばネット上でゲームを売るという夢が実現するかもしれない。しかも収金代行

もしてくれるという。

ピピンの遺棄物資であるサーバーもあるし、サーバーの運用ノウハウもある。HTMLが書ける人材もいるから、コンパクトHTMLなら大丈夫だ。現に抱えている負のリソースがカネに変わるということではないだろうか。

榎に興味があることを伝えると、榎はわざわざバンダイまで足を運んでiモードの試作機を見せてくれた。「見当違いの話を持ち込んだ者に対して優しいなあ」と林は感激した。

しかしドコモにもエンターテイメント系のコンテンツが欲しいという事情があった。携帯電話上のブラウザーを見ると、ちゃんと動いている。林は企画立案をスタートさせた。

バンダイがiモードのスタート初日から投入した番組は「ドコでも遊べガス」という。毎日メールでクイズが出題され、持ち点を賭けながらクイズに回答して架空の通貨を増やしていくという、クイズとゲーム性を兼備したものだ。「東西吉野家対決」といって大阪と東京の吉野家で牛丼を注文してどちらが早く持ってくるかを競わせたり、「今日上野のパンダは何回あくびをするでしょうか」と出題して一日中パンダを見張っていたり、というおふざけクイズを真面目にやっている。月額料金は三〇〇円。

林はこれを企画する際、いつものように外部のブレーン会社を使ったのだが、今回に限っては企画の買い取り方式を採らなかった。彼にはある信念があり、それに基づいてやってみたいシェアモデルがあったのだ。

「日本では、外国では当たり前のことが、当たり前でないということが多いと思うんですよ。高速道路がタダじゃないとかね。著作権についての考えがいい加減というのもそう。

人様が一生懸命考えたものが価値を生むのであれば、その汗の対価が正当に支払われず、買い取られたアイデアで発注側が利益を独り占めするというのはおかしいですよ。アイデアやグラフィックがお金に変わるというのは当然のことなんです」

そこで林は親しいブレーン会社の社長に、「今回の仕事は買い取りと違う形にしたい。うちと折半でリスクを取ってもらえないですか」と告げた。

相手は社員数二〇人くらいの中小企業である。買い取りで一〇本企画を頼む場合、あまり本気でつくってくれない。だから当然、面白くない。利用者からそっぽを向か

れたらコンテンツ商売はおしまいである。「それなら、お互いにリスクを分け合い、コストをかけて本気で仕事に取り組みましょう。その代わり儲けが出たらリターンはありますよ」という提案である。

〝下請けを使う〟という発注側の意識がそのままでは、この図式は成り立たない。良質のコンテンツをつくるために同じ立場でパートナーとして共闘できるかどうかだ。

「〝わかりました、おたくと折半でリスク処理しますよ〟と社長に言ってもらった時は嬉しかったですねえ。これ、やってみたかったんですよ」

と林は振り返る。先方も適当にやっつけ仕事で出してくる企画を一〇本もらうより、費用を負担し合って根性の入った企画を二五本つくる方が絶対に質のよいコンテンツができるはずだ。それまでは客としておだて上げられていたバンダイの若い担当者の意見も、なかなか通らないようになってきた。双方が本気で取り組むプロジェクトとなったのである。

バンダイのコンテンツは成功を収め、このブレーン会社は現在では月に数百万円の報酬をバンダイから得ているようだ。

林のシェアモデルは、Win-Winモデルの原型である。従来の企業の取引関係というのは、発注側が利益を独占し、受注側は下請けに甘んじるという傾向があった。日本企業は戦艦大和型で、必要なものは印刷会社から病院に到るまで自前で装備しなければならないという通念があった。大企業の場合、これはメンツに近い。生産関係もすべて系列構造の中に包摂し、関係の継続性を重視してきた。

これでは徒（いたずら）にコスト負担が増大し、技術などの環境変化に柔軟に対応できないというのはよく指摘されることである。

だが、それ以上に、このシステムは大きな問題を抱えている。関係が固定された二者間では、継続的に新しい〝知〟を生み出していくには限界がある。しかし、〝知〟こそ新しい価値を生み、ビジネスの優位性を生む源泉なのである。林のシェアモデルは、従来の桎梏（しっこく）を破り、協力会社との間に対等のパートナーシップを築くことによって、競争力のある質の高いアイデアを手にするための新手法だった。

キラー・コンテンツ

サイバード起業のため上京した堀は、拠点として西麻布の第二八森ビル一〇階に一〇〇平米の部屋を見つけた。森ビルなら有名だし、この部屋からは東京タワーがよく見える。家賃も五〇万円と高くはない。

堀は頭からこう決めていた。

「サイバードは、どんな大企業とでも普通に話ができる一流の会社にする。学生企業のノリでは駄目なんだ」

そうでないとビジネスがなかなか前に進まないというのがパラダイス・ウェブでキャリアと交渉してみて学んだことだった。一段階上に背伸びしようという意識である。

そこでオフィスの備品、什器も安物でなく特注品を気張ったので、駆け出しのベンチャーにしては随分立派なピカピカのオフィスが出来上がった。しかしリース関係は株主からの優遇を受け、余計なカネはびた一文使わない覚悟である。九〇〇〇万円しかないのだ。人件費、家賃、開発費を考えると決して多い金額ではない。

当初は堀、真田、オムロンからの出向者と事務員という四人のスタートだった。岩井はやや遅れて参加した。iモードのスタートまで三カ月しかない。寝る間もない日々が始まった。

五人の脳みそは一つになっていた。ワイガヤやっていく中で、アイデアはどんどん形になっていく。

堀も真田も岩井も企画マンなので企画は山ほど考えつく。なんせ岩井には足かけ三年間、携帯電話向けコンテンツを練ってきた蓄積がある。真田はQネット以来一〇年の経験だ。Qネットの経験から行くと、まず儲かるのはコミュニケーション、占い、スポーツであることは明らかだ。

こうした企画について、ユーザー数のパターンを変えた収支計画を書きまくった。堀はサーバーの手当てや対外折衝、岩井は企画書をまとめてキャリアでのプレゼンテーションに忙しい。真田もコンテンツ企画を立案し、キャリアからOKをもらった企画を開発するのに忙殺されていた。

岩井が書いた企画書をキャリアに持ち込む。まずJ-フォンでやっていたショートメッセージ向けコンテンツ「小ネタ／ジンクス」の企画が通った。次が宴会芸。関西

人の集まりだけに自分たちのネタを出し合ってつくってしまう。これで一二月からわずかだが現金収入が入り始めた。

次はドコモである。コンテンツ担当の責任者は夏野だが、夏野の壁は厚かった。企画の一割も通らないのだ。厳しいようだが、夏野の理屈はこうである。

「ドコモがリンクを張るということは、われわれのおすすめメニューであるということです。ということは、われわれが自信を持てないものは載せられません」

サイバードはゲームの企画を一〇個出したのだが、一つとして通らなかった。一方でバンダイは、「ドコでも遊べガス」の開発をスタートしていた。これがサービス開始時の唯一のゲームになった。

その他サイバードはドコモの便利ダイヤルなどを受注したが、これも制作費程度しか回収できない。だが希望はあった。彼らは切り札を持っていたのである。それは真田がQネットでやった、そして堀と岩井がパラダイス・ウェブでやってきたコミュニケーション・サイトである。

iモードでもこれが一番の人気サイトになることは間違いないと彼らは踏んでいた。これさえ押さえることができればサイバードの将来は明るいはずである。メーカーの携帯端末の生産が遅れているので、iモードのスタートは二カ月遅れて一九九九年二月二二日となった。それまでに間に合うようにサイバード側も準備が進んでいた。

もう一つ、有力なコンテンツがあった。木枯らしが吹き始めた頃、真田はリョーマが営業譲渡を受けた元CSEの元社長、椚座(くぬぎざ)信の思わぬ来訪を受けた。一〇年ぶりである。Qネットに人材を引き抜いたため空洞化したリョーマの穴を埋めるため営業譲渡してもらった企画会社の元社長は、会社を人手に譲った後、一〇年近くサーフィンに明け暮れていたというツワモノで、元Qネット社員で日広社長の加藤に真田の居場所を聞いて電話をしてきたらしい。

あまりにも海が汚れていることに苛立ちを募らせていた椚座は、「これはなんとかしなければ。草の根で海の浄化運動に取り組もう」と考え、日本のサーフィン界の大御所たちに相談した。もちろんみんな「それはよい考えだ」と賛意を表すが、問題は先立つものである。

「大丈夫、いい考えがあります。僕の友人で真田君というのがいます。彼は今、ダイヤルQ^{2}サービスの最大手の会社をやっていて、随分儲かっているようですから、彼の所に波の状況についての情報を提供して情報料を取り、その一部を資金にすればいいんですよ」

「それはいい、ぜひやろう」という話になり、彼はサイバードにやってきたのである。

「……それで真田君に相談しに来たんだ」

「いやだなあ椚座さん、Qネットは七年前に潰れてるんですよ」

「えっ、そうなの。それは知らなかったなあ」

「浦島太郎みたいに浮世離れした人ですねえ。でも僕らは今、携帯電話に情報配信する商売をやってるんですよ。今からやるんなら携帯ですよ」

　真田はすばやく計算して言った。Q^2の経験で、スポーツで売れる情報は競輪競馬、プロレスと、サーファー用の波情報のみ、と相場が決まっていたからだ。サーフィン人口は少数にすぎないのだが、海岸にどのような波が立っていて、人出がどのくらいあるかという情報を求めている人は確実にいる。

「携帯電話？　なんじゃそりゃ。おおっ、これはいいかも」

「サーフポイントの波の情報はどうやって取るんですか」

「それは簡単だよ。藤沢にあるサーフレジェンド社が〝波伝説〟というのをファクシミリで流しているから、それをそのまま流せばいい。ところで何で堀君が真田君と一緒にいるの？」

実は彼は、大学時代の堀の兄貴分でもあった。この浦島太郎は金の卵を持ってきてくれた。

ドコモに持っていくと、「やってみよう」ということで、企画が通った。サーフレジェンドの、ダイヤルQ^2時代以来の長年の実績がモノを言った。

「技術者が一人要るなあ」

「じゃあパラダイス・ウェブのデザイナーの西林さんに探してもらおうか」

西林から「携帯の情報サービスをやる会社をちょっと手伝ってやってくれないかなあ」との話を受けたのは、中小企業向けにサイトのシステム構築の仕事をフリーでやっていた銕（てつ）高弘である。技術者魂を内に秘めた一匹狼だ。彼は災難なことに、クリスマス・イブの夜七時に呼びつけられた。

銕がサイバードに入っていくと、世間はクリスマスで浮かれているというのに、みんなやけに難しそうな顔をして何か話をしている。

やがて真田が「こっちに来てくれますか」と部屋の隅にある応接室に銕を呼び、人を試す目つきで「HTTPってわかりますか」と質問を投げかけた。銕は「なんだ、素人に聞くような質問だなあ」と不満ながらも口頭試問に答えた。一通りの質問に答えると、真田は「待っててください」と座を外し、堀としばらく話してから戻ってきて「じゃあ採用させていただきますので」とボソボソッと言った。

まったくその気で来ていなかった銕は「ちょっと待てよ、今のが面接かい」と思ったが、「まあ堀の気心も知れてるし、小さな会社も好きだから、来年三〇歳になるところで会社勤めでもしてみようか」と思い直した。

真田は、「ここの会社の技術部門は全部見ていただきます」と言う。銕は「どうせ三〇〇人程度へサーバーから情報配信するのだろう」と思い、「訳ないですよ」と答えた。

この一二月、まだiモードのサービスが始まってもいないのに、ドコモの夏野は早くも次世代端末には動画を載せたいと考え、Javaという標準的な技術を持つサン・マイクロシステムズと提携するためにシリコンバレーに飛んだ。

サイバードの堀、真田、岩井もiモードの成功を確信して準備にいそしんでいたが、夏野は夏野で、自分が考えたｉモードのコンセプトを現実にするために、わき目も振らずに邁進していた。だが世間では、この新サービスが大化けするなどは誰も想像だにしていなかったのである。

年が明けて、一九九九年一月四日、この正月を生まれて初めて買ったウィンドウズマシンをいじって過ごした技術屋の鋏は、サイバードに初出勤した。まず最初に真田から「二月二二日までに波伝説をつくってください。はいこれ、ｉモードの仕様書だから読んどいてね。明日会議だから」とぶ厚い仕様書をポンと渡された。

翌日の会議を一日中聞いていてわかったのは、サーフレジェンドから全国のサーフポイントの情報が一日に三回配信される。それをサイバードのサーバーからｉモードに配信するということである。

ｉモードはインターネットと同じパケット信号なので、各端末とｉモードセンターはずっと繋がりっぱなしの状態で、送受信するときだけ情報料に応じて課金される仕組みである。一パケット〇・三円なので、最低で二〇字程度を一円で送信することができる。Ｊ-フォンとツーカーは回線交換方式なので回線を繋いでいる時間で料金が

決まってしまう。操作が苦手な人はパケット式の方が安上がりだろう。

それで「波伝説」の技術的な問題は、ファクシミリで送っている大元のデータのままではサイバードのサーバーに入らないということである。これでは話にならない。銕は藤沢まで何度も行ってサーフレジェンドのパソコンの入力データベースをつくり直した。その一方でその情報を携帯電話側のブラウザーで文字に変換するソフトの構築をオムロン・ソフトウエアに依頼した。

ところが、銕が苦労しつつ一から作業を進める傍ら(かたわ)で、サイバードにとっては驚天動地の事態が起こっていたのである。

一月七日、神奈川県警捜査一課は平塚市のＯＬと藤沢市の専門学校生に睡眠導入剤を飲ませ、金品を奪った上、屋外に放置して凍死に到らしめたとして、二三歳住所不定無職の男性を逮捕した。

被害者たちはすべて犯人と伝言ダイヤルを通して知り合っており、この事件は「伝言ダイヤル殺人事件」として社会面に大きく取り上げられた。そのニュースを見た真田の心にも何かひっかかりがあったのだが、忙しさにかまけて忘れてしまっていた。

一月下旬、「折り入って話したいことがあるんだ」とサービス開始間近で忙しいはずの夏野がサイバードに姿を見せた。夏野がやって来るということは、どうもいい話ではないなと予感したが、彼の言葉を聞いた瞬間に真田の背筋を冷たいものが走り抜けた。

「伝言ダイヤル殺人事件を報道するマスコミの論調は〝けしからん〟って調子だったよね。もし万が一、iモードでそんなことがあって、iモードサービス全体が危険だと世間に思われたら、iモードにとっては致命的だ。

本質的には仕組みが問題ではなくて、ユーザーの使い方の問題なんだけど、世の中はすべて結果論だからね。iモードのイメージが下がると、われわれが目指しているWin-Winの関係どころではなくなってしまう。

ついては、iモードではコミュニケーション系のサービスはやらないと決めたんだ」

真田の目の前が真っ暗になった。このサービスがサイバードのビジネスの目玉だっただけに、既に数千万円を投入してシステムはほとんど出来上がっている。その売り上げの見込みが立たなくなってしまうとは。

それ以上にキャリアの方針変更でこんなことが起きるようでは、このビジネス自体に欠陥があるということだ。ＮＴＴの規制で破綻したＱネットの悪夢が真田の頭にまざまざと蘇った。堀も事態の深刻さに衝撃を隠せない。岩井は「これはもう駄目かもしれない」と感じた。まだ勝負が始まる前に、彼らのビジネスは致命的な痛撃を食らったのである。

今のところコンテンツも何もない。サイバードはまだ実質的にゼロの会社だった。もう後がない瀬戸際である。「波伝説」だけが頼みの綱だ。

「鋏君、波だけは二月二二日のドコモのサービスインに間に合わせてくださいよ」

「はあ、わかりました」

「そりゃ、やれと言われれば黙っていても期日までにやりますよ。でもこんな意味があるかもわからないものに大の大人が血相変えて、何をやってるのかね……」と思いながら技術者気質の鋏は黙々と仕事を続ける。

二月初めにはHTML形式でサーフレジェンドのデータが送られてくるようになった。この情報を本棚の下段に置いてある二台のパソコンサーバーから配信できるようになったのがサービス開始一週間前のこと。

「真田さん、できましたよ。でもｉモード上のメニュー画面とどう繋がっているのかわからないんですよね」

ポータルからの入り口として会員用のページと、見本用の画面が必要だということがわかって慌てふためきつつ見本ページを完成させたのが前日のことである。なんとか駆け込みで間に合った形だ。

成功の予感

翌二二日午前九時、ｉモードのサービスは静かに始まった。サーバーのディスプレイを見ていると、一人、二人と登録ユーザーが増えていくのがわかる。

「オォ、来てる来てる」

「三七人を超えましたよ」

「なんだこの、一日で登録解約した奴は」

「ああ、それは同業者が偵察に来てるんだと思いますよ」

開発陣はアクセス数に一喜一憂していたが、経営の困難を考えていた堀にはこの日

の記憶はあまりない。これまでに乗り越えて来た障害、現在直面している危機、そしてそれを回避したとしてもこの先やらなければならない多くのことを考えると、オープンの瞬間というのはエキサイティングなものでも何でもなくなる。特別な瞬間ではなく、ただの通過点にすぎないのだ。それは、iモードの他のプレーヤーもまったく一緒だった。

関西の商人の家系に生まれた堀は、川久が人手に渡っただけでなく、これまでに彼の周囲で没落していった多くの人々を間近に見ていた。『平家物語』の「盛者必衰」の世界を体感していたのである。

「事業というのは結局、毎日毎日出てくる問題を一つずつ、どのように乗り越えていくかということだと思います。それをあきらめた時に、余裕のある会社なら進歩がなくなるし、余裕のない会社は潰れてしまうわけです。

大きな問題に対して、猪口才(ちょこざい)な解決策をやってしまうと、たいがい駄目になる。自分のドメインの中で前向きに取り組まないといけないんです。そうするとサイバードでは携帯電話によるネット接続の中で回避方法を考えるしかありませんでした」

堀はコミュニケーションサイト企画の活路を考えた。そして既にネット接続サービスを始めていたDDIポケットで四月一日からコミュニケーション・サイトをスタートさせる交渉に成功する。というのも、それ以外のキャリアには課金の仕組みはなかったからだ。

「銕君、今度は四月までにDDIポケット向けに出会いサイトをつくってください」

「えっ、一カ月しかないじゃないですか。企画はまとまっているんですか」

「いえ、これから細かい部分は決めていきます」

岩井と銕のチームはまた寝ずに働いてエイヤッとばかりに「AJA（アジャ）@出会いチャンネル」を四月一日にスタートさせてしまった。

この三月までのサイバード第一期売上高はわずかに三〇〇万円。

みんな、この時点までは将来に対する言い知れぬ不安を拭いきれなかった。

「どのくらい会員が来るかな」

「初日の登録数は八〇〇人です」

一週間で一〇〇万ヒット。

堀たちの顔に明るさが戻った。これはいける。なんとか危地を切り抜けたという思いがあった。

超特急で仕上げられたAJA@であったが、そこには強力な競争力を持つ仕かけが盛り込まれていた。

出会い系サイトは掲示板に男女が好きな文句を書き込み、その書き込みに対して返事が出せるようになっているのであるが、AJA@は健全なものしか掲示しないという方針で、この書き込みを審査して不道徳で過激な文章は排除するのである。

スクリーニングの方法は二段階あって、まず第一段階でワードチェックをかけ、不適切な言葉が入っている書き込みは自動的にハネてしまう。このワードチェッカーの第一版は堀が書いた。やばそうな単語を列挙していったのである。それを真田が一人でプログラムを書いてソフト化した。

「社内で使うソフトだから、少々バグ（ソフト上の不具合）があってもええやろ」。アクセスでの勉強の成果である。しかし文章というのは面白いもので、組み合わせによってまったく違うことを表現することができる。一七歳の女子高生が「いっしょにお風呂入ろう♡」と書き込んでいた場合、これは単純に風呂に入ることを意味しない。

しかし、「いっしょに」も「風呂」も一単語としてはまったく問題のない言葉である。そこで次の段階では、ウェブマスター（サイトの全権を持つ管理者）が文章を読んで不健全なものは排除するようにした。そのため四月に二人社員を増やしたのである。

他の出会い系サイトの場合、掲示板の文章チェックがない。そうすると書き込みの内容はほとんどが下ネタだけになる。女性はそうした荒れてしまった掲示板から、落ちつけるサイトを求めてAJA@に逃げてくる。すると女性がいなければ意味がないので男性もAJA@に移ってくる。

そうやってナンバーワンサイトになり、ブランドも確立できれば後発の参入者が容易に近づけない存在になる。こうしてサイバードのAJA@は揺るがぬ地位を得た。二〇〇〇年時点の会員数は一九万人。

ここにネットワーク・コミュニティの運営の本質がある。全参加者に利得がなければコミュニティは成り立たない。全員に価値を与えるために運営者は、全体のレベルの設定と、利益を独占するフリーライダーや秩序破壊者が出ないように調整を行う必要がある。運営者がしっかりとした信念に基づいた価値基準を持たなければネットワーク・コミュニティは決して存続しない。

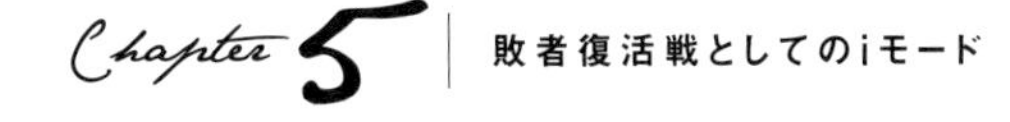

AJA@は順調に会員数を伸ばし、それに応じた現金収入が入ってくるようになったが、サイバードは苦戦を続けていた。AJA@のシステムが安定しないのである。鋏は五月の連休を潰して複数のサーバーで管理する形にしたが、どうにもならない。マイクロソフトに問い合わせを出したら、七月になってやっと「OSのバグでした」と詫びてきた。それを潰して直すまでは、鋏には休みはなかった。

岩井の方はクイズやゲームのコンテンツの企画を書いてはせっせとキャリアに持ち込み続けたが、ドコモにはまったく通らない。

「このくらいのアイデアなら、すぐ真似されるし、そのレベルの企画をみんなメニューに入れなきゃいけないじゃないですか」

と夏野は渋い。

一方バンダイは六月一日から、「ハローキティ」などの人気キャラクターを日替わりでiモードに配信するサービス「いつでもキャラっぱ!」を投入。初日から三〇〇〇件の新規登録が集中してサーバーがダウン。夕方復旧して登録を再開したが、不具合として報道される騒ぎになる。この時のiモード加入者数は、まだ二五万件だった。

八月八日、iモードの契約数は六月の新端末投入以来急伸して一〇〇万件を突破。さらにその勢いを加速していた。「波伝説」のユーザーも二万人を突破。これだけで月六〇〇万円の売り上げである。「iモードは凄いぞ。これは本物だ」。みんな目の色を変えて仕事に取り組むようになった。

八月に占いの第一人者をネタ元に頼んだ「鏡リュウジの心理占星術」の企画を見た夏野は、「これならもう、このままでいけますね」と評価した。岩井はやっとスランプを脱した。この後はどんどん企画が通るようになる。それは他のキャリアについても同じだった。

事故の教訓

最後発のJ-フォンが一二月にJ-スカイウェブでネット接続に参入したが、サイバードはここでもAJA@を筆頭に、一〇本もの番組をメニューに載せることに成功した。

サイバードは燃えていた。八月には社員も一〇人になり、もう一部屋借りて面積も

倍増する。そして一つだった脳みそも役割分化してきた。「考える人＝岩井」、「つくる人＝真田」、「それが実行できる環境を実現する人＝堀」、後にこれに「売ってくる人」が加わることになる。

鋏は真田を突き上げた。

「こんなにたくさんのコンテンツ開発は、僕だけじゃできっこありませんよ。限界です。エンジニアを入れてください。ネットワークと開発のプログラム書きとサイトの運用管理をトータルで見られる人でないと駄目ですから、なかなか探すのは難しいですよ」

真田は堀を突き上げた。

「エンジニアを採らないと、開発が限界や」

「せやけどね真田さん、まだうちはやっと一瞬だけ単月黒転したとこですよ。やりたいことはいろいろあるし、人件費が増えたらまた赤字に逆戻りでしょう」

キャッシュフローを見ているのは堀だけである。実はこの八月、キャッシュフローは危機ラインを突破していた。下手なことをすると黒字倒産のピンチである。まさにこの瞬間サイバードは剣が峰を歩いていたのだ。

当時の堀の頭の中には、とりあえず何かあった時のための余裕資金を準備することしかなかった。この〝石橋〟主義の経営者は実際に資金を都合したが、結局そのカネの出番はなかった。キャッシュフローが改善したためである。

「これだけ開発スケジュールが詰まっていると、一つ歯車が狂うと開発が間に合わなくなる可能性があります。要はバランスの問題だから、このテンポを保つために技術者を増やすか、しばらく営業を止めるか、あるいはサービス開始までの期間を延ばすか、この三つの手があると思いますがね」

「しかし企画部員やったらネットの無料サイトに載せたらかなり優秀なん来るけど、エンジニアは来ませんからね。採用コストがかかるなあ。せっかくキャリアに企画が通ったんやから、サービスは早く始めたいし……」

堀は渋ったが、真田は引き下がらなかった。真田は堀の商売のセンスと吝いところを高く評価していた。「手の平に乗ってないカネはカネじゃないからアテにせん」という堀の手固さが、自分の暴走の防波堤になるだろうと思っていたのだ。

早く儲けを出したいのは真田も同じである。だが「どうやらこの商売は本物だ」という実感が湧いてきた。

「リスクを取っても大丈夫なのではないか。いやしかしQネットの時は、うまく行かなかった時のコストを考えずに突っ込んで抜き差しならないことになり、大勢の人に迷惑をかける結果になってしまった。自分のリスク意識があまりに甘かった」という認識が真田のトラウマになっていた。九月にやっと技術系就職雑誌を使って三人採用したが、それでもこの仕事量では人が到底足りなかった。真田は煩悶(はんもん)した。

八月二七日、インターキューーが株式公開に成功したことで、市場の目は一斉にネット株に注がれた。目立つ広報活動などしていなかった、というよりする余裕などまったくなかったサイバードにも、夏には証券会社の公開担当者やベンチャーキャピタル（VC）が押しかけてくるようになった。

「公開やて、なん言うとんねん。僕らこんなんやで。アホとちゃうか」

と堀。不快ではないが本気にもできない。しかしVCが提示する増資額はとんでもない金額である。資金は咽(のど)から手が出るほど欲しい。役員会でも株式公開すべきかどうかが議論になったが、自然と株式公開しようという方向に意識づけられていった。

真田にとっては、玉置や西山のいたインターキューの公開よりも、七月のグッドウィルの株式公開の方がショッキングな事件だった。社長を務めていた佐藤修は、三田倶楽部で一緒に暮らしていた、そしてQネットの役員であった仲間だ。同社の公開では額面五万円の株に二三〇〇万円の初値がついた。このことに、多くが経営者になっていたQネット関係者は「次は俺の番だ」と勇気づけられた。そして実際にインターキューがすぐそれに続いたのである。

真田にとっても同じ釜の飯を食べた友人の会社が株式公開するというのは衝撃だったが、Qネットの時も株式公開を考えてから会社がおかしくなったのではなかったか。経費が膨れ上がったところで規制がかかって経営がおかしくなってしまった。

一方で静かに2ショットをやっていた会社が今生き残っているわけだ。そこから業態を転換したインターキューはその代表である。焦りはあるが、公開を目指すのはまだ早いのでは。しかし資金は捨てがたい……。

「それより技術スタッフを増員しないと、一二月のJ-スカイウェブのサービスインまでに開発が間に合わない。間に合ったとしても運用ができへんかも、いや、下手したら止まるかもしれんで」

役員会の席で真田は訴えた。堀は、またかという表情で顔を顰（しか）める。

「僕は人を増やすのは慎重にした方がええと思うけど」

「でも企画部員は採用しとるやん」

「ウェブマスターは兼任できませんからね。一人が一つの番組を運営するという形じゃないと」

「じゃあやっぱり、拡大路線に転換してちゃんと技術者を採用した方がええんちゃいますか。波伝説でわかったことがあんねん。波伝説のｉモードユーザーの加入率は○・八パーセント。夏には一・二パーセントになった。つまりQ^2でウケた企画はｉモードでもいけるということ。するとどう考えても占いは波伝説の倍行くはず。ということは、これは損益計算書より、ユーザーを増やして場所を押さえた方が勝ちパターンになるんやないですか。

このままで行くとサービスが止まるかもしれん。そうなったらサイバードの信用にかかわる」

真田が語調を強め、堀も「そんなこと言っても、キャッシュがなくなると会社は潰れるんですよ」と応酬する。役員の間に険悪な空気が流れた。ややあって迷っていた堀が口を開く。

「ここはやっぱり、真田さんには今の体制で頑張ってもらえませんか。株式公開に向けて準備を進めるとして、年末にＶＣなどから増資を受けますから、それから技術スタッフを採用するというのではどうです」

真田は黙って引き下がるしかなかった。技術部と企画部は力をあわせて大車輪で働き、一二月までに大量のコンテンツを準備した。


そして一二月一〇日、Ｊ-スカイウェブがサービスを開始した。

この日、サイバードは止まった。恐れていた事態が起こったのである。

異変はサービス開始前から起こっていた。テストしても画面が出てこない。文字化けする。バグがまたバグを呼んで、サーバーの中でループ（堂々巡り）しているのだ。

「このままじゃやばいですよ」

錬からの報告を聞いた堀は、状況を分析し、強いショックを受けた。

「これはすべてのサービスを間に合わせるのは無理や。モバイルコンテンツのトップ企業として内外の超一流会社と続々と提携交渉を進めているわれわれの足元は、実際のところはこんな状態なのか。これではどうにもならん。僕らは、いったい何様のつもりやったんやろう……」

嘆くより先に、眼前の危機に対処しなければならない。まず、すべてのコンテンツの完成をあきらめた。今や、どのサイトに資源を集中すれば一番ダメージが少ないのかが、判断すべき問題となっていた。

まさに断腸の思い。せっかくコンテンツの企画が通っているのに、サービスを始めることができない。今まで長い間かかって築き上げたキャリアの信頼も裏切ってしまうことになる。すべてが失われる瀬戸際まで堀は追い詰められた。

全員総がかりで、占い、海外情報、電話帳など六つの番組はなんとか形だけ間に合わせたのだが、完成度は低い。サービスが始まると、サーバーはたびたび落ち、キャリアからもユーザーからも怒りの電話がかかってくる。社内はパニックに陥った。

J-フォンに出向いて深々と頭を下げたこの日の夜、堀は緊急役員会を招集した。

「僕は考え方を変えました。一からつくり直すしかありません。

これはわれわれの尊厳にかかわる問題です。今までは小手先のごまかしでも乗り切れると思っていたが、お客さんに迷惑をかけたら元も子もないねん。これからは責任を持ったサービスをつくれる体制を目指します。それが僕らのプロとしてのプライドだし、それができなければ提携なんかできない。

人材募集には幾らカネをかけてもいい。開発でも、サーバー購入でも必要なカネは全部出します。使うべきカネは使うと完全に方向転換します。すべてを一流にして、それから僕らが目指すビジネスに取り組むようにしましょう」

資金繰りに責任を持つ立場の堀としては、社員を増やしたり、高性能サーバーを買ったり、事務スペースを借り増すのはなるべく避けたかったことは理解できる。

経営者とはそういう人種なのである。これだけは働こうが働くまいが毎月決まった給金を支給されるサラリーマンには実感しにくいものだ。事業は未知数のリスクの中を浮遊しているようなものである。サラリーマンの生活を保障する側の心労たるや尋常なものではない。

だが堀は、このピンチに際会して腹を括った。

ポイント・オブ・ノーリターンを越える決心がついたのである。計算したリスクを

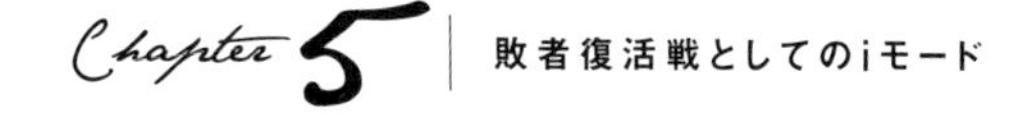

取って、出資で受け入れたカネを最大限回転させ、日本一の携帯コンテンツ会社になる。さらにはｉモードと共に世界に進出して世界市場で勝負する。慎重な堀をそう思い切らせるのに、この事故は十分だった。

また、この年末以後は毎月のように億単位の高額増資が受けられるようになっていたという環境変化も助け船になった。

おそらく、ここが勝負の分かれ目だったのだろう。

板倉雄一郎は、ハイパーネットのシステム異常が発生した時、社内体制を立て直さず、ナスダック上場に賭けてアメリカ市場への投資を加速した。

だが堀は足元を見つめ直そうとした。まず足元で儲けが儲けを呼ぶ拡大再生産のスパイラルを完成しなければ、いくらビジネスモデルに国際的な普遍性があっても、海外進出など絵空事でしかないのである。

堀は経営者として、社内体制を一挙に立て直した。一二月に社員三〇人になっていたサイバードだったが、その後の三カ月で月一〇人ずつ増員して倍の規模にした。オフィスも第二八森ビルの空いた部屋を次々に借り八五〇平米まで拡張。二階、七階、一〇階、一一階と分散しているので、幹部は携帯電話でお互いの位置を確認するようになる。

技術者が数千万円もするサーバー購入の稟議を出しても、堀は「なんでこんなん要るねん」とは言わなくなった。ただ「これで十分か」と訊くだけである。

「オレらは〝世界のサイバード〟になんねん。これからは責任を持ってやっていかなあかんねん。ユーザーが喜ぶことなら何でもやれ、カネは用意する」

三月までには、社員の顔から悲壮感が消え、自信と誇りがそれに入れ替わった。

気持ちのいい話ではあるが、それは同社が商人の目の子勘定で許される世界から、より高度なリスク管理が要求される近代的な経営の世界に踏み込んだことを意味している。すべてのベンチャー経営者にこうした企業の社会的な責任看取が必要であるとは筆者は考えていない。ひょっとすると、それを経ない成功パターンもあるかもしれない。

しかし、成功したどの経営者も程度の差はあれ、ある時期腹を括った勝負をやり、それにより大きく会社を発展させるという傾向はあると思う。後になって「転機」として振り返る部分である。そしてその時、経営者は精神的にも大きな変質を遂げる。

堀の場合、高校時代以来、物事を一歩先取りして行動するというある種の天才性があって、周囲と不調和を起こす傾向があり、「自分を理解してほしい、自分の正しさを証明したい」という欲求が事業家であった祖父の影響と合わさって起業という方向に向かっていた。

だから「携帯電話でインターネットを」という、無謀と思える主張の正しさを証明する自己表現の手段としては、会社を無難に立ち上げる必要があったのだが、それがさらに「行けるところまで行ってやる」と一歩踏みこんだ瞬間から、「世の中に売り上げ以外の何を残していけるかが問題だ」という観念が堀の胸の中に強烈に芽生えてきた。

「僕は今まったく新しい仕事に挑戦しようとしているわけですし、今までなかったものをつくってみなさんに便宜を与えて喜んでもらいたい。それを一緒にやっていく仲間を世界中につくっていきたいということが、今は目標になっているんです。

ビジネスをやるということが自我の主張のレベルから、みんなにその観念を伝えていくこと、自分が帰属する社会からどれだけ望まれ、評価されるかが目標に変わりましたね。ある意味、僕自身も恐ろしい勢いで変わっていると思いますよ」

彼もまた、自社の事業の世の中での役割意識とか、社会性に対する認識を獲得したということだろう。

経営者が「儲からないなら、出すものは舌を出すのも嫌」と思っていては、企業が社会の中で生きていくことはできない。なぜなら企業も社会のネットワーク・コミュニティの中の一部分であり、そこに参加するためにはある種の参加費を払う必要があるからだ。

単純に会社をつくって「どうだっ」という自己顕示は人には受容されない。企業が「こう変えた方がみんなのためになりますよ」と提案し、そのコミュニティの参加者に利得を与え、またコミュニティ全体の福祉の増進にプラスの価値を付加すれば社会的に称揚され、その地位を向上させるというのが本来の「企業市民」としての企業のあり方だ。

逆にこの原則に逆らう会社に未来はあり得ないし、そのような会社が増えるとコミュニティの生産性は低下し、他のコミュニティとの競争に敗れてしまうだろう。

そう、これはAJA@のようなコミュニティ・サイトにしても同じだし、ビットバレーの交流会やメーリングリストの運営にしてもまったく同じ原理が適用される。ネットワーク社会のルールなのである。

だが、この世の中でネットワークに参画せず超然としていられる主体など存在するはずがない。

「失われた一〇年」から抜け出す切り札

二〇〇〇年に入って、携帯電話の急速な普及もあり、サイバードの業界での地位は急上昇した。コンテンツの持ち込み企画も多くなり、上場企業やリクルートなど大手企業との提携も相次いだ。

熱烈な転職志望者も多く、腕利きの営業マンや技術陣では助教授クラスの俊秀も採用するようになり、Java 対応や次世代携帯電話、携帯電話以外へのコンテンツ提供を目指して先を睨んだ開発を続けている。また、業界内でのサイバードのファンから様々な情報を得られるまでになったが、この無形のメリットは非常に大きい。

そしてこの会社には、半導体でパソコン市場を制覇したあのインテルが、対日本企業として初めて出資した。サイバードの役員会では全員が両手を挙げてこの出資を歓迎したという（三カ月後には、コンテンツ・プロバイダーのドワンゴ他数社にも出資を表明）。

一時はビル・ゲイツのマイクロソフトとWin-Winパートナーシップを組んだインテルは経営戦略の軸足をパソコンからネットワークに移すと宣言している。ネットワークに繋がっていればパソコンでなくともよいということである。

そしてネットワーク端末の中でも、最有力なのが携帯電話であり、そこに世界で初めてインターネットを持ち込んだのがｉモードということになる。インテルが行うネットコンテンツ事業への投資も含めた方向転換、その足がかりとして同社はサイバードを選んだ。サイバードの幹部たちも海外出張の機会が極端に増えてきた。

二〇〇〇年四月以降、キャリア三社は次世代携帯電話「IMT2000」規格の事業申請を行った。サービス開始時期の二〇〇一年五月から二〇〇五年末までに、人口の九〇パーセントをカバーするため、各社は一兆円近い設備投資を行うことになる。

その他携帯電話の部品であるメモリー、線条製品、液晶表示装置、電池などにも大

量の需要が見込まれ、メーカー各社は増産のための設備投資に走り始めた。携帯電話を今後の戦略商品と位置づけた大手エレクトロニクスメーカーもある。携帯電話は、パソコンを超える大型商品として、この「失われた一〇年」の沈滞から日本経済が抜け出すための切り札とまで期待されるようになった。

この携帯ブームにiモードが果たした役割はあまりにも大きい。ネット接続は情報端末としての携帯電話の有効性を社会全体に意識づけた。

iモードのユーザー数は二〇〇〇年八月六日に一〇〇〇万人を突破。一日に五万人ずつ増えている。ドコモのメニューリストに掲載されている企業数は五八七社、それ以外のiモードに対応する一般サイトは一万八七〇〇件をそれぞれ超えている。

ユーザー数はドコモユーザー三一五〇万人まで限りなく近づき、その数字を抜くことになるだろう。ドコモの携帯電話全体でのシェアは五八パーセントに復調。七月の増加台数の八四パーセントはドコモが占めた。あまりに加入ペースが早いために、iモードのパケット通信網とインターネットを繋ぐiモードセンターがパンク。輻輳（ふくそう）障害が発生して五月末までiモード対応電話機の出荷を半分に制限する騒ぎまで起こり、八月上旬にはさらに大規模な障害が発生した。

一年前には影も形もなかったものが、爆発的に広がってこれだけの実体になった。そしてそこに多くのビジネスチャンスも生まれた。

バンダイの提供する「いつでもキャラっぱ！」のユーザーは一三〇万人を突破。他のコンテンツを含めたユーザー数は二一五万人。携帯電話からのアクセスは一日八〇〇万ページビューを超えている。

林俊樹は四月に執行役員となった。バンダイ本社を持ち株会社化しようという構想の中で、九月七日、林麾下（きか）のネットワーク事業部はバンダイネットワークス株式会社として独立した。代表取締役社長はもちろん林が務める。

プレスリリースには、「将来的には、株式公開を目指す」と明記されている。なんと旗揚げ当時に林が掲げた「ナスダック公開を」が現実的な目標となったのだ。まさに嘘から出た実である。

「うちの給与体系だとＩＴ業界の人は採れないんですよ。独立すれば給与水準を変えて人が採れるので、それが一番の目的です」

と林は笑う。今後は、ネット携帯電話の国際的な普及を見据えて、「国際コンテン

ツ流通問屋」になることを狙うそうだ。同事業部の持つコンテンツ企画、システム設計、サーバー運営、ファイル管理などのノウハウを、コンテンツ・プロバイダーへの参入を狙う各企業に提供していこうというのである。既に韓国で携帯向けキャラクター画像配信サービスをスタートしている。

「海外からも、うちでやっているような五分間の暇潰しゲームをやりたいという引き合いがあります。そういうのにも応えていきたいし、国際的問屋スキームをつくってみせます。まだまだこれからですよ」

サイバードは、五〇番組を提供。社員は一〇〇人に増えた。戦略としては、全キャリアと取引がある唯一の企業であり、かつ携帯コンテンツに特化していて他のビジネスをやっていないという強みを活かして、「携帯コンテンツ・ハブ」の地位確立を狙っている。

ハブとは車軸のこと。自社資源を利用して携帯電話コンテンツビジネスに乗り出そうとする企業に対して、「国内だけじゃなく海外のキャリアや、他の携帯端末を含めたすべての端末へのポータルになりますよ」ということだ。専務で企画担当の岩井は言う。

「いろいろなジャンルのコンテンツがあります。マニアが存在する分野はビジネスになるんです。iモード一〇〇〇万人の一パーセントでも一〇万人ですからね。たとえばワイン。店で飲んだワインが気に入ったら、その場でワイン事典を呼び出して確認し、自分のワインリストに加えることもできるし、選んでクリックしたら三〇〇種類以上のワインが家に届くというコンテンツがあります。あるいは釣りチャンネルでは、自分の釣った魚の写真を撮ってサイトに掲載することもできます。

携帯コンテンツのビジネスしかやっていない当社とは、各企業さんは提携しやすいのではないでしょうか。だからより規模のメリットが狙えます。なにかアイデアや企画の持ち込みがあって、ある程度ネタがよければ、〝どうすれば実現できるだろうか〟と考えて、企画ができたら、僕はすぐキャリアさんに持っていきます。

もしキャリアさんのOKが出れば、即座に開発に取りかかる。この業界、三カ月後には世界ががらりと変わってしまいます。だから一カ月も返事をほったらかしにされるような大企業さんとはちょっとお付き合いが難しいですね」

サイバードの幹部は、コンテンツ・ハブという大きな構想を描き、キーワードを一

つ一つ組み立てて、それを実現するには各々の提携先とどのようなパートナーシップを描くかを考えつつ、戦略的に行動しているようだ。経済メディアは好んで同社を取り上げ始めた。メディアへの露出と認知度の向上は提携先との交渉力が上がることを意味する。これも彼らの戦略の一環である。

同社の二〇〇〇年三月期の売上高は四億円。これが一年後には四〇億円となり、その後も上昇角度を上げていく予定になっている。

国内を固めたら次は海外だ。

堀主知は、昔、関西のキャリアの担当者相手にやっていたような営業を、達者な英語を駆使して、今度は海外のキャリア相手に始めている。

「携帯電話のここにね、ゲームが飛んで来るんですよ」

しかし今回は、以前のように邪険にあしらわれることはない。今やネットの力を知らぬ者はいないからだ。しかも堀はキャリア側のビジネスモデルを熟知している。関西での苦闘は無駄ではなかった。ショートメールからｉモードに至る彼の知識に外国のキャリアの担当者は耳を傾ける。かつ彼の言葉には、現実の苦難を乗り越えてきた迫力が加わる。

「携帯電話を、テレビやビデオやコールセンターの代替品と考えれば、これは石油に近い性質を持つものだと思うんです。つまり石油と同じように、世界中のすべての産業が必要とする技術になるでしょう。

そこでわれわれは、世界のすべての企業に向かって〝一緒にやりましょう〟と呼びかけることができます。われわれはアウトソース先ではなく、パートナーであるということ。それがわれわれの戦略であり、プライドなんです」

サイバードは世界に飛んだ。

ビル・ゲイツの敗北宣言

ドコモには月に数千件というコンテンツ企画の持ち込みがある。最終的には月一回のコンテンツ評議会で採用するか否かを決めるのであるが、ここを通るのは金融機関などの取引系を除くと月に一〇件あるかどうかという激戦だ。

しかしここを通り抜けなければドコモに収金代行してもらうことができないのであ

る。コンテンツ・プロバイダーは企画を持ってドコモに殺到するが、コンテンツ開拓担当部長の夏野の前に、涙を飲む者が大多数である。

「iモード成功の要因はね、複雑系の〝ポジティブ・フィードバック〟です。つまりiモードの参加者は各々自分の役割を認識して自分のためにだけやっているわけ。

われわれドコモはiモードというプラットフォームの運営者ですから、最初にきちんとしたコンテンツ・プロバイダーを集めましたし、自分自身でコンテンツを持ったり、データを再配信したりはなるべくしない。そこさえしっかりしていれば、コンテンツの数も増えるし、ユーザー数も増える。

そうするとメニューリストに載っていない一般サイトも増える。ユーザーが増えれば社内で連絡用に使う法人も増える。そして当然ユーザーが増えれば端末メーカーも頑張っていい端末をつくりますよね。

端末の進歩はわれわれも驚くほど早い。各々のプレーヤーが自分の役割を適切に把握し、各々の仕事に徹すれば、どんどん良い循環に入っていくはずなんです。

われわれとの提携を望むコンテンツ・プロバイダーには、四つのキーワードを満たしていただきたい。

まず常に新鮮な情報であること。一カ月に一度しか情報を更新しないなんてとんでもない。深さがあること。ある程度中身に深さがないとユーザーは満足しません。継続性があること。ゲームであればユーザーが〝毎日やらずにはおられない〟と思うようでなければなりません。利得が明白であること。アクセスしてみて、役に立った、便利だった、楽しかったとユーザーが理解できること。

これを自社のコンテンツに反映していただきたいんです。〝これさえクリアすればいい〟という基準ではありません。ユーザーの求めるレベルが上がるから、クオリティーのスタンダードは上がっていくんです。特にゲーム系のレベルは考えられないほど上がっています。でも、これこそわれわれが最初に目指したことなんです。最初はカラオケしか思いつかなかった分野がこれだけレベルの高いものになったんですから。

コンテンツを持ってこられても、われわれが自信が持てるものでないとリンクは張れません。だからといってお断りするということはなくて、〝このコンテンツであればこのくらいの品目を揃えない駄目ですね〟とか、〝ここまでのデータベースは必要ですよね。でないとあなたの娘さんは使わないでしょう。だからここまでぜひ頑張ってくださいね〟とアドバイス申し上げるのですが、〝わかりました〟とおっしゃって

そのまま二度と来られない方も少なくないですね。

ユーザー数は毎日気にしてますよ。だって私はパートナーであるコンテンツ・プロバイダーにコミットしているわけですから」

夏野もまた金船に変わった泥船を守り育てるために闘い続けているのである。

夏野は、ビル・ゲイツが著書の中でパソコンが小さくなって手の平サイズの中に入り、その中に財布から電話、辞書や時計も入ると書いているのを読んで、「それは正しい。しかしパソコンが小さくなるのでなく、携帯電話が機能を増してそうなるはずだ」と思った。

そのビル・ゲイツは一九九九年一〇月、ジュネーヴで開催されたテレコム99見本市で「携帯電話によるネット接続がいつでもどこでも情報にアクセスできる環境をつくった」と講演したと伝えられる。パソコンの敗北を宣言したのである。ハイパーネット時代に板倉と共にビル・ゲイツに会った夏野は、あの「冷たい目」のビルに勝ったのかもしれない。

iモード世界へ

ドコモは定款にネットを利用した音楽・情報配信サービス、金融業、広告代理店業などを追加した。

今後、携帯電話にはさらにいろいろな機能が取り込まれ、出かける時にはそれだけ持てばいいというものになるはずだ。

eキャッシュの機能が付いて財布になるし、カネが足りなければ友人の携帯につないで通信でカネの貸し借りができるようになる。キャッシングもできる。それからスケジューラーにもなるが、これはPIM（パーソナル・インフォメーション・マネジメント）といって、職場などのグループでスケジュールやビジネスの情報（たとえば見積金額など営業上の情報）を共有できるようになるだろう。

ウォークマンのように音楽も聴けるし、録音もできる。テレビもカメラも付く。家のビデオや風呂の湯を外出先からコントロールするリモコンになる。そして保険証やあらゆるものの鍵の機能も持つ。

落としても指紋認証機能が付いているので他人が使うことはできない。あるいはキャリアに連絡して機能を止めればよい。入力はすべて音声認識で面倒がない。こうした機能が付いた携帯電話を各人が持つという日が、すぐそこに迫っているのである。

ドコモは一九九九年一二月に香港の携帯電話事業者ハチソンに一九パーセントの資本参加を行い、翌年五月にオランダの通信事業者KPNの子会社株を一五パーセント取得した。韓国のSKテレコム、フィンランド最大手のソネラとも連合して、世界全域で携帯電話網構築を構想しているようだ。世界最大の携帯電話連合はJ-フォンが加盟するボーダフォン・エアタッチ連合（加入者数五九〇〇万人）であるが、次世代携帯電話で先行することにより、ボーダフォン・エアタッチを追撃する構えである。

ドコモが提携を考えていたイギリスのオレンジはフランス・テレコムに買収され、アメリカのボイスストリーム・ワイヤレスはドイツ・テレコムに買収されてしまった。一方、マイクロソフトはボーダフォンとネット接続で提携。「アウトルック」などのソフトを携帯電話向けに改良する。巨大資本の間で激しいつばぜり合いが演じられている。

既に二〇〇〇年春からヨーロッパでもアジアでも、携帯電話によるネット接続がスタートした。イギリスや韓国では収金代行も行われている。二〇一〇年には、全世界で三五億人が携帯電話を手にするとの予測すらある。

ボイスストリーム買収発表の直後、ドコモは世界で二三〇〇万人のユーザーを持つインターネットプロバイダーのＡＯＬとの提携、ならびに世界で七七〇〇万台普及しているプレイステーションを抱える、ソニー・コンピュータエンタテインメントとの提携を発表した。ごく近い将来、ダイヤル通話量をパケット通信量が抜く日が来るだろう。電話がネット端末となるのなら、海外キャリアとの提携にこだわる必要はないわけだ。

ｉモードの成功がこうした世界市場における競争において、後発ながらもドコモに優位性をもたらしている。インターネットと携帯電話の組み合わせ、コンテンツ運営の巧みさが力あったとはいえ、誰もやったことのないことへの果敢な挑戦がこれだけの価値を生み出したという事実の重みは銘記すべきことではないだろうか。

ドコモに夏野を誘った松永真理は、一仕事を終えて、二〇〇〇年三月末でドコモを退社。七月に女性向けコミュニティ・サイト、イー・ウーマンのエディトリアルディレクターとしてメディアの前に再び姿を現し注目を浴びた。

彼女と組んでこの会社の社長を務めるのは佐々木かをり。ユニカルインターナショナル社長であり、板倉も所属した若手起業家の交流の場YEOの二代目代表であった女性である。この働く女性の代表選手のような二人が手を組んで、またしても新しいビジネスづくりに乗り出そうというのである。それはさらにまた、新たな価値をつくり出そうとする試みである。

サイバードの真田は我が身を振り返って語る。

「アクセスにいた時は、俺たちが情報家電で新しい世の中をつくるんだと本気で思っていました。Qネットの時は、俺たちが新しいメディアをつくるマーケットリーダーだと思っていた。リョーマの時ですら、俺たちが二一世紀をつくると思い込んでやってたんです。

サイバードを始める時は、今までの経験もあって、今度こそこの新しい携帯電話向けコンテンツの市場を潰さないぞと思っていました。iモードを自分たちで育て、日本から携帯電話の文化を発信することができると信じていた。

サイバードは会社設立時に資本金として九〇〇〇万円用意したわけですが、九〇〇〇万円あればカラオケ屋をやることだってできるわけですよ。その方が儲けがわかりやすい。でもわれわれは、そんな二番煎じ三番煎じの商売をやろうなんてこれっぽっちも思いませんでしたね。新しいものをつくらなければ全然意味がないですよ」

◆
◆
◆

ベンチャー起業家とは、無から有をつくり出す人のことである。

この本に登場したほとんどの経営者たちは、まだ世の中にないものをゼロからつくり、価値を生み出してきた人たちだ。かなりぶっきらぼうで、社会的不適応で、だらしないところもあるが、自分がリスクを取って新しい価値を生み、結果として社会を前進させる原動力になるという長所の前ではそれらの欠点も霞んでしまうように思う。

ここまで本書を読み進まれた方で、ドコモの成功を「うまくやったな」と指をくわえて見ているような方は、まだまだ本書の購入費を回収していないことになるだろう。

堀がキャリアに対して執拗に「携帯電話にネットを載せましょう」と運動していた

ことを考えると、あるいは松永や夏野のようなＮＴＴの外部の人間がｉモードのコンセプトをつくったことを考えあわせると、誰がこのドコモの成功を手中にしていてもおかしくなかったのである。

誰でも新会社を興して、どこか有力な外国のキャリアの資本力を頼んでネット携帯電話事業に乗り出すことができたのだ。外資規制により免許が下りないというなら、「携帯電話＋ネット」というビジネスモデル特許を取って、まだ通信業に参入していない国内大手企業から出資を仰ぐこともできたかもしれない。ネット接続携帯電話の事業化は、実はベンチャーにも可能だったかもしれないのである。

ドコモがその果実を手にできたのは、順当な結果でもなんでもなく、榎チーム以下の知恵と努力があったからに他ならない。榎は「でもソニーには僕みたいな人間はいっぱいいるそうですよ」と言うが、保守的な体質の組織の中でうまく異物の長所を伸ばすドコモの手腕は並大抵のものではないだろう。

「あれはできない。これは無理だ」といちいち障害を気にしていては何も始まらない。上杉鷹山の「為せば成る」ではないが、われわれの前にはできないことなど一つもないのである。「やらない」から「できていない」だけなのだ。まず トライする気持ちが尊いのである。

ベンチャーであろうが大企業であろうが、目標達成のために邪魔なものをどうすれば排除できるか、一つ一つ知恵を使ってクリアしていけば、必ず目標に到達できる。これは真理だ。それを知らぬ人間は知らずともよいが、新たな価値をつくろうと努力を払っている人間の邪魔立てをせず静かにしておくことだ。


それと、もう一つ大事なことがある。

「いやあ、iモードは電電公社に対する私の恩返しですよ。なんせ二〇年間遊ばせてもらいましたからねえ」

と笑いながら語るiモード開発責任者の榎はインタビューの最後をこう締め括った。

「マリさんや夏野君と出会うことができたのは本当にラッキーだったと思います。コンテンツ・プロバイダー側も、iモードをつくったわれわれと会えてラッキーだったろうし、われわれも彼らと会えてラッキーだった。

全体的に言うと人との出会い、人との繋がりってことだったんでしょうね」

だが人との出会いは自ら求めなければ得られるものではない。インターネットとは、単に利便を与えるだけでなく、出会いの機会を広げ、価値を創出するチャンスをこれまでになく豊かにするものである。それこそがネットがもたらしてくれた最大の価値だと私は信じる。

だが、人は本来、ネットの助けなど借りなくても出会いの輪を広げていくことができるはずなのだ。そして人は人に対して、想像以上に大きなものを与え合うことができる。知恵、思想、人脈、カネも含めたあらゆる資源……。新しいものはすべて、自分がつくり出さない限り他人から与えられる。

この本質を弁え、誰が有望な資源を持っているのかを把握し、ネットの可能性を活かしてそれらを最適に組み合わせることができたものこそ、ネットベンチャーとして大きく羽ばたくことができたのである。

出会いがなければ何も生まれない。

出会いを活かす者は新しい世をつくることができる。

これまでも、そして今後もまた。

Key person

iモード時代に描いた未来は、そのままやってきている

KADOKAWA社長CEO
ドワンゴ社長CEO

夏野 剛氏

ベンチャー企業副社長を経て、NTTドコモへ。「iモード」「おサイフケータイ」などを立ち上げ、ドコモ執行役員を務めた。現在は近畿大学の特別招聘教授兼情報学研究所長のほか、ドワンゴ代表取締役社長、KADOKAWA代表執行役社長CEO、ドワンゴ代表取締役社長CEOおよび複数社の社外取締役を兼任。ほかにも経済産業省の未踏IT人材発掘・育成事業の統括プロジェクトマネージャーなども務める。

どん底から、もの凄いスピードで動き出した

僕が『ネット起業！　あのバカにやらせてみよう』で描かれているようなベンチャーの世界に足を踏み入れたのは一九九六年のことです。当時はハイパーネットの副社長として、「ハイパーシステム」の事業を担当していました。

その翌年の一九九七年というのは本当にもう「日本経済がまずいんじゃないか」という状況でした。アジア通貨危機が起こり、国内では山一證券や長銀（日本長期信用銀行）が次々と破綻していった。そして銀行が一斉に貸しはがしをしたんです。ハイパーネットも住友銀行をはじめとした銀行から貸しはがしに遭った結果、存続の道を閉ざされました。

日本全体がどん底に落ちていたタイミングでしたが、ネット産業はもの凄い勢いで立ち上がろうとしていました。

一九九七年には、三木谷浩史君（楽天グループ会長兼社長）が楽天を創業しました。住友銀行がネットバンキングを始めたのもこの年です。一九九八年にはいろいろなことが動き始める気配がありました。僕もその頃ＮＴＴドコモに移り、ｉモード向けのコンテンツ開拓に奔走していました。

ｉモードは一九九九年二月にスタートしましたが、それとほぼ同時期（一九九九年一一月）には東京証券取引所に「マザーズ」という新興企業向け株式市場ができました。二〇〇〇年には楽天も上場しました。

ほんの数年前までは銀行が潰れるだの何だのと騒いでいたのに、もの凄いスピードですよね。ｉモードも開始から半年でユーザー数が一〇〇万人に成長しました。

本書にも収録されていますが、僕がドコモに移籍するきっかけは、松永真理さんからの相談でした。真理さんから、「なんか携帯電話とインターネットを繋ぐらしいのよ」と言われて僕は膝を打ったんです。

ハイパーネットが経営の中で一番苦しんだのはパソコンの普及率でした。当時、ハイパーシステムのユーザー数は約三〇万人。当時のインターネット接続事業者としては最大級の数字でした。ただ広告ビジネスとして考えると、三〇万人はまだ心許ない。パソコンがなかなか普及しないので、広告収入も十分確保できない。どうすればいいのか……。そう悩んでいた時に真理さんの言葉を聞いて、「携帯電話がインターネットに繋がるならいける」と確信しました。

「あっと驚く新機能」の連続

一九九九年二月にｉモードのサービスが始まりましたが、同年一二月にはもう「着

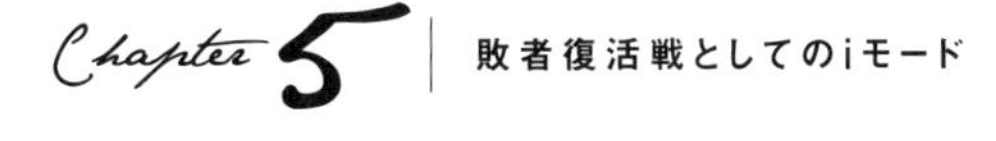

メロ」のダウンロード機能が付いた第二世代の端末の「502iシリーズ」が登場しました（同年一二月に発売されたのは「F502i」のみ）。

その約一年後の二〇〇一年一月には「503iシリーズ」が出て、「iアプリ」と呼ぶアプリをダウンロードできる機能も開始しました。二〇〇二年になると今度は通信速度が上がり、Flash（動画やゲームを扱える開発環境。買収を経てアドビが展開。二〇二〇年に開発終了）にも対応しました。二〇〇四年にはもう「おサイフケータイ」が登場しています。

発表するごとにあっと驚く新機能が付いた携帯端末が登場し、その新端末に対して、大企業からベンチャーまであらゆる企業が、新しいコンテンツを投入してビジネスを展開するという構図でした。

たとえば、二〇〇九年の時点で日本の電子書籍市場は五〇〇億円規模にまで成長していました。なぜかと言えば、それは携帯電話が漫画を配信していたからです。当時の日本の電子書籍市場は世界で一番進んでいました。

課金ビジネスだってそうです。「AppStore」など、今でこそ当たり前になったアプリストアですが、世界で初めてそれを実現したのがiアプリだったんです。

ｉモードのユーザー数はサービス開始からたった一年と一カ月で四五〇万人まで成長しました。さらにその半年後には一〇〇〇万人になった。もう、めちゃくちゃなスピードですよね。

課金ビジネスも拡大しました。真田哲弥君やその周辺の起業家たちも、コンテンツ・プロバイダーとして一気に儲かり始めるわけです。二〇〇〇年代初期に上場したベンチャー企業のほとんどが携帯電話関連のビジネスをしていたといっても過言ではないと思います。

囲い込みのビジネスではない

誤解されがちですが、ｉモードは囲い込みのビジネスではありません。ｉモードには「iMenu」というトップページがあり、そこには公式にリンクを張ることが許されたコンテンツのメニューがあります。ただし、ＵＲＬの直打ちが可能なので、ユーザーが自分で直接ＵＲＬを打ち込めば好きなサイトにアクセスすることができる。ブラウザーの仕様もあえて公開し、「勝手サイト」も自由につくることのできるオープンな環境にしていました。

では、なぜiMenuをつくったのか。そこに掲載されているサイトは「NTTドコモが公式として認めているものであり、健全なものです」ということを示したかったからです。

僕はダイヤルQ^2時代のことも知っていましたから、マッチングサービスやアダルトコンテンツなどが増えれば必ず規制が入るとわかっていました。じゃあすべてを規制すればいいのかというと、決してそういうわけではありません。特に僕は、「インターネットでは自由な発想で生まれてくるコンテンツが重要なのであり、ユーザーが自分の訪れたいサイトに自由にアクセスできるようにしなければならない」とも考えていました。

サービス事業者も同様です。iMenuに並ぶ公式コンテンツを見て、「なんだ、銀行だってサービスを提供できるなら、自分たちはもっと面白いサービスがつくれるはずだ」と思ってもらって、たくさんのプレーヤーにコンテンツ・プロバイダーとして参入してもらいたかった。

「公式サイト」で健全性を担保し、一方では「勝手サイト」の余地を残して多様なサービス提供者やユーザーにも楽しんでもらう。この両側面があったからこそ、iモードは成功したんです。

ダイヤルQ²の失敗とiモードの成功

iモードの立ち上げでは、ダイヤルQ²を参考にしました。両者の強みは、通話料や通信料にコンテンツ料金を加えて、一括で課金できるポイントにあります。

ただ、Q²はプラットフォーム提供者がコンテンツのクオリティーを管理せず、ただ従量課金制を貫いた。すると未成年がアダルトコンテンツにアクセスして高額の通信料が請求される問題が起こったんです。これが社会問題になり、Q²は廃れていった。

Q²の失敗を知っていますから、iモードではまず月額課金を前提にしました。今で言うサブスクリプションの元祖です。

従量課金ではなく、「月額三〇〇円でゲームが使い放題」と謳った方がユーザーもお得感を感じますし、コンテンツ・プロバイダーにとっても従量課金よりシンプルな

仕組みでお金を稼ぐことができて都合がいい。加えてサブスクなら、今月いたユーザーが翌月にはまったくのゼロになる、なんていうこともありませんから。

コンテンツ・プロバイダーには「プラットフォーム手数料は九パーセントにするから、月額三〇〇円でサービスを提供してほしい」とお願いしました。技術的には都度課金にもできたのですが、そうせずにサブスクでユーザーとコンテンツ・プロバイダーのWin-Winな関係を生み出したかった。

実は、このプラットフォーム手数料の九パーセントというのはQ^2に合わせたんです。当時、Q^2事業者の行き場がなくなっていたので、彼らにも参入してもらうようにと考えて。ある時、真田君に「手数料九パーセントだったらコンテンツ・プロバイダーをやるか?」と尋ねたら、「絶対にやる!」と。彼は当時、一度事業に失敗してアクセスで会社員をしていた時期だったので、「お前、会社員をやっている場合じゃない」と思いましたが(笑)。

もちろん、ユーザーがiモードで勝手サイトにアクセスすれば、通信料もかかります。「プロフ」（プロフィールサイト）などの大流行もあり、二〇〇二年頃には、公式サイトより勝手サイトのトラフィックの方が大きくなっていました。当然そうなるであろうし、それでよかった。それを、僕はドコモの経営会議でこう報告していました。「今では勝手サイトの方がアクセス数が増えていて、これだけパケ代（通信パケットの料金）も稼げています」、と。

戦う場所はOSではない

もともと僕は、スマートフォンとフィーチャーフォンでサービスを分ける必要はないと考えていました。かつてGoogleからAndroidの開発に協力するよう求められたことがありました。それはドコモにとってもチャンスでした。

iモード端末はOSこそメーカー各社でつくっていますが、ブラウザーはHTMLがベースですしiアプリはJavaがベースです。つまり、みんな米国の技術を使っているわけです。GoogleがOSを開発してくれたら、そのOS上でiモードを展開できると考えたわけです。だってGoogleはサービスやコンテンツを展開しませんから。

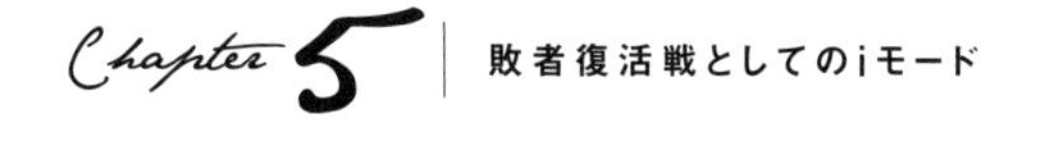

でも、反対が凄かった。特にドコモ社内の技術系の人たちからは大反対に遭いました。「そんなことをしたら米国企業に乗っ取られる」とまで言われたんです。

だけど、そう語る彼らが使っているパソコンのＯＳはWindowsなんですよ。僕たちが当時、勝負するべき場所はＯＳではなかった。ただ僕の主張はほとんど受け入れられず、結局、この一件は僕がドコモを去るきっかけにもなりました。

「モバイルインターネット」の生みの親

これまで僕は「ｉモードの生みの親」などと言われてきましたが、改めて振り返ると、そうではなく「モバイルインターネットをつくった人」なんだ思います。「ｉモード」という一つのサービスではなく、インターネットのできる携帯電話の成功パターンを初めてつくった、という意味です。

かつてノキアやモトローラといった携帯電話メーカーは、「携帯電話によるインターネットでは、パソコンのインターネットとは違うプロトコルを使うべきだ」として、ＷＡＰ（Wireless Application Protocol）という規格をつくりました。

ですが僕たちは「cHTML（インターネットの言語であるHTMLをベースにしたモバイル向け言語）が動くのであれば、WAPは必要ない」と振り切ってｉモードをつくりました。

その結果はどうでしょうか。二〇〇五年頃、ｉモードが誕生して五年以上経った後でも、日本以外の世界の携帯電話は通話機能しか付いていなかった。海外では「ｉモードはモバイルインターネットのファーストペンギンだ」と言われているんです。

その後、スマートフォンが誕生して、AppleとGoogleが台頭します。彼らは「日本こそ世界で最もモバイルインターネットを先駆けて大成功もしたのに、なぜ世界ではうまくいかないのか」と考え、ｉモードを研究して今に至ります。

「日本の携帯電話はガラパゴスだった」と言われたりもしますが、それは大間違いです。世界から見れば「通信対インターネット」という対立でインターネット業界が勝ったという話なんです。

だからｉモードの延長線上に、今日のスマートフォンがある。

描いた未来がそのままやってきた

当時、ｉモードで描いていた未来が今、そのままやってきています。かつてｉモードに備わっていた機能はそのままスマートフォンに載っていますから。「おサイフケータイ」だって世界で初めての取り組みでしたが、今ではすべてのiPhoneにFeliCaが搭載されていますよね。「ｉＤ（ドコモが提供するFelica対応の決済サービス）」だって、ｉモードの延長線上で生まれたものです。

今振り返ると、ｉモードのサービスを始めてからは、世界が疾走していました。世界中の最新テクノロジーを持つ企業が僕たちのところに来て、「こんなことができるんだ」といろいろな提案をしてくれたからです。

その一つがSuicaです。二〇〇一年に〝Suicaの父〟と言われる椎橋（しいばし）章夫さんが来られて、「携帯電話に支払いやＩＣ機能を付けるんだったらFeliCa方式にしてほしい」と相談されました。

なぜＪＲがそんな提案をするのかと思っていたんですが、実はその年の一一月から

Suicaがスタートし、首都圏四〇〇以上の駅に一斉導入されるんだと言うんです。そんな時に携帯電話のＩＣ機能が違う方式になったら大変だということで、FeliCaプロジェクトが始まりました。「ＪＲがやるんだったら」と三年後にFeliCa搭載端末をリリースしました。

これは一例ですが、ほかにもいろいろな話が僕たちのところに集まってきていた。常に二年ぐらい先を見て走っていたんです。

世界中からの反響、ｉモード時代を思い出す

ｉモードを手がけた後、僕は大学の先生（慶応義塾大学大学院政策メディア研究科の特別招聘教授など）をはじめ、様々な企業の社外取締役や政府の規制改革推進会議の議長などをやらせていただきました。ｉモードもそうですが、僕は社会を変えるようなインパクトのあることに常に挑戦したかった。そういう意味では、ｉモード以降もたくさんのチャンスに恵まれてきました。

僕は現在、株式会社KADOKAWAの社長をやっています。成り行き上務めること

になったという経緯もありますが、このタイミングでコンテンツを扱う会社にいると、かつてiモードを手がけていた時代のことをよく思い出します。

コロナ禍以降、特に日本のアニメや漫画は海外でとても評価されるようになりました。世界中から「早く漫画を出してくれ、アニメを出してくれ」とひっぱりだこになる感覚は、二〇〇〇年当時の「iモードを持ってきてくれ、次のイノベーションを教えてくれ」と要請される感覚ととても似ています。

挑戦しない人にはチャンスがない

『ネット起業！ あのバカにやらせてみよう』に描かれた時代というのは、起業のリスクが莫大だった。うまくいかなかったら本当に「もう駄目。立ち直れない」という状況に追い込まれました。

ですが今は起業のリスクはほとんどありません。やり直すことも十分可能な社会になりました。だから、やりたいことがあるなら全部、挑戦した方がいい。

やりたいことやアイデア、熱意があれば、迷わずチャレンジすべきです。だってリスクがほとんどないんですから。

昔よりも競争は激しいかもしれません。ですが、挑戦しない人にはチャンスが訪れない。だからこそリスクを考えずに飛び込むべきだと、僕は思います。

（取材、構成／岩本有平）

もう一人の“あのバカ”

インターネットの可能性を心から信じ、
自ら立ち上げた事業へと猛進する青年がいた。
小澤隆生、27歳。若き起業家は、
壮大なビジョンを掲げて、
3億円の出資を獲得することになった。

秋葉原の九坪のマンションで

「正直言うと、何でわからないの、バカじゃないのかと思いますよ。絶対に伸びる市場なのに。ここまで言ってもわからない人は、僕から言わせると、もう勝手に堕ちるところまで堕ちてくださいという感じですね」

くっきりとした眉の下で、きょろきょろと黒目がよく動く。快活に話すこの青年には嫌みはまったくない。ビズシーク社長の小澤隆生は二〇〇〇年時点で二七歳。ネットビジネスの世界の住人である。

彼はそう簡単に言うが、ビズシークが展開している「リバースマーケットシステム」はかなり独創的な商売だ。彼自身は成功を固く信じている。すべてを賭けている者の心に疑いが忍び入る余地は絶無だ。

彼の会社は、日本最大の電気街秋葉原から、若者の元気な足でなければばうとましい距離感をやや感じさせるほど離れた所にある。マンション五階のたった九坪ほどの小さな空間だ。

三面に大きな窓がとってあり、ブラインドを閉めていても明るい光が室内に満ちている。その窓に向かって五、六台のパソコンが一列に並び、小澤と同世代、すなわちまだ贅肉や養毛剤に無縁の四人の若者が黙々とキーボードを打っている。内装はクリームホワイトが基調で装飾的なものは何もない。唯一、不動産会社が営業用につくった「ビットバレー地図」が貼られているくらいであるが、これとて愛想のないものだ。

静かである。ネットベンチャーのオフィスはどこでもそうなのだが、彼らの主な仕事はパソコン上で完結するので、静謐（せいひつ）がオフィスを支配している。本棚には、バイオレンスや格闘技を主題にした劇画本がズラリと並んでいるが、この趣味は全員一致しているらしい。「自分たちはオタクだから秋葉原にしたんですよ」。小澤はくつくつ笑いながら言うが、理由はそれだけではない。

いざシステムが故障ということになると銀行で預金を下ろして秋葉原で部品を買い、さっさと直してしまうのだ。五時間もあれば、パソコン一台を組み立てることができる。メーカーのサポートセンターに電話してイライラしながら復旧を待つようなことはしない。それが彼らにとって最も信頼できる方法なのである。

もう一つ秋葉原にいる理由がある。小澤は千葉で家業のホテル、生コンクリート業を手伝っており、ネクタイを締めてホテルのフロントに立つこともある。他の社員は池袋近辺に住んでいる。出勤時間は毎朝一〇時だが、就業時間は終電の時間となる。JR山手線と総武線の乗り換え駅である秋葉原はどちらにとっても便利だ。彼らは仕事を苦にしていないので、時間がある限りパソコンに向かい続ける。

「僕はここに住んでいます」と、突然パソコンに向かっていた一人の若者が手を挙げた。

「えっ、君の家はこのオフィスってこと？」と思わず聞き返す。

「そんなに驚くことないじゃないですか。みんな朝が弱いので、誰かここに住んでくれると電話番になるので助かるんですよ。彼には、ここにオフィスを開いた時に借家を返してもらって、車も駐車場がないから売ってもらって、荷物だけ持ってきてもらいました。昔の呉服屋やそば屋はそうだったんでしょう。家賃光熱費がタダ。悪くないですよ」と小澤。

まるで丁稚である。小さなボストンバッグに収まった彼の荷物を見せてもらう。言ってては悪いがガラクタの類である。それとハンガーにかかった洋服が若干。夜はソファベッドに寝るという。言われてみると、部屋の片隅に社員のコートや荷物置き場になっているくたびれたソファが一つ。ここで安眠するというのは、私にはちょっとできかねる芸当だ。

「忙しくて外に遊びに行く暇もないですけど、ストレスなんか全然感じませんよ」と当人は涼しい顔である。

三億円の出資

こう書いてくると、ただのパソコンオタク四人組のマンションオフィスではないか、そんなものは一九八〇年代にゲームソフトをつくっていた連中と変わらないよと思われるかもしれない。

しかしこの二七歳の若者たち四人は、ベンチャーキャピタル（ＶＣ）二社から三億円の出資を受ける予定である。

出資とは、会社が潰れたら戻ってこないという性質のカネである。その代わり株価が上がれば出資側は株を売って利益を得ることができる。

小澤が一九九九年八月に会社をつくった時の資本金は一五〇〇万円。小澤が七五パーセント。一〇パーセントが第三章、第四章で説明したビットバレーの創業者の一人、西川潔率いるネットエイジ、残りを三人の社員が払い込んだ。

それを翌二〇〇〇年に四二七五万円に増資した。今回の増資分の三億円は、同じくビットバレーの創業者の一人、小池聡が経営するネットイヤーと、グロービスというビジネスマン向けの経営教育学校を経営している堀義人が世界最大規模のベンチャーキャピタル、エイパックスと合併でつくったエイパックス・グロービスが引き受ける予定になっている。

彼らは一株五〇万円で六〇〇株を買ったことになる。つまりビズシークの株価は当初の一〇倍になったわけで、小澤が持っている五〇パーセントの持ち株は一億円以上の価値を持つことになる。社員のうち一人は会社設立時に五万円で一株しか買う余裕がなかったそうだ。しかし、彼の株も二五〇万円の価値を持つことになる。

もちろん、棚ボタで三億円が空から降ってくるわけはない。

ＶＣの商売は、投資先のビジネスが将来さらに伸び、企業価値として上昇するであろうことを見越してまだ安いうちに株を買っておき、いろいろ仕事を手伝ったり経営指導したりして（何もしないことの方が実際には多いようだが）、株式市場に公開して高値がついたところで株を売ろうというものである。

公開市場で一般投資家が売り買いする会社が簡単に潰れてしまうようなことでは市場が成り立たないので、企業が株式公開するには毎年の利益を維持し、正しい情報をオープンにできるよう、きちんとした社内体制を整えて、証券会社や東証が行う審査をパスしなければならない。

この審査に合格して、「これなら株売買を証券市場で行っても問題ない」と判断されれば、晴れて株式市場に株式公開できる。これはつまり、資本市場から一流企業としてのお墨付きをもらうことなのだ。

加えて株式公開時には、公募による時価発行増資で一〇億円規模の資金調達を行うことができる（インターネットの仮想商店街を運営している楽天は、二〇〇〇年四月の公開時に四九五億円という巨額の資金を調達した）。これは銀行借り入れと違って返済する必要のない、経営者が自由に使える事業資金だ。

好業績を続けてより多くの投資家を引き込み、株や社債で市場から事業資金を調達するというのが資本主義における優等生的企業のあるべき姿なのである。

つまるところ、この創業一年弱、社員四人のビズシークが近い将来こうした公開企業の仲間入りをするという現実的な可能性をＶＣが認めたがゆえに、三億円の投資が行われることになる。

あえて大げさに言うと、この会社がトヨタ自動車やソニーに連なる日が来るかもしれないと、小池や堀は踏んだということだ。

イージーシーク

筆者がこの長い物語の中でビズシークを取材した理由は、小澤のビジネスが、まさしくインターネットを利用したビジネスの本質や可能性の広がりを説明するのに最適なビジネスモデルだと考えるからだ。

もしビズシークの追求する仕組みになんらの利益構造も発展の可能性も見出すことができないと判断される読者は、本書を読んでも得るところは少なかったはずだ。

逆に、現在はほとんど売り上げが立っていないこの会社に雄飛(ゆうひ)の可能性があるのではと思われた読者は、ここまで筆者がくだくだしく書き連ねてきたネットベンチャー経営者のアイデアや思考様式が、どのようにこれまでのビジネススタイルを変えつつあるか、彼らがどうやってこれまでの商売の延長線上にはない、まったく新しい「カネのなる木」を手中にしつつあるかに思い及ばれることだろう。

しばし、小澤の長広舌にお付き合いいいただきたい。

「インターネットを使っていると難しく見えるかもしれませんが、僕がやっていることを簡単に言うと〝あなたが探している古本を、古書店のオヤジさんが探してくれますよ〟ということなんです。

たとえば、『鉄腕アトム』の初版本を探している人がいたとします。彼はイージーシーク（ビズシークのホームページ〝簡単検索〟という意味）にアクセスして、〝探し物を登録する〟というところに書き込みます。

その情報をイージーシークは自動的に五〇軒の古書店の人に送信しますし、イージーシークを見ている一般の人にも、〝『鉄腕アトム』の初版本の探し物が出た〟と表示します。

古書店のオヤジさんの頭の中身は、店の在庫についてはリアルタイムで完璧に更新されていますから、〝ああ、それならうちにあるな〟という古書店は、登録した人に直接電子メールを送って初版本があることを伝えます。何通も違う古書店や個人からメールが来ることもあるでしょう。本の状態も、代金の決済方法も全然違うわけです。その中から自分が納得できる値段や条件の相手を選んで直接取引をしていただきます。取引が成立したら当社の方に成約情報を送ってもらいます。当社は売り主である古書店の方から一定の仲介手数料をいただくわけです。われわれは物を売っているわけではなく、ネット上でデータを仲介しているだけなんです。

しかも古書店のオヤジさんは、『鉄腕アトム』を欲しがっているお客さんなら、永井豪のこの作品も欲しがるに違いない〟と推測するでしょう。そうした電子メールも追加して送ってくるわけです。

在庫を網羅したデータベースは、あまり当てにならないんですよ。二〇万冊程度の古本の情報を蓄積した在庫データベースがあるにはあるのですが、そこにアクセスして『鉄腕アトム』を探しても、一対一のマッチングしかできないから、〝初版本はないけど二刷なら在庫がある〟というケースでは対応できません。新しい情報の更新も不完全ですしね。

でもイージーシークに登録すれば、個々の店に問い合わせなくてすむし、そういう類似本の情報も含めて五〇軒の古書店のオヤジさんが見つかるまで探し続けてくれるわけです。もう神田の古書街を足を棒にして歩き回る必要はありませんよ」

リバースマーケットシステム

イージーシークが稼働したのは一九九七年九月。初日に五〇件の登録があったので、「これはいける」と実感したという。

二〇〇〇年春には五万人のウェブサイトの登録会員を有し、毎日数百件の「買いたい情報」が登録され、月間一〇〇〇万円ほどの古書を仲介し、キャラクターグッズ、CD、ブランド品、ペット、食品、家具、チケットまで仲介の対象を広げている。

「〝二〇年間探し続けていた本が登録した途端に見つかった。このシステムは凄い〟〝ネットってこんなに便利だったんだ〟という絶賛のメールが利用者から来ます。顧客満足度ナンバーワンサイトですよ。〝書籍名不明、赤いスカートをはいた女の子が森へ行く話。こういう本を探している〟という注文こそ、古書店のオヤジさんは情熱を燃やして探すんです。高い本は売れないのではって？　とんでもない、一〇〇万円もする全集が売れていきますよ。

イージーシークは利用者に、〝このサービスを使いたいからパソコンを買おう〟とまで思わせる力を持ったウェブサイトなんです。それは、単に今ある文書や写真をインターネットに載せ替えただけのサイトとは根本的に違うものなんです」

小澤は腹の底から確信に満ちた声を出し、さも当然で説明する必要などないことのように語り続けるが、しかしここまで読まれても、「これはオタク仲間がやっている物品交換会の拡大版とは何が違うのか」と思われるかもしれない。当然であろう。実は小澤のビジネスの本質、「リバースマーケットシステム」の説明はこれからなのだ。

このシステムは、買い手側が広告を見たり情報を検索して、商品のある場所に買いに行くのではなく、買い手側が「私はこの商品をこのくらいの価格で買いたい。誰か売ってくれる人はいませんか」と売り手に呼びかけるという、倒逆的発想にある。

客のニーズさえ掴めていれば、現に今、買い手がいるわけだから、そこに商品を供給すれば確実に売れる。こう申し上げれば、そこに何かしら商売の手がかりを感じ取る読者もいらっしゃるのではなかろうか。

「たとえば住宅情報や仕事探しのための情報誌というのは、一カ所に大量の情報を集めてきて、そこに大勢の人をアクセスさせる（雑誌を買ってもらう）というデータベースビジネスなんです。でも、僕が三軒茶屋近辺にオフィスを引っ越そうというので情報誌を買ってきたとすると、僕にとって必要な情報というのは何百ページある中のほんの五行だったりするわけです。つまり全情報の〇・数パーセントの情報を得るために雑誌を買っているわけだから、雑誌一冊五〇〇円のうち四九九円は余分に払っているわけです。僕に言わせれば、この時点で情報誌ビジネスは破綻していますよ。

不動産屋で探すにしても、何軒も不動産屋を訪ねて物件を見に行き、気に入るものがあるまで歩き続けなければならない。とてつもないコストを、〝カネを払うため〟にかけているわけです。

だけど不動産屋を探すというのは、〝三軒茶屋の駅からだいたい徒歩一〇分の物件を借りたい〟というのがこちら側の希望であって、ある特定のビルでなければ駄目というわけではない。つまりどの物件でもいいわけです。そこにあるのは〝買い手のニーズ〟です」

「消費者主導」へのパラダイム・シフト

小澤は続ける。

「では、もしネット上に〝三軒茶屋駅徒歩一〇分、五〇坪のオフィス物件が欲しい〟と買い手側が宣言して、それを見た不動産屋が条件に合ったオフィスを一生懸命探してきてくれると、客の側が電話をあちこちにかけたり、駄目元で物件を見たりする諸々のコストを省くことができるわけでしょう。

今後は、そういう〝買い情報〟をいっぱい集めてデータベースをつくると、商品を売りたい人はそこにアクセスして、汗水垂らして商品を探してくるというパラダイム・シフトが起こるに違いありません。すべての取引がそうなるとは言いませんが、確実に何パーセントかはそういう取引に移行するはずです。

そうすると広告でも、現在の売り手側が商品を広告していますが、反対に〝買い広告〟というのがメジャーになってくるのではないでしょうか。購買側が日経新聞に〝コレ買いたい〟という全面広告を打てば、売りたい人は必死になってこの条件に合った商品を探してきますよ。費用対効果を考えれば全面広告を打ってもコスト的に引き合う可能性も出てくると思います」

実際に消費者側が商品や値段を指定し、それに見合った商品をマッチングさせるというネットビジネスは、自動車販売などの分野では軌道に乗りつつある。だが彼のアイデアはあらゆる商品、あらゆる取引について、今までの商習慣を根本的にくつがえすビジネスの可能性に及んでいる。

「ネットのおかげですよ。今までの土俵ではできなかったビジネスでも、ネットによって新しい土俵をつくることができたと思う。ネットは既に、〝一対一のコミュニケーション〟を超えてるんです。

イージーシークは、特定多数と連絡することができる性能のいい電話機だと思っていただければいい。電話機に何十軒のショップの電話番号が蓄積されていて、利用者は〝これ買いたい〟と意思表示さえすれば自動的に相手に電話してくれて、しかも探している商品があった場合にだけ連絡が来る。素晴らしいことじゃないですか。店を回ったりする手間が一切ないんですから」

アイデアが降りる予兆

小澤はこのアイデアを思いついた瞬間をはっきりと覚えている。

一九九七年三月一四日夜一〇時、彼は自宅の部屋でネットサーフィンに興じていた。とはいえ頭の中では煮詰まっているビジネスプランの想念を追いかけていたのである。

「イメージとしては、こうすれば絶対うまくいくと思うのだが、どうも最後の鍵穴にうまくはまらないんだよなあ。間違ってはいないはずなんだけど……」

小澤はマウスを転がしつつ考えた。

話の中で、〝絶対〟という言葉を多用することでわかるように、どうも彼は思い込みが強すぎるきらいがある。

小澤は早稲田大学に入ることを大きな目標として受験準備の日々を過ごしてきたが、早稲田大学法学部に入学してからはゴルフサークルに入部。トーナメント・キャディとしてほとんど学校に寄りつかず、全国を回る生活をしていた。

有名選手と直に話せて、「もうこのまま死んでもいい」と思うほど楽しい日々を送っていたが、そんな天国の日々はあっという間に過ぎ去り、同期が卒業してしまった後、ひとりぼっちになった小澤は、「自分がこの先、何で身を立てるべきか」という意志も希望も持たないことに気がついて茫然とする。自分の就職先を思い描くことができないのだ。

「答えは図書館にあるだろう」と見当をつけ、元から好きだった本棚の間にもぐり込む。そこで未来学者アルビン・トフラーの『第三の波』に行き当たった。

トフラーは、第一の波は農業の開始、第二の波は工業化社会の到来、第三の波は情報化社会への変革で、「来るべき世では〝情報〟がカネを生む」と説いたが、小澤はこれを読んで目から鱗が落ちた。

「これはコンピューターしかない。商社も代理店も駄目だ」と自分の成績を顧みず激しく思い込んだだけではない。重工業系企業に就職した友人に電話して「お前、辞めた方がいいよ、これからはコンピューターだよ」といらぬお節介まで焼いている。

コンピューター関係企業を志望して落ち続けた挙げ句に一九九五年春、独立系システムエンジニアリング企業のCSKに入社。

「ここは半年間の研修期間があり、コンピューターとネットの勉強をさせてくれてしかもお金もくれる。なんというぬるま湯だ」と思いながら、ERPパッケージ（ビジネス用ソフトの一種）や機器販売の仕事をこなし、一方でひたすら自分で手がけるビジネスプランを考え続けていた。


三月一四日の夜、小澤が思い悩んでいたのは、CSKの仕事の延長で新規ビジネスが見つかりそうだということだった。

彼の顧客企業からは二〇台、三〇台単位でパソコンのニーズがある。片やパソコン販売会社が複数あって、いちいち売値が違う。全販社に電話して値段を聞くのは面倒なので、メーリングリストで見積依頼を全社に送るような仕組みをつくっていた。

「これが何かビジネスに繋がるのではないか……」

ついに鍵穴が回った

何度か同じところを思考が行きつ戻りつして、最後にガチャッと音がして、鍵穴に鍵が入った瞬間に、頭の中がぐるっと大きく回って、小澤はそれまで見えなかったものをはっきりと掴んだ。

「わかった。個人個人が〝自分はこれが欲しい〟とネット上で宣言するということは素晴らしいことなんだっ」

思わず口をついて言葉が出た後に、それに付随する新しいサービスのアイデアが、彼の脳みその中からボロボロッとこぼれ出てきた。小澤は慌てて、それらを拾い集めて書き留めた。

買い手が「コレが欲しい」と表明して、売り手が条件を提示して（見積りを出す）、折り合ったところで取引すればいい。これは今まで企業間取引（BtoB）に限られてきたが、企業と個人との売買（BtoC）分野についてもインターネットを利用すればシステム構築が可能なはずである。

商取引の中には、実はもっと安い値段で売っているのに、顧客がそれを知らないばかりにバカ高い値段で買わされているというケースが非常に多い。情報の非対称性の上にあぐらをかいて暴利を得ている企業があまりにも多いのだ。もし個人入札ができるようになれば、そうした不当な儲けは減少しているはずだ。

「僕はこれを思いついた時は、刺されても構わないと思いましたよ。これは情報格差を利用して儲けている企業を潰すことができるビジネスなんです。僕ら二、三人の個人がそんな大きな影響を持つかもしれないシステムを提供できるというのは、こんな愉快なことはない。僕は絶対に、ネットを使えば根本的にパラダイムを変えるビジネスをやることができると思います」

後述するが、ネットベンチャーの株には「バブル」と表現されるほどの高値がついている。その源泉は突き詰めると、この情報の非対称性を是正し、消費者に消費の主権が渡ることによって生み出される（大企業からもぎとられる）価値を、将来ネットベンチャーが手にするだろうと市場が好感していることにあると思う。

この過剰利得はネット利用により確実に是正されるはずだ。「ひょっとして大企業側が仕事のやり方を変えて、そうした過剰利得を還元することで生き残りを図るかもしれない」とみんなが考えるような動きが出れば、ネット株はさらに値を下げるだろうが。

ネットベンチャーの経営者は、全員が全員、インターネットが社会を大きく変える力を持っていることを確信している。そして自分がその役目を果たすべきだという使命感に燃えて、成功を疑わず突っ走っている。

彼らは後ろを振り返らない。「行くところまで行こう」と腹を決めている。

しかし最初から大きな商売をする元手を持っているわけではないし、商売のこともよくわからないので、まず小当たりに当たって失敗を積み重ねることになる。何でも、初めからうまくいくなんてことはあり得ない。

最適購買実現システム

一九九七年四月、小澤の副業（本人は本業だと思っていた）「最適購買実現システム」がスタートした。

「だいたい広告というのは買い手を探すために打つものだから、広告を打たずに〝私はいくらで何を買いたい〟という情報さえ集めてしまえば、僕はこの世の王様だぁ」

そんな無邪気な発想で、自動車、不動産、バイク、パソコンなど、ネットを通して手当たり次第に利用者側の買い情報を集めてはみたものの、売り手の方がさっぱり集まらない。

「ハーレーダビッドソンのバイクを買いたい」という注文があったので、販売店に「こういう注文がある」と電話すると、「そういうブローカーみたいなことはしないでください」とけんもほろろの対応である。これでは駄目だとあきらめて、今度はネット上での取引が確立されつつあった古本取引に目をつけた。

当時インターネット上で店を開いていた（後述する「検索エンジン」に登録していた）古書店は五〇軒程度あった。小澤はネット上で彼らのメールアドレスを集めて、「イージーシークに登録すると五〇軒の古書店に問い合わせできますよ」と自分のホームページで謳ったわけである。

なんのことはない、他人のふんどしで相撲を取るだけなのだが、これは奏功して「こんな本を探している」という情報が集まり始めた。実際に毎日注文が入ってくるので、古書店側もビズシークからの情報配信を求めるようになった。やっと買い情報が勝利を収めたのである。

サイト名を「イージーシーク」と付けたのも、検索エンジンで本を探そうとした場合、あいうえお順に表示されることを考えて、なるべく先頭に表示される名前にしたからだ。生き馬の目を抜くこの世界、この程度の小技は当然である。


いよいよ軌道に乗ってきたので、CSK時代のエンジニアの友人を引き入れた。

手作業でやっていた古書店への情報配信を自動でできるようにシステムをつくり、文学や歴史といった古書店の得意分野ごとの買い情報が自動的に選別されて流れるように改良し、月末にポンとボタンを押すと、各古書店への仲介手数料請求書がプリントアウトされるように充実させていく。

ソフトづくりやサイト運営の労力はボランティア。ランニングコストは月四万円のインターネット接続事業者への支払いだけだったという。

ケチなオペレーションだと思われるかもしれぬが、特にネットベンチャー経営では、コストを抑えることは生死を分けることに繋がる。彼は「サラリーマンをやりながらジャブジャブ儲かる仕組みをつくろう」と虫のいいことを考えていたのだ。

雑誌に紹介されたり、口コミで伝わって仕事はうまく進んだので、小澤はこれを会社にしたいと望んだ。

そもそも彼が起業を志したのは、子供の頃から憧れていたポルシェに乗りたかったがためである。このスポーツカーは一五〇〇万円はする。すると普通のサラリーマンではとても手が届かない。「よほど儲かる会社の社長にでもならなければ。じゃあ会社をつくらないと……」という単純な動機である。

バブル期に実家のホテルが三〇億円かけて改築した時、小澤は「三〇億円も、三〇億一五〇〇万円も変わらないのだから、ポルシェを買ってくれ。どうせ返すのは俺なんだから」と親に懇願したが、買ってもらえなかった。

こんな経験も小澤には、一つの教訓となった。個人でやる商売の限界を既に経験していたので、誰か有力な後ろ楯が欲しかった。

法人登記

二年間、様々な人に手紙を出し、ＶＣを歩いて自分のビジネスを説明した。

『「超」整理法』の著者である野口悠紀雄・東大教授や、当時ハイパーネットというネットベンチャー企業を起こして脚光を浴びていた経営者の板倉雄一郎、果てはinfo@softbank.co.jp（当時のソフトバンクの一般問い合わせ用メールアドレス。こんなところにビジネスプランを送っても相手にされるわけがない）なんてところにまでメールを送って理解を求めたのだが、まず相手にされなかった。

ＶＣには「とにかく君の言っていることの意味がわからない。市場規模も読めないし、参入障壁もないじゃないか」と体よく追い返されるのが常であった。

ベンチャーの世界に生きる専門家たちでも、アメリカで現実化しているビジネスと比較して判断するしかない。「消費者主導」という、小澤が自分の頭の中からひねり出したオリジナルのアイデアは、この時代の日本ではやや高等すぎたようだ。

ある経営者の前でビジネスプランを説明する機会を得た小澤は、「まずこのプランの欠点をきちんと説明したまえ」と言われて、「なぜ天下を取ろうという商売のシステムを説明するのに、欠点から説明しなければならないのか」と席を蹴って立ったこともあったという。ビットバレーが社会的な盛り上がりをみせる前には、ベンチャー志望の若者は概してこういう仕打ちを受けたものである。

一九九九年四月、小澤の目は日経新聞のある記事に釘付けになった。

「ネットエイジ　ネットディーラーズをソフトバンクに売却」

自動車見積り販売という消費者主導のビジネスを既に立ち上げていて、しかも数億円で売却までしてしまった人がいるとは。

驚くより先に、「この人ならきっと自分のアイデアを理解してくれるに違いない」と思った小澤は、ネットエイジ社長の西川潔に自分のビジネスモデルを紹介する電子メールを送りつけた。第四章で触れた、小池と西川が「ビットバレー宣言」を発表した少し後のことである。

既に三万人の会員を持っていたイージーシークのサイトを見た西川は、瞬時にこのネットビジネスとしての卓越性を理解し、「このビジネスは面白そうだ。ぜひ会いたい」と返信した。初めて小澤のアイデアに専門家が価値を認めた瞬間だった。

こうしてめでたくビットバレーの盟主・西川潔の後ろ楯と一〇パーセントの出資を受けた小澤は、一九九九年八月にビズシークを法人登記し、オタクの町、秋葉原に居を構えたという次第である。

マーケティングの革命的手法

「インターネットのサイトはね、利用者に見えている表の部分より、裏側の方が凄いんです。われわれの手元には今までに蓄積した九万件のデータがある。もう笑いが止まりませんよ。サイトで集めたマーケティングデータをどう料理するか。それが今後のテーマですね」

青年社長が不敵な笑みを浮かべつつ語るのは、顧客の情報処理をどう商売に結びつけるかというネットならではのビジネスの可能性についてだ。

パソコンでホームページを見るには、普通ネットスケープやインターネット・エクスプローラーなどの閲覧ソフトを利用する。このソフトにはいろいろな機能が付いていて、その一つにクッキーというものがある。

利用者がイージーシークにアクセスすると、イージーシークのサーバーには、利用者のパソコンに、ブラウザー固有のクッキーという情報の送信を要求する。利用者が次回にアクセスした時も、イージーシークのコンピューターはクッキーの送信を要求するので、また利用者のパソコンはクッキーを送り返す。イージーシーク側では前回のクッキーと参照して、「また同じ人がアクセスしてきたな」と認識できるわけだ。

イージーシークを利用する場合は会員登録で氏名、年齢、住所などを入力するので、イージーシーク側は会員の誰が、いつ、どのページを何度くらい利用したかを知ることができる。

そればかりではない。その人がイージーシークの中のどのページを見て、どのような商品に興味を持ったかという、サイト内での顧客の行動を完璧に把握できる。これはマーケティングの世界では、ある種革命的な手法である。

買い手を見つけるために宣伝活動を行っている商品は多いが、テレビやラジオ、新聞雑誌、街頭での告知などの場合、どのような経路で商品が認知されて購買に至るかはなかなかわからない。

広告費は安くはないので、ありとあらゆる広告効果測定の手法が開発されてきた。ところがインターネット上では、利用者は商品告知から購買までに、どのページを何回くらい見て購買を決定したかがズバリわかるのだ。それによって一人一人の顧客別にきめ細かい情報提供や勧誘が行えるし、広告コストが削減できる。

それだけではない。小澤は古風な表現で言うと「百尺竿頭に一歩を進めて」いる。

買い相場をつくる

「うちの場合、〝消費者が買いたい値段〟を知ることができるというのがミソなんですよ。探し物と値段のマッチングをやっているわけですから」

たとえば、〝ペンティアムの五〇〇メガヘルツのCPUを搭載したパソコンを、いくらなら買いたい〟というニーズが一〇〇〇件集まったとします。それはつまり、先に受注しているようなものなんです。だってそうでしょう、売り先は決まっているんだから、商品を供給すれば売れるに決まってます。

データ数が多ければ多いほど、値段に説得性が出るでしょう。われわれは、それを〝買い相場をつくる〟と言っています。〝この地域に住んでいる人は、こんな商品をこれくらいの値段で出せば買う意思があるみたいです〟なんてデータを、個人属性を切り離してメーカーさんに売ることができます。あるいは、それをイージーシークを通して売らせていただいてもいいですよ。そういうデータが現在九万件。そして今後も

続々と集まりつつあるわけです。

　ここまで言ってもわからない人は、僕から言わせればもう堕ちるところまで堕ちてください、ということですね」

　小澤は声のトーンを上げてくつくつと笑う。


「いくらなら、いくつ売れるか」

　それがわかれば苦労はしないと思いつつ、足を棒にしながら営業している人は多いだろう。だがネットは顧客との間に架け橋をつくり、その夢を叶えるかもしれない。

　ビズシークの出資者で社外取締役の西川潔はこう語る。

「彼の場合は、一九九九年春の段階で既に二年間もやっていたという実績が凄い。しかし、イージーシークが本当にビジネスとして立ち上がるかどうかは迷っていたようだ。僕が背中を押してやったようなもんですね。ネットビジネスの中でも、潜在的にもの凄く面白い可能性があると思う。後はこれをカネにできるマネジメント力があるかどうかですね」

　小澤はこの商売の仕組みについて特許を申請済みなので、このビジネスを他人がそのまま真似ることには大きなリスクが伴う。いわゆる「ビジネスモデル特許」である。まだ三〇歳にも満たない四人の若者は、ネット上でカネを生む大きなチャンスを手に入れた。その現在価値は三億円と評価されている。

小澤たちは成功を信じて猛烈に働いているが、ビズシークが実際に大きな収益を上げる企業になるかどうかは、私には判断できない。彼のビジネスはスタートしたばかり。初年度八カ月間の売り上げは五〇〇万円と、ほとんど立っていないレベルだ。

今まで無給で働いてきた小澤は、二〇〇〇年に入ってから年棒六〇〇万円を受け取ることになった。金額は西川が決めた。ビズシークは今後、創業の地・秋葉原を離れて、渋谷に近い三軒茶屋に引っ越すという。

一年も秋葉原に居つかなかったことになる。五〇坪の格好いいインテリジェントビルだ。社員やアルバイトも増やすため、毎日面接を行っている。

「分不相応なオフィスです。でもやっぱり専用ブースをつくって、二人くらい社員が住み込むことになると思いますよ」

こう小澤は語る。どうやら住み込みだけはここの社風のようである。

Key person

日本一の〝バカ〟に仕えた元〝バカ〟が、これからの〝バカ〟を救う

BoostCapital代表
LINEヤフー顧問
ZOZO取締役

小澤　隆生氏

CSK入社後、ビズシークを設立して楽天に売却し、楽天に入社。オークション担当役員や楽天野球団の事業本部長を経て退社。その後設立したクロコスをヤフーに売却し、ヤフーへ入社。常務や専務COOなどを経て、二〇二二年四月にヤフー社長に就任。二〇二三年一〇月LINEヤフー顧問就任。二〇二四年一月からはベンチャーキャピタル運営会社BoostCapitalを設立し、代表に就任。

「若さと狂気が入り交じった時期」

本書の取材を受けた二〇〇〇年の頃は、凄く自分が信じているアイデアがあって、絶対にこれでうまくいかせるんだというある意味、若さと狂気が入り交じった時期。人生で最も自分に自信があった時期じゃないですかね。読み返すと恥ずかしさも感じ

るけれど、よかったなというのもあるんですよね。なんか元気というか。俺、バカだなとも思いつつ（笑）。

でも当時はわかっていませんでした、自分がバカだって。若さゆえなのかわからないけれど、バカって、自分でバカと認識できないんだなと。

当時の僕は、インターネットの凄さとか、自分がやっていたサービスの凄さが理解できない人たちのことを、バカだと思っていた。けれども、外からは僕らがバカに見えていて、僕らを本当にバカだと思っている人と、「狂った人にやらせてみよう」という意味でバカだと思ってくれる人がいた。

そういう当時のバカな僕に投資してくれた一人が、（楽天グループ会長兼社長の）三木谷浩史さんです。もし今、僕が当時の自分のような若者に「投資をして」と言われたらできるかな……。結論、するとは思うんですけどね。

一九九九年にネットエイジの出資を受けてビズシークを登記して、翌二〇〇〇年にネットイヤーやグロービスなどが三億円の企業価値を認めて出資を決めてくれたところで若い頃の僕の取材は終わっていますが、その後は楽天の出資を受けて、二〇〇一年にビズシークを楽天に売却するという怒涛の展開となっていきます。でも、これは自分が望んだM&A（企業の合併・買収）ではありませんでした。

というのも、アメリカのイーベイ（eBay）から買収の話が来たんです。当時のビズシークの株式は七割が外部株主で、楽天も一四・九パーセントを持っていた。それも含めて一〇〇パーセント買収というのがイーベイの条件でした。

他の外部株主はイーベイの売却に前向きだったけれども、楽天の三木谷さんが「絶対に売らない」と言い出して。「逆に楽天が買うよ」とオファーを出してきて、他の外部株主も「もう、これは楽天に決めよう」という流れになっちゃって。結局、楽天に売られることになりました。

僕自身が売りたいわけではなかったので、「そんな感じなんだ」という思いが一つ。もう一つは、ちょっとの悔しさと好奇心もあったので、楽天の一員になってその中身を見てやろうという思いもありました。

「こんなもの成功じゃない」

「楽天市場」が立ち上がったのが一九九七年。ビズシークがやっていた「イージーシーク」というサービスも、それとほぼ同時期に立ち上げている。なのに、なぜ片方（楽天）は株式上場して事業を買う側になって、片方（イージーシーク）は買われる側になるんだろう、と。その時点で、自分の中には「うまくいっていない」という認識があったんです。「何だこれは」と。

楽天市場とかAmazonのような、いわゆるショッピングモールがネット通販の主になっていく流れがある中で、「売り手に入札させて買い手が優位に立つ」という自分がやってきたイージーシークは凄く特殊な買い物に限定されるかもしれない、という気づきもありました。

そもそも人間の行動原理からして、石鹸一つ、コーラ一本を買う時に、売り手をネットで探すなんてことはしない。売り手市場を買い手市場に逆転させることを目指した僕らの「リバースマーケット」というものが、世の中の流通総額の半分以上を占めることはないだろうと考え直したんです。

ただし、高額商品やレアな商品、あるいは公共事業というのは昔から入札制です。イージーシークは、個人でも企業からの入札を扱えるようにするもの。すると日本でもクルマの買取依頼や引っ越しの相見積りみたいなものが出てきて、僕の思っていたことがその辺の領域では実現していった。

だから、「ああ、自分の考えは正しかったんだな」と思っています。力不足もあって僕自身は手がけていないけれど、「やっぱりこうなるんだな」と。言い換えれば、僕がやらなくても大丈夫だなとも感じました。

そこが、孫（正義）さんとか三木谷さんと、僕との違い。使命感を持って「誰もやらないから俺がやっているんだ」「俺こそが成し遂げるんだ」という感覚がちょっと薄いんでしょうね。

自分が思いついた自分だけのサービスを心からやり続けたいのかというと、そうでもない。自分でどうこうじゃなく、「こういう考えって合っているのかな」というものに対して、合っていたんだと知れる喜びの方が大きい。じゃなければ会社、売らないですよ。三木谷さんの下で働こうとも思いません（笑）。

あとはやっぱり、世の中に対して意味のあることをやり続けたいという気持ちが僕の根っこにありました。要するに、もっと広く大きなレイヤーで、でかいことがやりたいと思っていた。

インターネットという自分が信じてきたものをできるだけでかいところまで持っていきたいという情熱は、会社を売却してもそんなに薄れていなかった。絶対にもっと爆発するぞという思いがずっとあったので、「じゃあ大きなショッピングモールでとことんやってみよう」と思ったんです。

それに、ビズシークの売却で手に入れたお金は五〇〇〇億円とかではないわけで、こんなものは成功じゃないと。ラクをするために生きているわけではない、という思いもあって、ビズシークの売却と同時に僕も楽天に移り、働くことにしました。

ただ、僕の楽天への参画は、三年間の「キーマンクローズ（売却した会社で一定期間、職務を継続する契約条項）」付きでもあった。だから、三年経って三木谷さんに「辞めます」と言ったら、今度は「楽天球団の経営をやってみないか」という話が出てきました。

自分の中ではいったんケリが付いて新しいことをやるぞと思っているタイミングだったけれども、楽天の中で新しい面白いことができちゃったんです。

十数年かかって手中にした「ヤフオク！」

楽天を辞めた後、しばらくしてからヤフーに入ったのも自分の中では自然な流れで、思いや考えはブレていません。楽天ではオークション事業の責任者としてイージーシークの「楽天フリマ」への統合などを手がけ、何とか「ヤフオク！」に勝ちたいという思いでやっていました。一生懸命やりましたよ。

でもある日、「あれ、俺がヤフオク！の責任者になっちゃえばいいんじゃないか」と気づいたわけです。どう考えてもヤフオク！はいいサービスなんだから、こっちでチマチマやっている意味はあるのか、と。それよりもヤフオク！の責任者になって、もっとでかいことをやった方が、世の中には意味があるんじゃないかと思って。ビズシークを共に創業した岡元（淳）さんも一緒に楽天に来ていましたが、そんな話を彼にしたこともあります。

それで、時を経て旧知の川邊（健太郎）から頼まれて、二〇一二年からヤフーを手伝うことになった。けれども入ってみて、「もうこれはやべえな」と気づいたんです。だって検索はGoogleが一世を風靡（ふうび）している。ヤフーのニュースはそこそこいいけれど、それだけでは検索は弱っていく一方です。

だったらちゃんとポートフォリオを立てなくちゃという話になり、わかりやすいネット通販を強化して、金融に繋げるという画を描いた。二〇一三年にヤフーのショッピングカンパニー長の執行役員になって、岡元さんも呼び寄せて。「十何年かかったけれど、ついにヤフオク!を手に入れたよな」と話していました。

ヤフーではでかいことをやろうぜといろんな挑戦をしてきました。「一休」や「ZOZO」みたいなサービスをつくりたいと思ったら、ゼロから立ち上げるよりも買収した方が効率がいいとなり、ヤフーとのシナジー効果でもっと大きくしていった。「eコマース革命」を打ち出して「Yahoo!ショッピング」の決済取扱高（流通取引総額）を大幅に増やし、フリマも育てて、ヤフオク!を補完。その結果、eコマースの流通取引総額で、自分の貢献とそれまであったものを足して約四兆円にできました。流通取引総額で見ると、ヤフーは日本で二番手、三番手だけれど、一休やZOZOみたいな凄くいい会社を買収できたので、利益はたぶん今、一番出ている。つまりヤフーというエンティティ（実体）で、ちゃんと事業ポートフォリオをつくれたんです。さらに「ペイペイ（PayPay）」が大当たりしました。

クレジットカードのシェアで楽天に負けているからと、ヤフーもカード会社と銀行を買ったけれど、全部楽天の一〇周遅れで、モバイル決済にしか「空き枠」がなかった。そこで楽天がやっていないことをやろうとペイペイに挑戦してみたら、それだけで流通取引総額が一〇兆円を超えた。eコマースと合わせると一四兆、一五兆円分になるくらいまで、自分の事業の枠組みの中で携わることができました。

プラスアルファ、ヤフーはメディア事業の成長がどうしても鈍いし、検索もやばいから、「もうSNSを強化するしかないよ」となって「LINE」と合併。最終的に、「あと一〇年は大丈夫だろう」というところまでは持っていった。

自分でゼロから会社やサービスを生むことにこだわりがないからこそできたのかもしれません。何なら僕、ビズシークの創業期以降はずっと〝サラリーマン〟ですから。二〇二三年にヤフー社長を退任して、ようやくいろんなことから解放されました。

インターネットの凄さを世の中に広めたい。それを何とかわかるように仕上げたい。二〇代前半で立てた目標に対して、日本におけるインターネット企業の二大巨頭である楽天とヤフー、両方でキャリアを積むことができたのは幸運です。

インターネットで世の中が変わっていくことを成し遂げたいという大きなベクトルで二十数年やってきて、ヤフーではサービスの根幹に携わり、社長もやることができた。じゃあ、アメリカの「メタ（Meta）」とか「アルファベット（Alphabet）」に肩を並べるところへ持っていけたかというとそれはできなかったけれど、自分ではもう、もの凄く頑張ったなという感じはしています。

最後には、LINEと合併したことで、ヤフーとして再成長への道筋もつけることができた。これから合併効果を最大化していくフェーズで身を引いたのは、そういうことが得意な人にお任せした方がいいという自分の判断です。申し訳ないけれど、僕は不得意でして。

若い頃からでかいことをやりたいと夢を追い求めて、やることができた結果の気づきもありました。

世界一の〝バカ〟はイーロン・マスク

やっぱり、ペイペイは〝やった感〟があるんです。ヤフーの全員を使って、一〇兆円以上の流通取引総額まで一気にブーストさせた。頑張った人を一人挙げろと言われれば孫さんなんだけれど、もちろん僕も責任者として魂を込めてつくってきた。ですが、それが成功した時、思い描いていたものをやりきった時の喜びが、実は思っていたよりも少なくて、そうでもなかった（笑）。

ずっと「俺がやりたかったことはこれだ」と思って頑張ってきたけれど、ワールド・ベースボール・クラシックで日本が優勝した時の方が感動しちゃいまして。「何だこれ」って思ったんです。

感動や喜びは脳の電気信号なので、改めてどういう時に電気信号が出るのか考えました。スポーツとかわかりやすいこともそうだし、投資先のスタートアップの人々が成功して、目の前で人の人生が劇的に変わるのを見るとやっぱり僕は感動しちゃうんです。

ペイペイで五〇〇〇万人がちょっと便利になったと喜んで使ってくれることよりも、

眼の前の一〇〇人が涙を流して喜んでくれることの方が好きだし、感動する。実際にやったからこそ、それがわかりました。

「感動」なんです、自分にとって大事なのは。だから死ぬまで感動を追い求めたい。その一つとして、仲間と新しくスタートアップの投資ファンドを始めます。スタートアップやベンチャーのエコシステムをさらに大きくするお手伝い。どうして投資かと言えば、究極、感動がしたいからです。

ファンドではM&Aのアレンジもやります。日本はまだまだM&Aが増えるべきで、そこには会社を二社売った僕の経験や、ヤフーでたくさん会社を買ってきた経験が生きてくる。ヤフーを退社した後は毎月、数十人の起業家たちと会っていますが、スタートアップ業界に戻った感じでめちゃくちゃ楽しいですよ。

これは、日本の〝バカ〟を守るプロジェクトでもあります。

最近ようやく、イーロン・マスクの本を読んで、本当にバカだな、やべえなって感銘を受けたんです。それを「狂気」と言う人もいるし、僕は「誰も思いつかないビジョンを描く力と異常な執着心」と表現しますが、本当に人並み外れている。

だから、本書で言う〝バカ〟の世界一はイーロン・マスク。もう、圧倒している。本を読み終えて感動して、その日のうちにテスラの車と株を買いましたからね。

孫さんもそうなんですよ。バカなアイデアを持ってきたり、本当に愚かな話に騙されたりして、何度も失敗してきた。それでもやっぱり信じ続ける。変に賢くないんです。そうやって夢中になって続けていると、たまに凄いホームランを飛ばす。失敗しても実行し続けることの大事さを教わりました。

三木谷さんがやっている楽天のモバイル事業も莫大な投資を続けていて本当にバカなことだなと思うけれど、やっているうちにどうにかなる気もしていて、すげえなと思ってみています。

「〝バカ〟よ、いらっしゃい」

ある一線を越えた事業をつくったり、何か大きなことを成し遂げたりするのは、やっぱりどこか〝バカ〟になれないとできない。孫さんや三木谷さんを見ていたら、「ああ、俺は違うな」と思うんです。

僕にも、〝バカ〟と呼ばれる時期はあったのかもしれないけれど、本物の〝バカ〟にはなれなかった。ある意味、本物の〝バカ〟に戻れない賢さを身につけちゃった、元〝バカ〟なんです（笑）。

ただし、だからこそ役立つこともある。日本には〝バカ〟がいなくなったと言う人もいるけれど、間違いなくまだいる。そういう日本において変革を起こすかもしれない〝バカ〟って、世の中や組織からオミットされがちで、たぶん海外よりも排除されやすい。

なので「俺が救う」って思っているんです。新しい〝バカ〟たちが駄目になっちゃう前に理解して、ただのバカでは終わらせない。元〝バカ〟が、〝バカ〟のためのよき理解者として頑張る、というのが僕の今の目標です。

時には彼らと社会の通訳として、僕は成立すると思います。なぜなら、三木谷さんや孫さんみたいな狂気じみた本物の経営者とここまで深く付き合ったのは、たぶん僕だけだから。

インターネットサービスと向き合って二五年以上、しかも楽天とヤフーで実践して、かつ二〇年以上の投資経験もある。ここまでの元〝バカ〟としての経験って得難いですよね。そのぶん、スタートアップのエコシステムを若い世代にしっかりと還元していかなきゃいけません。

だから、「〝バカ〟よ、いらっしゃい」。

賢さを身につけた元〝バカ〟の先輩として、〝バカ〟はできる限り俺が助ける、ということです。

（取材、構成／井上理）

あとがき　サラリーマンのみなさんへ

一九九〇年七月一一日、この日はぎらぎらとした夏の日射しが遠慮会釈なく照りつけていました。

午前一〇時半、私は大手シンクタンクに勤めている友人と、山手線の五反田駅頭で待ち合わせました。二日酔いではなかったのですが、朝と暑さに弱い私はなかなか足が前に進みませんでした。

日射しの強さに閉口していただけではなくて、足取りが重かった理由の一つには、私自身が望んでこの会社に赴くわけではなかったということがあったと思います。友人がＮＴＴ関連の調査の仕事をしていて、「ダイヤルＱ²についてレポートしなければならないので、最大手のダイヤル・キュー・ネットワークを紹介してほしい」と頼まれたのです。

私も直接知っていたわけではなかったのですが、仲良くしていただいている弁護士の先生がＱネットの顧問をしていて、なかなか有望な会社だと聞いていました。そこでこの先生にご紹介をお願いし、なりゆきで私も同道することになったのです。

当時、プレジデント社入社四年目でベンチャー企業の取材ばかりしていた私ですが、ニューメディアに対する認識は浅く、このサービスにほとんど関心がなかったのです。

炎暑の中、教えられたとおり線路際を一〇分ほど歩いて、Qネットが入っている巨大なマンションにたどり着いた時にはほっとしました。エレベーターを降りてすぐの、家族連れが住んでいてもおかしくないようなありふれた住戸のインターフォンを鳴らします。

すぐに学生みたいに若い社員が顔を出し、扉が開かれて、入り口間際の小部屋に通されました。部屋の中央に素っ気ない白いテーブルが置いてあり、そこに電話が一台、ぽつねんと置かれていて、それ以外にはまったく何もない、飾り気のない部屋だったと記憶しています。

しばらくすると私と同年輩の、生真面目そうな表情の総務担当の青年と、噂の東大生社長の玉置真理さんが入ってきました。今思えば、この青年は西山裕之さんではなかったかと思うのですが、定かではありません。

友人はてきぱきと事務的にQネットのサービスについて質問をしていきます。質問にはもっぱら青年の方が答えていました。私の耳に残っているのは、この会社のサービスはQネットセンターと、パーティーラインの二つに分かれているということだけで、Qネットセンターの内容についてはお恥ずかしい話ですが、頭がついていかなくて理解できなかったことを覚えています。

他人のインタビューを傍観していることくらいつまらないことはないのですが、私はそのうち玉置さんが一言もしゃべらないことが面白くなってきました。それで私は無理に彼女に質問を振るのですが、彼女はほとんど受け答えをしません。実は玉置さんも朝が弱かったんですね。

そのうちに青年が、「では実際にパーティーラインに接続してみましょう」と言って受話器を取り上げ、ダイヤルを始めました。このシステムは八人の人が同時に話せるというものですが、平日の午前中だというのにどの回線も満員で、何度かけ直しても繋がりません。これにはいささか驚きました。ここまで人を惹きつけるのは、もの凄い競争力を持ったサービスなのかもしれません。

結局繋がらなくて、パーティーライン体験はお預けになってしまいました。友人が満足するまで話を聞いてから、私たちはQネットを辞去しました。

その一年後、この会社は雲散霧消していたのです。

当時二五歳だった私は、足掻(あが)いていました。

仕事に飽きたらなかったのです。当時私は、企業の広報誌を請け負ってつくるセクションにおり、山一證券の仕事でベンチャー企業の取材に明け暮れていました。

「もっと面白い人や、もっと面白いことが世の中にはいっぱいあるはずだ。自分はあまりに未熟だし、何も知らなさすぎる。どんどん新しい人に出会いたいものだ。新しい知識を吸収したいものだ」

私は毎日そう考えていたし、勉強会と名が付けば新興宗教の集会にまで出かけて行ったものです。東京円卓クラブにも丸の内青年倶楽部にも顔を出していました。そして自分自身でも、人に誘われて一九八九年から勉強会の世話人をするようになり、一九九八年まで「場」の運営を行っていました。つまり、私はネットワーカーだったのです。

自分自身はさして魅力のない人間でも、周囲に魅力のある人を引き込むことで、知識や情報を得たり強力な人脈を得ることができる。編集者としてのその後の私の仕事は、この自分が運営していた「場」がなければ、さらにみすぼらしい結果しか残せなかったでしょう。

従ってこの本には、私の年来の友人も何人か登場します。彼らも私同様に、何かを求めて勉強会という場に集まっていた人々でした。

私はその場の雰囲気をありありと思い出すことができます。「誰か面白い奴はいないか」というのが挨拶代わりでしたし、人を紹介する時には「彼、面白いよ」というのが褒め言葉でした。なぜなら誰もが影響を与えてくれる相手を求めていたからです。「ベンチャー」や「ナスダック」もよく聞かれる語彙の一つでした。それ以前の日本企業は、会社の中ですべてが完結することが建前だったので、会社の外部と積極的に交流をしようという文化はなかったのです。バブル前になってやっと、「社外の人と積極的に交流しよう」という動きが出てきて、東京では幾つかの勉強会を舞台に同世代間で活発な交流が行われていました。ビットバレーの前身のようなものです。

そして不思議なことに、大企業に勤めていた彼らは徐々にベンチャーを起業・転職し、私とは疎遠になっていきました。その時は、「まあ、辞める人もいるわな」と思い、あまり気にもしませんでしたが、その後私自身も会社を辞めたし、Qネットに一緒に行ったシンクタンクの友人もＭＢＡ取得後に辞めて外資系コンサルティング会社に移籍し、現在はネットベンチャーの執行役員をやっています。

今となってはよくわかる気がします。そうした交流を自ら求める、好奇心が旺盛で、新しいモノや場を創造する喜びを知り、組織の枠にとらわれない人間というのは、旧来の大企業の中でやっていけるはずがないのです。

大企業で出世すると、予算や人事権などかなり大きな権限を手にすることができます。しかし上司がその権限を有効に使わず、単なるコストの垂れ流しになっているのを見た時に、「それで付加価値が付けられないのなら、どんな大きな権限を持っていても無駄だ、そんなパフォーマンスの悪い仕事に付き合うこと自体が自分の時間の浪費だ」と判断するような若者たちが、あの頃の勉強会には集まっていたし、またそういう価値観を交換し、相互干渉していたのです。

一度そうした考え方を身につけると、それを会社の人に理解してもらおうと幾ら説明しても無駄な努力です。時代遅れの社内文化と自分の意識の乖離がどんどん広がって、以前は相思相愛であった会社との間に埋められない溝ができてしまい、最終的には会社を辞めることになるのです。

だから、こうした場からベンチャー経営者が出てくるのはまったく意外なことではありません。これが、ネットベンチャー経営者の人口構成の一つのピークを形成している三〇代半ばの層が持っている文化だと思います。

そしてこの傾向が即ち、プロローグの結語で述べた「ＩＴによる人の意識の変化」の方向性を指し示しているのです。

勉強会という「場」は、参加者の意識を変化させる強い力を持っていたのですが、今後、こうした意識の変化はネットを通して若年層から爆発的に広がり、日本企業のビジネスの流儀や組織のあり方を根本的に変えていくはずです。

この本の登場人物の生き様や発想法を克明に描き込むことによって私がお伝えしたかったのは、もう既にわれわれが突入しているネットワーク時代の新しい日本人の生き方であり、仕事観だったのです。ビジネス文化の正統性は、ベンチャーにこそあると思うのです。

この本のもう一つのテーマはネット上での「場」のつくり方と運営方法についてで

す。インターネットはあくまでオープンなシステムなので、そこでビジネスをしようと思ったら自分の領分を区切って枠をつくり、ユーザーを惹きつけてお金を落としてもらう仕組みを完成させなければなりません。どのような区切り方をして、そこに自社の旗（ブランド）を立て、多くのユーザーに認知してもらうかが勝負なのです。

私が取り上げた起業家たちは、いずれも新しいメディアを通して、それまでになかった「場」を創出しました。

最初に取り上げた二社、ダイヤルQ²を利用したポータルを構想したダイヤル・キュー・ネットワークと、世界初の無料プロバイダーシステムでインターネット界の制覇を企てたハイパーネットは経営に失敗しましたが、ここで培われた人脈やノウハウは決して無駄になることはなく、その後多くの果実をもたらすことになったのです。彼らの失敗の理由を振り返ることは、ネットワークづくりの成功要因を探るためには欠かせないことなのです。

ビットバレーはネットベンチャーの相互扶助組織というメタ・レベルの「場」なのですが、彼らがブレイクした理由もやはり、場づくりについてのかなり洗練されたノウハウを持ち込んだことにあったと指摘することができます。日本中にインターネット、ひいてはＩＴの重要性を認識させたという点において、ビットバレーの果たした役割はあまりにも大きいでしょう。またこの頃になると、若年層の対人関係の築き方や発想法は、見事にネットに対応してきたように思われるのです。

そして最後に取り上げたｉモードこそ、インターネット上に初めて出現した、多数者が利益を得ることのできる本格的なインフラと言うことができると思います。コンテンツ提供事業者や一般事業者、携帯利用者に多大な利便を提供し、一〇〇〇万人が参加するまさに社会的なインフラと認知されているのです。

ｉモードという「場」から、今後も多くの新しい価値が生み出されてくるでしょう。そして実は彼らは「インターネット」を否定することによってそうした場を実現することができたというのが重要なことなのです。彼らがつくったのはｉモードという新しい「場」なのです。

サイバードは、ネット上で商売をしたいと思っている企業に対して、ｉモードを含むすべての携帯端末へのポータルをつくることに成功し、これが強みになっています。「場」は次元を超えてつくることができるはずなのです。

つまるところ、ネットワークの中にありながら、独自性を主張し、他者に価値を提供していく主体となれるかどうかが問題なのです。カネや情報など、ネットワークの中を流れるモノは、すべてネットワークのルールに則して偏在しています。

いかにして、それらの資源を自分の手元に集めるか。そしてニーズに応える新しい価値をつくり出すことができるか。その必要条件となるのが、徹底した顧客志向であり、スピードであり、ローコストオペレーションであり、誰もが自由に発言し、アイデアを評価し合うことができるオープンな場づくりであり、他者とのWin-Winのパートナーシップづくりであるはずです。これらの基本原則を外したところに、成功するビジネスモデルは成り立ち得ません。

個人単位でもまったく同じことが言えるでしょう。個人として社会の中で生きるためには、独自性の主張と価値の提供をシビアな基準で行う必要があります。会社に属していると、ここの水準がどうしても緩んできます。

会社はこれまで、組織力でそれを補っていたのですが、不良債権を抱え、競争条件も厳しくなっている日本企業にはもうそんな余力は残っていません。

とすると今後、個人が生き残るためには、「会社という枠を超えたネットワーク」の中における「自分の価値」を意識する必要がどうしても出てくるはずです。

そう考え方を変えたとしても、社内と社外で人との付き合い方を変える必要はないでしょう。そうではなくて、分け隔てなくどちらでも通用するという基準で、社内文化の側をフラットな組織向けに変化させるべきだと思うのです。この点でも、日本企業の社内文化は、ネットベンチャーに追随しなければならないと私は思っています。

今や、役所から大企業に至るまで、そこに就職してしまえば定年まで安穏に日々を暮らせるという組織は、この国からはなくなってしまいました。会社の看板の陰で楽をすることはできなくなったのです。

「だからあなたも、先手を取ってベンチャーを起業すべきだ」などとけしかけるつもりは毛頭ありません。私は起業の厳しさもリスクもよく知っています。そんなことを人に無責任に勧めるなど良心が許しません。

しかし今後、すべての個人は、組織の庇護を当てにせず、自分がどれだけ「価値」を産むことができるかを仕事の上で追求して行かなければならなくなるはずです。

社内的にも、人事測定の技法が発達し、個人のパフォーマンスがより厳しく問われるようになるでしょう。その時には、組織人でありながらも先鋭なベンチャー精神を持たなければ、組織の中で頭角を現すことはできないはずです。また、そうした人材を多く抱え続けることができない組織は、没落していく以外にはないでしょう。

今日を先取りし、なりふり構わず夢を追い続けた若者たちの姿の中に、ネットワーク時代のビジネスマンに求められる幾つかの要素を透かし見ることができるのではないでしょうか。私のつたない記述からなにがしかを看取していただければ幸いです。

ネットベンチャーの経営者たちは、超人的に忙しい人たちです。この本の取材のために限られている時間資源を割いてくださったみなさんに心から感謝致します。せっかくお話を伺わせていただきながら、構成上カットせざるを得なかった部分もあります。伺わせていただいたお話は、原稿のバックグラウンドとして十分反映させていただきました。ご海容いただければ幸いです。

また特に、匿名を条件にお話を伺わせていただいた方々にも深甚なる謝意を申し述べたく存じます。考えてみますと、私は今まで成功したビジネスの取材しか経験してきませんでした。事業が失敗したために、債権者や出資者に迷惑をかけることがどれほど辛いことかも初めて知ったような次第です。その十字架の重さに私は恐懼しました。にもかかわらず、辛い体験を明らかにしていただいたみなさんの勇気に、私は敬意を覚えずにはいられません。

第二章については、独自取材以外の部分はかなりのところ、主人公である板倉雄一郎さん本人の著書『社長失格』（日経ＢＰ）に頼って記述しております。快く引用、参照を許していただいた板倉さんに改めて御礼申し上げます。

また、友人の木谷高明さんと本荘修二さんには、原稿をご覧いただき貴重なご示唆を頂戴しました。重ねて御礼申し上げます。

取材はネットベンチャーブームの真っ只中であった二〇〇〇年の三〜四月に集中して行い、主要部分の執筆は四月の終わりから五月いっぱいにかけて行いました。その後、七月にプロローグを書き足し、ネットベンチャーのビジネスモデルの分析を主な内容とした第一章を全面削除しました（編集注：削除した第一章は今回の復刊により第六章に収録）。これによって、主題がよりはっきり浮かび上がったと思います。

私の第一作となるこの本の構想を文藝春秋出版局の田中裕士さんに持ちかけたのは、最後のビットスタイルがヴェルファーレで行われた二〇〇〇年二月二日のことでした。彼とは、私がプレジデント編集部在籍中にある勉強会で知り合い、その後メディア人限定のネットワークを立ち上げる時に、私がパートナーとして選んだ人物でした。

新たなネットワークをつくる時は、組む相手が最大のポイントです。私は彼のネットワーカーとしての力量を信頼していました。この企画の進行にあたって、彼は私を完璧にサポートしてくれました。当初、私のネットベンチャーに対する認識はほぼゼロでしたが、彼は細かい資料の博捜から取材の手配まで、水も漏らさぬ体制で私を支え、伴走してくれたのです。

あまつさえ、実はこの本の本文の原稿はすべて手書きだったのですが、一部ワープロ打ちまで彼の手を煩わせてしまいました。もし彼がいなければ、私はこのあまりにも多い困難、あまりにも高い壁を一つ一つ乗り越えて、ゴールに飛び込むことは決してできなかったと断言できます。友人の矩（のり）を遥かに超えたご協力を賜った田中さんには、満腔の謝意を表したいと思います。

田中さんの異動後、手練れの編集者、下山進さんに仕事が引き継がれました。下山さんのお導きによって大胆な構成変更を行い、拙稿をなんとか世に出せるレベルにまで引き上げることができたと思います。誠に感謝の念に堪えません。

この本を御一読された方は、主人公たちの成功までの一〇年の道程を、ビルトゥングスロマン（教養小説）になぞらえることができると思われるかもしれません。その種の小説上の経験は、叙情的で甘美な詩情に還元されて記述されています。

この本の主人公たちはたまさか勝利を手にしましたが、小説とは違って実際の人生の苦難はあまりに重苦しく、もし報われることがなければ暗黒です。そして報われないことの方が実際は多いことを忘れてはならないと思います。

それでも成功する日を信じて挑戦し続ける姿勢が尊いのです。

初めて本を書く私にとっては、自分の器を顧みず彼らの後を追ってこの稿を書き進めること自体が、常に未知への挑戦でしたし、主人公たちの人生を追体験することに他なりませんでした。

筆を擱いた今、実に彼らのお蔭で、私自身がビルトゥングスロマンの登場人物のように、精神的に少しく成長することができたのではないかとすら思っているほどです。

二〇〇〇年　　岡本呻也

【データ出所・参考文献】

『社長失格』(板倉雄一郎著、日経BP、一九九八年)
『ビットバレーの鼓動』(荒井久著、日経BPコンサルティング、二〇〇〇年)
『場と共創』(清水博編者・久米是志他著、NTT出版、二〇〇〇年)
『ネットワーク社会の深層構造』(江下雅之著、中央公論新社、二〇〇〇年)
『経営革命の構造』(米倉誠一郎著、岩波書店、一九九九年)
『i-モード事件』(松永真理著、角川書店、二〇〇〇年)

インプレス　ケータイ Watch Flash
インプレス　INTERNET Watch Flash
ビットバレー・アソシエーション

その他、「日本経済新聞」「朝日新聞」「週刊ダイヤモンド」「週刊東洋経済」「ベンチャークラブ」「アントレ」「AERA」「日経ビジネス」「サイゾー」「週刊エコノミスト」の各誌紙を参考にしている。

【取材協力者】(取材順、肩書きは二〇〇〇年八月時点)

小澤隆生(ビズシーク社長)
本荘修二(ジェネラル・アトランティックLLC日本代表)
赤坂俊哉(大原法律事務所弁護士)
小池聡(ネットイヤーグループ社長)
鈴木貴博(ネットイヤーグループ取締役)
堀主知ロバート(サイバード社長)
真田哲弥(サイバード副社長)
岩井陽介(サイバード専務取締役)

板倉雄一郎(ベンチャーマトリックス会長)
堀江貴文(オン・ザ・エッヂ社長)
川邊健太郎(ピー・アイ・エム取締役)
堀義人(グロービス社長)
宮城治男(ビットバレー・アソシエーションディレクター)
松山太河(ビットバレー・アソシエーションディレクター)
西野伸一郎(アマゾン・ドットコムディレクター)
西村嘉騎(バックオフィス社長)
加藤順彦(日広社長)
渡辺千賀(ネオテニーマネージャー)
本田広昭(三幸エステート常務取締役)
松本大(マネックス証券社長)
國重惇史(DLJディレクトSFG証券社長)
林俊樹(バンダイ執行役員)
坂手康志(アイ・キュー・スリー社長)
内古閑宏(ヴィジョネア社長)
西川潔(ネットエイジ社長)
榎啓一(NTTドコモ取締役)
夏野剛(NTTドコモゲートウェイビジネス部担当部長)
神田敏晶(KNN カンダ・ニュース・ネットワーク)
小椋一宏(ホライズン・デジタル・エンタープライズ社長)
萩原雅之(ネットレイティングス社長)
佐々木かをり(イー・ウーマン社長)
松永真理(イー・ウーマン エディトリアルディレクター)
玉置真理(サイバービズ会長)

その他、匿名を条件に多くの方にご協力をいただきました。

［著者］
岡本呻也（おかもと・しんや）
ジャーナリスト
1965年愛媛県生まれ。早稲田大学教育学部卒業後、1987年プレジデント社へ入社。20代に全国のベンチャー企業経営者200人を取材する。1993年から1997年まで月刊『プレジデント』の編集にあたり、経済ルポから歴史・仏教記事まで幅広く制作。1999年同社を退社。ジャーナリストとして活動するほか、東北大学大学院法学研究科客員教授や国立長寿医療研究センター研究所客員研究員などを務めていた。著書は『「超」人間力』（PHP研究所）など。2016年3月3日、脳内出血のため死去。

ザ・スタートアップ
――ネット起業！あのバカにやらせてみよう

2024年５月７日　第１刷発行

著　者――――岡本呻也
発行所――――ダイヤモンド社
〒150-8409　東京都渋谷区神宮前6-12-17
https://www.diamond.co.jp/
電話／03･5778･7233（編集）　03･5778･7240（販売）
編集協力――――井上理、岩本有平
装丁・本文デザイン―中川英祐［トリプルライン］
DTP――――――河野真次［SCARECROW］
校正――――――聚珍社
製作進行――――ダイヤモンド・グラフィック社
印刷――――――三松堂
製本――――――ブックアート
編集担当――――日野なおみ

ISBN 978-4-478-11981-5